dedykacja

Emma
McLaughlin
& Nicola
Kraus

dedykacja

przełożyła Monika Bukowska

WYDAWNICTWO ZNAK • KRAKÓW 2008

Tytuł oryginału
Dedication. A Novel

Copyright © 2007 by Italics, LLC
All rights reserved

Projekt okładki
Katarzyna Borkowska

Fotografia na okładce
© Dennis Wilson/CORBIS

Adiustacja
Urszula Horecka

Korekta
Barbara Gąsiorowska
Małgorzata Biernacka

Łamanie
Irena Jagocha

Copyright © for the translation by Monika Bukowska

ISBN 978–83-240-0930-5

 Zamówienia: Dział Handlowy, 30-105 Kraków, ul. Kościuszki 37
Bezpłatna infolinia: 0800-130-082
Zapraszamy do naszej księgarni internetowej: www.znak.com.pl

Dla Joela
i Davida,
z wyrazami głębokiej miłości
i wdzięczności

1

22 grudnia 2005 roku

– On tu jest.

– Laura? – rzucam zaspanym głosem do słuchawki, nie wiedząc, co się dzieje.

– Kate.

– Tak? – mamroczę. Głowa mi leci i razem ze słuchawką zapada się głębiej w poduszkę.

– O n t u j e s t – powtarza. – W Croton.

Dopiero teraz docierają do mnie jej słowa. Otwieram oczy i podnoszę się na łóżku.

– Wreszcie przytomna? – pada pytanie.

– Tak. – Zerkam na nocną szafkę i ponad stosem książek próbuję dojrzeć na zegarku, która jest godzina. Jarzące się cyfry pokazują czwartą czterdzieści trzy.

– Ale skąd...

– Mick wymiotuje. Opiekunka pozwoliła mu zjeść za dużo cukierków i ma teraz problemy z żołądkiem. Wyjrzałam przez okno w łazience i zobaczyłam, że dom jego matki jest oświetlony jak lunapark, zadzwoniłam więc do biura szeryfa i rozwiał moje wątpliwości. On tu jest. Kate, o n t u j e s t.

Szybko zsuwam z siebie kołdrę.

– Już tam jadę – rzucam telefon na metalową podstawkę i stawiam stopy na podłodze.

On tu jest – a raczej tam. Jake Sharpe. No jasne, nie zjawiasz się o żadnej przyzwoitej porze, ale w środku nocy, jak jakaś bestia żądna mojej krwi.

Adrenalina uderza mi do głowy.

Łapię leżące na krześle spodnie do jogi, naciągam je pod koszulę nocną i szybkim ruchem zdejmuję wiszący na klamce króciutki czarny kardigan. Potem sięgam na półkę po walizkę, ale tylko zaczepiam o jej uchwyt, przez co spada mi na głowę lawina przyborów toaletowych i rozsypuje się po podłodze. Schylam się, by pozbierać buteleczki, a koszulę mam mokrą od potu, jak gdyby śnił mi się koszmar. Tyle że teraz wcale nie śpię, a Laura wreszcie wysyła umówiony sygnał, niczym racę, która przecina nocne niebo ponad ośnieżonymi wzgórzami naszego rodzinnego miasteczka.

Napędzana adrenaliną trzaskam szufladami, garściami pakuję do walizki bieliznę, piżamy i podkoszulki i myślę o tych rzeczach, które jeszcze koniecznie muszę zabrać: obcisłych dżinsach, seksownych sweterkach, wiszących kolczykach i obcasach, w których wydaję się dużo wyższa. Wreszcie zamki z obu stron stykają się ze sobą i mogę zapiąć walizkę na kłódkę.

Lecę do przedpokoju i wkładam tenisówki, zrywam trencz z wieszaka, otwieram drzwi wejściowe – na ulicy cisza, aż dzwoni – i sięgam do kieszeni po klucze: o cholera, a torebka? Wracam pędem do ciemnego mieszkania – jest, ukryła się na kuchennym stole, wśród pudełek pełnych niezapisanych kartek świątecznych i rolek ozdobnego papieru rozsypanych koło laptopa. Laptop. Nie. Na co mi laptop? Wystarczy mi segregator do przejrzenia w samolocie. Może zacznę pisać raport. Ale wtedy przyda mi się laptop. Weź laptopa. Niezgrabnymi palcami próbuję odłączyć go od stacji dokującej, bez skutku. Włączam światło i wtedy poraża mnie nagła jasność. Ale dobrze, tak, świetnie, tego mi było trzeba. Staję oko w oko z rzeczywistością, a dokładnie ze swoim odbiciem w kuchennym oknie: twarz zmięta od snu, oczy podkrążone z jego braku, a na głowie gniazdo, ponieważ przysnęłam z gumką na włosach.

To chore.

Z powrotem gaszę światło, zamykam drzwi wejściowe, wracam powoli do sypialni, rzucam się na łóżko i naciągam na siebie ciągle ciepłą kołdrę. Klucze wypadają mi z ręki, adrenalina posłusznie odpływa, a ja wracam w krainę spokojnego snu, w której przebywałam jeszcze kilka chwil temu.

Śpij dalej, Kate. Śpij. Pracujesz ostatnio bez wytchnienia – konferencja, spotkania, czterdziestodwugodzinna podróż do Argentyny. Myślałaś tylko o tym, żeby się wreszcie wyspać. Przecież jest ci teraz dobrze, jesteś odprężona, masz własne życie, nieprawdaż? Popatrz, jak dobrze być dorosłą kobietą, która może iść spać we własnym łóżku, we własnym mieszkaniu... iść spać, kiedy tylko chce – tętno powoli wraca do normy – ... a nie znowu zachowywać się jak jakaś głupia... żałosna... nastolatka... ogarnięta obsesją... reagująca jak obłąkana... tylko dlatego, że Jake wreszcie się pojawił... tylko dlatego, że Jake...

Siadam na łóżku, oddycham z trudem.

Po kilku minutach już jadę Route 26 i szukam zjazdu na lotnisko w Charlestonie.

Wyciągam walizkę z tylnego siedzenia, zamykam samochód i włączam alarm, rzucając raz jeszcze okiem na napis „POSTOJE DŁUGOTERMINOWE". Staram się nie myśleć, co to oznacza. To po prostu zwykła przejażdżka, i tyle. Zwykła, tysiąctrzystukilometrowa przejażdżka.

Zostawiam za sobą czarne jeszcze niebo, przechodzę przez szklane rozsuwane drzwi do wąskiego klimatyzowanego pomieszczenia o ceglanych ścianach, wypełnionego kojącą muzyką. Agentka linii lotniczych, której perfekcyjny makijaż o tej porze dnia – a raczej nocy – budzi we mnie podziw, uśmiecha się na powitanie.

– Pani do odprawy? – pyta. Wpatruję się w sztuczną gwiazdę betlejemską przypiętą do jej uniformu. – Pani do odprawy? – powtarza.

– Tak – odpowiadam nieśmiało.

Patrzy na mnie badawczo, tak jak i ja na nią.

– Jest pani pewna?

– Tak. Tak. Wybieram się do Croton Falls w stanie Vermont. Najbliższe Croton lotnisko to Burlington, ale może być i inne w okolicy. – Kładę portfel na ladzie, a ciężką od laptopa torbę podręczną stawiam na podłodze, między nogami.

– Mogę prosić o jakiś dowód tożsamości?

Otwieram portfel i wyciągam z niego plastikową kartę. Kobieta przygląda się jej dziwnym wzrokiem.

– „Strategie Zrównoważonego Rozwoju"?

– Przepraszam, to mój identyfikator. – Biorę go od niej i wręczam prawo jazdy.

– A bilet?

– Tak się złożyło, że nie mam biletu, ale zależy mi na pierwszym możliwym locie w tamtym kierunku. Da się to załatwić?

Kobieta stuka w klawiaturę i wpatrując się ze skupieniem w ekran, szuka możliwych dróg wiodących mnie z powrotem do niego.

– Co my tu mamy... jest jedno miejsce w samolocie do Atlanty, potem dwugodzinny postój, stamtąd poleci pani do Nowego Jorku, gdzie będzie pani na trzecią, i tam przesiądzie się pani...

– Czy naprawdę nie ma niczego wcześniej? – podnoszę walizkę na metalową wagę. Kobieta oddziera z rączki starą nalepkę.

– Na dwa dni przed świętami nie.

– No tak, jasne. Świetnie. Dziękuję.

– Przy dobrej pogodzie powinna pani być w Burlington na szóstą po południu.

To za niecałe dwanaście godzin. Nie jest źle.

Biorę bilet oraz plan mojej podróży i udaję się w stronę bramki z nadzieją, że znajdę po drodze Starbucksa, ale w ostatecznym rachunku muszę się zadowolić zwykłą budką z przekąskami.

W samolocie wrzucam torbę do schowka, po czym zajmuję miejsce w trzynastym rzędzie, z nadgniłym bananem i dużą czarną kawą w ręku. Wreszcie siedzę wygodnie, opieram głowę o fotel, włosy wysuwają mi się z naprędce upiętego koka, powieki opadają i powoli przestaje do mnie docierać, co się wokół dzieje.

– Szanowni państwo, kapitan informuje, że zaraz wejdziemy w strefę turbulencji, w związku z czym uprzejmie prosimy o zapięcie pasów.

Odruchowo otwieram oczy, by się upewnić, że wciąż jestem zapięta, a na kolanach trzymam zapomniany segregator, którego zawartość stanowią nowe argentyńskie przepisy dotyczące ochrony środowiska. Mój wzrok spoczywa na „US Weekly", trzymanym przez mojego sąsiada, na nagłówku krzyczącym: „Pierwsze zdjęcia! Jake Sharpe i Eden Millay przyłapani w St. Bart's na poszukiwaniu pierścionka! Czyżby czekały nas

WESELNE DZWONY?"". Samolot wpada w dziurę po-
wietrzną i schodzi w dół. A mój żołądek robi fikołka.

– Szanowni państwo, za chwilę samolot zacznie obniżać
lot, by podejść do lądowania.

Przekręcam torbę tak, by jej zapięcie znalazło się z mojej strony, i przytrzymuję ją stopą, licząc w duchu, że obniża-
nie lotu przez samolot nie jest metaforą tego, co robię teraz ze
swoim życiem.

Wyglądam przez okno z nadzieją, że uda mi się dostrzec
jakiś znajomy punkt – widzę płytę lotniska, odległe światła
Burlington, ale poza tym ciemność jest gęsta i nieprzenikni-
na. A wtedy nagle chmury rozsuwają się, odsłaniając księżyc w pełni, i pokryte śniegiem pola zaczynają migotać, jakby
oświetlono je błyskiem tysięcy fleszy. Przecieram oczy, a koła
samolotu właśnie dotykają ziemi.

Z wejścia wiodącego z płyty lotniska wyłania się bagażowy
o czerwonych od zimna policzkach i ciągnie obładowany metalowy wózek, który zostawia za sobą ślady deszczu ze śniegiem. Mężczyzna zdejmuje jego zawartość, stawia przed nami i natychmiast robi się poruszenie – las wyciągniętych rąk,
trzaskanie wyjmowanych uchwytów – moi towarzysze podróży biorą co swoje i odchodzą. Przez moment wpatruję się
z niedowierzaniem w pusty wózek. Cholera.

– Przepraszam! – Biegnę prosto w stronę mężczyzny, który odhacza kolejny lot na swojej liście. – Czy to już wszystkie bagaże?

– Niestety, niektóre lecące z Nowego Jorku dotrą z opóź-
nieniem. Jeśli nie ma tu pani walizki, proszę się zgłosić do pani Velmy w informacji. Pomoże pani napisać reklamację.

– Dziękuję. – Skłaniam głowę.

Podczas wspólnego wypełniania formularza pani Velma z szerokim uśmiechem na ustach powtarza obietnicę, że dostarczą moją walizeczkę na kółkach pod moje drzwi n a t y c h m i a s t po tym, jak dotrze ona do Burlington, n a t y c h m i a s t. Tyle że – kończy opryskliwie, uderzając ręką w stos formularzy równo ułożonych na kontuarze – zbliża się Boże Narodzenie i nie może mi niczego obiecać. Kiwam głową, zawieszając torbę na ramię, i powoli dociera do mnie niemiła świadomość, że będę próbowała sprawić, by pewien facet uzmysłowił sobie marność swojej egzystencji, ubrana w spodnie do jogi. Podchodzę do rozsuwanych drzwi i obuta w adidasy – a-niech-to-ja-sna-cho-le-ra! – ruszam pędem przez zaspy w stronę kilku czekających na postoju taksówek. Zamykam drzwi z hukiem, któremu towarzyszy skrzypienie zardzewiałych zawiasów.

– Dobry wieczór, proszę mnie zawieźć do Croton Falls.

– Croton! – Kierowca kaszle i z papierosem w ustach wyjeżdża na pas ruchu. – Znam te okolice, mam kuzyna w Fayville. Biorąc pod uwagę świąteczne korki, możemy tam jechać co najmniej godzinę.

– Wiem. – Torby spadają mi z ramion na podarte siedzenia ze skaju. – Zapłacę panu za kurs powrotny. – Jeszcze raz przeliczam wyjęte z bankomatu na lotnisku w Nowym Jorku dwudziestodolarówki. – Słucham?

– Jak sobie pani życzy – odpowiada i przez przymocowany taśmą do deski rozdzielczej mikrofon podaje dyspozytorowi kierunek podróży.

– Mogę jeszcze o coś prosić? – Strzelam mokrymi spodniami, próbując oderwać je od gołych kostek. – Czy mógłby pan zamknąć okno?

Taksówkarz wyrzuca na ulicę tlący się niedopałek i sięga do pokrętła.

— Nie wpadliśmy na to, że będzie padał śnieg?

Wciskam się w brązowy skaj i kulę nogi pod siebie, by ogrzać wilgotny materiał.

— Nie wpadłam na to, że będzie to grudzień.

2

Szósta klasa

Mama chwyta prawą ręką drążek zmiany biegów, a jej palce, z których jeden ozdobiony jest odziedziczonym po babci pierścionkiem z kameą, pulsują przy tym wyraźnie. Wysuwa głowę do przodu, by spojrzeć przez przednią szybę na przewalające się po niebie chmury.

– Chyba będzie padać.

– Parasol jest w bagażniku – odzywa się z tylnego siedzenia Tato, tym razem bez tej swojej angielskiej flegmy. Najwyraźniej już traci do nas cierpliwość.

Patrzę ponad bufiastymi rękawami Mamy na parking, pusty pod nieobecność autobusów, które wyjechały po moich nowych szkolnych kolegów, oraz na jasnobrązowy ceglany kompleks dwupiętrowych budynków tworzących Croton School – podstawówkę, gimnazjum i szkołę średnią. Liść klonu kołyszący się na wietrze opada na przednią szybę, zahacza ogonkiem o wycieraczkę i na chwilę zasłania nam widok wejścia do gimnazjum, a potem odfruwa dalej.

– To jest o g r o m n e – powtarzam po raz tysięczny, licząc od chwili, kiedy Mama zabrała mnie na przechadzkę po szkole, po jej pokrytych wykładziną korytarzach łączących puste klasy, z tablicami niezapisanymi tak samo jak moje nowe życie.

15

Mama odwraca się plecami do tego molocha i wreszcie patrzy na mnie, tak naprawdę po raz pierwszy, od kiedy budzik wprawił nas w ruch, a ja czuję, że w moich oczach widać strach. Na jej twarzy odmalowuje się teraz macierzyńska troska.

– Pokochasz to miejsce, Katie. Masz moje słowo.

Wzruszam ramionami, choć cała jestem spięta przed tym, co mnie czeka.

– Tak. Na pewno je pokochasz, zobaczysz. To raj, to nirwana, to najwspanialsza szkoła publiczna na świecie. Już teraz żałuję, że nie przyjąłem tu posady. No dobrze, pani Hollis, P a n i D y r e k t o r Hollis.

Tato, ubrany w niebieską tweedową marynarkę, nachyla się w naszą stronę i kątem oka dostrzegam, jak ściska Mamę za ramię, spłaszczając jej bufki jak suflet.

– Do Fayville jest godzina drogi. Mam rozmowę kwalifikacyjną o ósmej. M u s i c i e wysiąść z samochodu. Patrz, nadjeżdżają twoi pierwsi podopieczni.

Przez wyrwę w gęstym zielonym żywopłocie wyłania się żółty autobus, robi wielkie koło na parkingu i zygzakiem podjeżdża pod wejście do szkoły średniej.

– Jutro jadę autobusem i wstaję o normalnej godzinie, jasne? – oświadczam po raz kolejny, zła, że nie mogłam zrobić tego wszystkiego dzisiaj, Pierwszego Dnia, i świadoma, że gdybym siedziała teraz w autobusie, widziałabym już ich twarze, a może nawet rozmawiałabym z kimś.

Autobus przystaje i z otwartych drzwi wylewa się chwiejnie potok starszych chłopców. Obniżam się nagle na siedzeniu, by zejść im z widoku, tak że nos mam teraz na poziomie schowka.

– To pewnie drużyna sportowa. – Mama sięga po leżącą na podłodze torebkę. – Na szczęście ja nie muszę się o to martwić. W niższych klasach nie ma porannych ćwiczeń.

– Nie ma futbolu dla maluchów lub czegoś podobnego? – Tato uśmiecha się. – Czegoś naprawdę brutalnego, w czym ci mali Wizygoci mogliby się wyżyć?

Mama opuszcza osłonę przeciwsłoneczną i rzuca okiem do lusterka, rozchylając szeroko usta, by sprawdzić stan uzębienia.

– Gotowa? – Podnosi osłonę do góry.

– Gotowa – potwierdzam z bijącym sercem.

Następuje wymiana całusów i oboje jednocześnie otwierają drzwi ze swojej strony, wpuszczając do środka parne późnoletnie powietrze, tak że marzy mi się teraz popływać na pontonie po stawie Megan. Ostatni raz poprawiam swoją nową fryzurę na pazia, modląc się w duchu, by okazało się, że takie są tu modne, i zakładam plecak, a Mama wystawia z samochodu nogi w lakierowanych czółenkach.

– Prawa! Lewa! Hop! – Chlorowane powietrze rozbrzmiewa rykiem nauczyciela wuefu, który nad brzegiem gimnazjalnego basenu przeskakuje z jednej śliskiej płytki na drugą, unosząc do góry rękę i przeciwległą nogę. Wpatruję się w niego osłupiała i zdumiona, że kazano nam się zanurzyć w tej lodowatej wodzie, choć na parapecie leży pierwszy, zupełnie niespodziewany śnieg.

– Ty. – Nachyla czerwoną twarz w moim kierunku.

– Katie – podpowiadam mu ochoczo, mając nadzieję, że skoro zwrócił na mnie uwagę, to dostrzegł też, że cała jestem sina z zimna oraz że powinnam natychmiast wyjść z wody i wytrzeć się ciepłym ręcznikiem.

– Katie! Ruchy! Ruchy! – Wyciąga włochate ramię nad basenem niczym przywódca religijny błogosławiący pozostałych szóstoklasistów, którzy pokonują opór wody ze zmiennym powodzeniem, zależnym od tego, jakim wzrostem obdarzyła ich do tej pory matka natura. Uśmiecham się słabo.

– No dalej! Nie opuścicie tego basenu, dopóki każdy z was nie przepłynie go przynajmniej osiem razy, i nie liczcie na żadną taryfę ulgową! A teraz HOP!

– Chciałabym go rozebrać do naga, wsadzić w bryłę lodu i zobaczyć, jak robi to swoje „hop" – z mojej lewej strony dochodzi ironiczny głos. Odwracam się i widzę dziewczynę w fioletowym wzorzystym stroju kąpielowym, która ostrożnie podtrzymuje swoje francuskie warkocze, chroniąc je przed zamoczeniem.

– Czy to jest w ogóle legalne? – podchwytuję jej ton.

– Czy to jest w ogóle woda? – żartuje i przedstawia się: – Jestem Laura Heller.

– A ja Katie Hollis. – Machamy do siebie pomarszczonymi palcami nad falującą powierzchnią basenu. Jest mojego wzrostu.

– Mieszkasz tu od niedawna, no nie? – pyta, próbując w tym czasie zawiązać długie warkocze w węzeł na czubku głowy.

– Mhm – potakuję i nagle znów odzywa się we mnie tęsknota za znajomymi z Burlington. – Dokładnie od lipca.

– SKAKAĆ! NIE WIDZĘ!

– A więc witamy w Croton Falls. – Laura ostrożnie zanurza pokryte gęsią skórką ręce, krzywiąc się przy tym niemiłosiernie. – Mamy tu też trzynastotorową kręgielnię i Pizza Hut z barem sałatkowym.

Nagle ochlapuje nas dwóch chłopaków, oślepiając nas i mocząc już do suchej nitki.

– Fajnie wam sterczą cycki – rechoczą.

– Ale z was debile! – krzyczy Laura, po czym również chlapie w ich stronę.

– Laura! – warczy nauczyciel. – Mniej gadania, więcej skakania!

18

Jej oczy zwężają się w szczeliny, oddaje swoje złote sploty na pastwę wody i podnosi pięść do góry. Ja również unoszę swoją w geście solidarności.

– No to co, na dwa?

– Podaj mi. – Laura odsuwa na bok stertę czasopism, bierze tackę z przekąskami i stawia ją na szklanym stoliku w pokoju telewizyjnym państwa Hellerów. Wkłada do ust serową chrupkę, po czym osuwa się na kosmaty brązowy dywan, przewraca się na plecy i wyciąga bosą stopę, by palcem u nogi włączyć telewizor. Zsuwam się w dół, do jej poziomu, siadam po turecku i zastanawiam się, czy mogę się rozłożyć, czy raczej nie wypada.

– A więc n a p r a w d ę nigdy nie oglądałaś *Santa Barbara*? – pyta mnie znowu i wskazuje ręką, bym jej podała torebkę z chrupkami, a w tym czasie rzewny dźwięk skrzypiec wypełnia pokój.

– Moja najlepsza przyjaciółka z Burlington, Megan, ma MTV. Przeważnie więc oglądamy tylko... – Przerywa mi dźwięk telefonu stojącego na pobliskim głośniku.

Laura sięga nade mną po słuchawkę, oblizuje przy tym pobrudzone serem palce i barwi sobie kąciki ust na pomarańczowo.

– Słucham?

Korzystam z okazji, że nikt na mnie nie patrzy, rozglądam się wokół i dotykam purpurowej grzywy pastelowego kucyka, który stoi wraz z jemu podobnymi w opuszczonej zagrodzie ulokowanej na zapchanej grami planszowymi biblioteczce za moimi plecami. Nagle Laura rzuca mocno słuchawką, a ja podskakuję w miejscu przestraszona i przewracam tęczowy rząd plastikowych kucyków. Zaczynam je układać na nowo, a kątem oka obserwuję, jak Laura przyciąga do siebie poduszkę, przyciska ją i zaczyna się gapić nieobecnym wzrokiem w telewizor, gdzie widok pary pijącej szampana w wannie pełnej piany ma zachęcić do odwiedzenia górskiego kurortu.

– A więc – nie wiem, co się przed chwilą stało, zatem próbuję wrócić do poprzedniego tematu – yyy, mówiłam o Megan z Burlington, no więc jej ciotka ogląda seriale całymi dniami... – Milknę, bo oto Laura odwraca się w moją stronę. – O co chodzi? – pytam, wyczulona już na sygnały, jakie wysyła moja nowa koleżanka.

– Mówisz o Burlington tak, jakbyś ciągle tam mieszkała.

– Naprawdę? – Spuszczam oczy i wpatruję się w szklankę, obserwując bąbelki, które unoszą się na powierzchnię i pękają.

– To musi być straszne: utknąć tutaj, w takiej dziurze – mówi z rozdrażnieniem.

– Burlington wcale nie jest taki duży – śpieszę z odpowiedzią, mając nadzieję, że brzmi to wiarygodnie. – Uwielbiam jeździć na łyżwach, a tam właśnie zamknęli lodowisko. No i mój pokój tutaj jest dwa razy większy od tamtego. A tak w ogóle to powinnaś do mnie wpaść – kończę, podnosząc do ust coca-colę i popijając nerwowo.

Do pokoju wchodzi duży labrador i unosząc białe brwi, wącha tackę z przekąskami.

– Sio, Cooper – przegania go Laura. Zawiedziony pies zwiesza głowę i wychodzi.

Znowu telefon.

– Mam odebrać? – ofiarowuję swoją pomoc. Ale Laura nie odpowiada, tuli tylko poduszkę do piersi, podczas gdy w telewizji mężczyzna ubrany w golf i garnitur informuje nas krzykliwie o wyjątkowo niskich cenach. Telefon milknie.

– Laura? O co chodzi?

Laura patrzy na mnie przez chwilę w milczeniu i bawi się frędzlem od poduszki.

– Jeanine Matherson i ja byłyśmy najlepszymi przyjaciółkami, aż nagle pod koniec tamtego roku przestała się do mnie odzywać.

– Co się stało? – odstawiam szklankę na wyłożoną papierowym ręcznikiem tackę. – Dlaczego nagle przestała się do ciebie odzywać?

– Nie wiem – odpowiada Laura cicho, bierze z paczki markizę i powoli odkręca górną warstwę ciastka, oddzielając ją gładko od białego nadzienia. – Jej rodzice rozwiedli się w zeszłym roku. Czy twoi rodzice wciąż są małżeństwem?

– Tak – odpowiadam, zdając sobie sprawę, że nigdy jeszcze mnie o to nie pytano, i zastanawiając się ponuro, co bym zrobiła, gdyby w moim życiu, tak jak w życiu Jeanine, odpowiedź nagle się zmieniła.

– Moi też. W każdym razie wtedy porobiło się jakoś dziwnie i gdy Jeanine dowiedziała się, że będzie na obozie z Kristi, odbiło jej nagle na punkcie bycia popularną i, wyobraź sobie, obmyśliła nawet chytry plan, by dostać się do jej paczki.

– Ale przecież ty też jesteś popularna.

– Nie tak jak Kristi Lehman i jej świta. – Laura liże kremowe nadzienie i obserwuje ślady, jakie pozostawia na nim jej język. – Wszyscy faceci je lubią. No, ale nieważne. To wszystko jest głupie.

– Przykro mi. To musiało być...

Wreszcie patrzy mi w oczy.

– Było. Naprawdę było. – Zatapia podbródek w brązową poduszkę, wyciskając w niej głęboki trójkąt. – A ty byłaś na topie w swojej dawnej szkole?

– Co? – pytam, czując, że robię się czerwona.

— Sama nie wiem. — Przechyla głowę na bok i wpatruje się we mnie ze zmrużonymi oczami. — Michelle Walker powiedziała, że wyglądasz jak Justine Bateman.

— O rany, dzięki. Ale moja szkoła była taka mała... Ludzie lubią, przepraszam: lubili, czas przeszły, jednych i nie lubili innych, ale to było tak, że była popularna jedna osoba albo dwie, a nie cała drużyna futbolowa. Tutaj te sprawy są bardziej skomplikowane.

— W Santa Barbara wszystko jest proste — stwierdza Laura z zadumą, przesuwając po wargach końcówką warkocza. — Przeprowadzam się tam, jak tylko skończę szkołę. Urodziłam się w zupełnie niewłaściwej strefie klimatycznej. Piszesz się na to?

— Sprawimy sobie kabriolet — mówię z entuzjazmem, wpatrzona w reklamę, na której dwie gładkie nogi wyłaniają się z tylnego siedzenia samochodu.

— Różowy — przytakuje Laura i wkłada do ust całe ciasteczko. — Potem możemy obejrzeć *Dynastię*. Babcia mi ją nagrywa. — Telefon dzwoni ponownie i Laura nieruchomieje. Ja również.

— To ona. — Laura obniża głos. — One.

— O co chodzi? Po prostu dzwonią i się rozłączają? — Ja również mówię ciszej, jak gdyby one stały nad nami.

— Wydaje mi się, że Kristi ją do tego nakłania, to chyba taki test. Rzucają przez telefon przekleństwami.

— Żartujesz!

Laura kręci głową na znak, że nie żartuje, i wygląda na tak przerażoną, że nie mogę tego dłużej znieść. Wstaję i sięgam po słuchawkę.

— Słucham?

— Laura to dziwka! — W tle słychać chichot. Złośliwy.

— Przykro mi — odpowiadam. Tak bezczelne zachowanie podnosi mi poziom adrenaliny i wkłada w usta najbardziej dyrcktorski ton Mamy. – Laura nie może teraz podejść do telefonu. Jest zajęta, szkoda jej czasu na takie pierdoły. Życzę miłego wieczoru. – I odwieszam słuchawkę.

Laura wpatruje się we mnie i szeroki uśmiech rozjaśnia jej twarz, a ja w tym czasie zdaję sobie sprawę, że chyba zaraz zemdleję.

– „Pierdoły"... podoba mi się.

– Myślałam o czymś mocniejszym, ale nie chciałam przesadzić.

– To było idealne. – Rozdziela kolejne ciasteczko.

– Dzięki. – Opadam znowu na kanapę i rozpieram się radośnie obok niej.

Uśmiech nie schodzi z jej twarzy.

– Hej, a nie chcesz zrobić ze mną projektu na nauki społeczne? – Podaje mi poduszkę. – Chyba musimy do piątku zgłosić, z kim będziemy go robić.

– Jasne – odpowiadam niedbale, ale w środku aż skaczę z radości, gdy dociera do mnie, że może nie tylko znalazłam kogoś, z kim będę się mogła przeprowadzić do Kalifornii, ale i osobę, która dalej chce się ze mną zadawać, choć jest już dwudziesty drugi października i wcale nie jestem jej potrzebna, bo termin oddania prac z renesansu już minął.

– Jak to: nikt ci się nie podoba? Każdemu ktoś się podoba – oświadcza słynna Kristi Lehman i patrzy na mnie, jak gdybym spadła z księżyca. – Każdemu. – Zdejmuje z ciemnoblond włosów opaskę, potrząsa głową, rozczesuje włosy palcami do tyłu, a potem zakłada opaskę, przesuwa ją do przodu, tak że włosy tworzą idealną aureolę.

– Ona ma rację. Tak właśnie jest – potwierdza Laura, która opiera się o mnie z drugiej strony. Siedzimy wszystkie na trybunach wokół boiska na sali gimnastycznej. Laura i ja zawarłyśmy pakt, na mocy którego mamy wypadać z każdej gry, w jaką próbuje się nas wrabiać, tak szybko jak się tylko da. Trzeba przyznać, że podczas gry w dwa ognie nie sprawia to problemu.

– A w poprzedniej szkole nikt ci się nie podobał? – Jeanine wychyla się zza Kristi. Laura przewraca oczami. – No co? Już nie można z nią pogadać?

– Guzik mnie to obchodzi. – Laura ponownie gładzi swoją nową grzywkę, która miała ją uczynić bardziej ponętną, ale na razie chyba tylko ją wkurza.

– No i ...? – naciska Kristi z wyrazem irytacji na trójkątnej twarzy.

– Jasne. – Silę się na beztroskie wzruszenie ramion. – Tyle że, no wiecie, nie spotkałam tu jeszcze zbyt wielu facetów i... a wam kto się podoba?

– Benjy Conchlin – zgłasza się Jennifer-Jeden, bawiąc się gumowymi opaskami na rękach. – A Jeanine podoba się Jason Mosley.

– Jego brat właśnie się przeprowadził do Nowego Jorku. Chce zostać t a n c e r z e m – szepcze Kristi z dłonią przy ustach.

– Nie jest mu teraz łatwo – potwierdza Jeanine. – Napisałam do niego liścik. Odpisał. Pisujemy do siebie – mówi takim tonem, jakby korzystali ze wspólnej szczoteczki do zębów.

Jennifer-Jeden kontynuuje:

– No więc Jennifer-Dwa podoba się Todd Rawley, a Michelle Walker Craig Shapiro – i tak wymienia całą listę dziewcząt siedzących na trybunach, zagłuszana czasem przez piłki odbijające się z hukiem od ścian, a czasem i od ciał chłopców starających się utrzymać na boisku.

Zerkam na wiszący nad tablicą wyników zegar, by sprawdzić, czy uda mi się stąd wyrwać, zanim rzeczywiście będę musiała podać czyjeś nazwisko, i z nadzieją, że w ten sposób zyskam trochę czasu i w trakcie przerwy z okazji Święta Dziękczynienia dokonam właściwych poszukiwań.

– A więc kto? – Jeanine pochyla się tak, że czuję jej oddech i to, co jadła na lunch. – No dalej, nie wstydź się.

Przebiegam w myślach wszystkich zawodników, poczynając od graczy, którzy ocaleli i dalej miotają w siebie nawzajem gumowe piłki – ze szczególnym uwzględnieniem tych najbardziej walecznych – a kończąc na nieszczęśnikach, którzy odpadli z gry, rannych i powalonych, co pewnie uleczyłoby ich zranione *ego*.

– No dalej! Możesz mnie co najwyżej pocałować w tyłek, jak ci się uda! – dobiega z boiska, a rzeczony tyłek kręci się szyderczo.

– Tak, pocałuj go w tyłek!

– Ktoś ci się musi podobać – naciska Laura.

Naprawdę? – myślę, dalej szukając kandydatów.

– Musi – powtarza jak echo któraś Jennifer.

– Michael J. Fox? – proponuję.

– ZE SZKOŁY! – odpowiadają wszystkie chórem.

– I jeśli jest na okładce „Tiger Beat", to się nie liczy – uprzedza Kristi. Opaska znów ześlizguje jej się z głowy i cały rytuał powtarza się od nowa.

– No dobra, dobra – mówię.

Kristi wkłada palce we włosy, przesuwa opaskę do przodu, a wtedy w głowie świta jej nowa myśl.

– No, chyba że jesteś lesbą, co? Podobno w Burlington jest ich mnóstwo.

Teraz powinnam pójść za przykładem moich rodziców i strzelić jej wykład na temat dobrego wychowania. Albo dobrze, za rok. Wyrok odroczony. Ona i ja. Porządny wykład na temat dobrego wychowania. Ilustrowany przezroczami.

– No więc?

Mój wzrok spoczywa na chudym chłopcu o ciemnych włosach z przedziałkiem na środku, który przyciska mocno piłkę do piersi i zdaje się nieobecny duchem. Kiwa głową i chyba... pogwizduje.

– Ten facet. – Wskazuję ruchem głowy w jego kierunku. – Ten w... yyyy... – mrużę oczy – w hawajskich spodenkach.

– Jake Sharpe?

Kto?

– No tak, właśnie, yyy, Jake Sharpe. Podoba mi się.

Laura klepie mnie po ramieniu z aprobatą.

– Jesteś pierwsza. Do tej pory nikomu się nie podobał – stwierdza ironicznie Jeanine.

– No, to jest GRA! – Nauczyciel wskazuje swoją wielgachną łapą w stronę szatni. Pogwizdujący Jake Sharpe, najwyraźniej przebywający we własnym świecie, nie reaguje.

– A więc – wstaję razem z innymi dziewczynami i otrzepuję szorty – to właśnie on mi się podoba.

3

22 grudnia 2005 roku

Gdy podjeżdżamy na zasypany śniegiem podjazd przed domem moich rodziców, ogarnia mnie zdenerwowanie. Reflektory oświetlają kolonialną fasadę, więc nachylam się w stronę okna i wyglądam przez zamarzniętą szybę. Wiedziałam, że w zeszłym roku pomalowali dach na żółto, ale mimo to widok ten mnie zaskakuje, jak gdybym oczekiwała, że czas okaże mi trochę szacunku i pod moją nieobecność nic się tu nie zmieni.

– To będą pięćdziesiąt trzy dolary. – Taksówkarz wyłącza taksometr i opuszcza osłonę przeciwsłoneczną, z której wprost do jego ręki wypada paczka cameli.

Sięgam za siedzenie kierowcy po torbę i wtedy dostrzegam sterczący wśród śniegu znak agencji nieruchomości. Mrużę oczy i odczytuję napis na wystającej z zaspy tabliczce: „SPRZEDANE". Słucham?

– Proszę pani! Pięćdziesiąt trzy dolary.

– A, tak. – Szperam w portfelu, próbując jednocześnie odtworzyć w pamięci ostatnie miesiące rozmów telefonicznych, i zastanawiam się, gdzie mogłam zgubić informację, że dom został wystawiony na sprzedaż.

– Dziękuję. – Podaję taksówkarzowi resztki mojej gotówki, sięgam do klamki i mój wzrok pada na czarne gałęzie rozłożystego chińskiego klonu, który został posadzony w dniu, gdy ukończyłam gimnazjum. I najwyraźniej to wnuki k o - g o ś i n n e g o będą się na nim huśtać.

– Proszę pani! A reszta?

– Słucham? A, reszta dla pana. Wesołych Świąt.

– Dzięki, nawzajem.

Otwieram drzwi i od razu uderza we mnie podmuch lodowatego wiatru, a gdy wystawiam nogi na zewnątrz, śnieg oblepia je i spodnie nasiąkają błyskawicznie, potęgując jeszcze wstrząs, jakiego doznałam.

– A-a-a! – piszczę, biegnąc do domu, i przypominam sobie czasy, kiedy to szpanowało się odpornością na zimno i kiedy celowo zimą wybiegałam z domu na bosaka, by wyjąć listy ze skrzynki.

Kucam przed kratą ogrodową i w wątłym blasku dochodzącym ze świątecznych świateł, które zdobią dom sąsiadów, zaczynam gorączkowo grzebać w miejscu, gdzie powinna być rabatka cynii. Badam rękami grunt – a-a-a! – śnieg wbija mi igiełki w gołe dłonie, aż wreszcie znajduję nienaturalnie gładki kamień. Podnoszę go i wyciągam z plastikowego wnętrza klucz. Dziękując w duchu, że rodzice nigdy nie dali się przekonać do założenia systemu alarmowego, odryglowuję wejście od ganku i wchodzę do środka.

Zatrzaskuję za sobą drzwi, stawiam torbę na podłodze, po czym zrzucam z nóg mokre adidasy i schylam się, by masażem rozgrzać bose stopy. Nagle przypominam sobie o termostacie i postanawiam pójść na całość, podkręcając go do osiemnastu stopni – aż trudno uwierzyć, że tyle lat po wojnie moi rodzice wciąż traktują ciepło i elektryczność jako coś wyjątkowego. Bojler piętro niżej ze szczękiem oznajmia, że został przywrócony do życia, i tym samym dołącza do monotonnego tykania ściennego zegara, a ja przyciskam ręce do piersi, próbując się na nowo oswoić z tym miejscem i z tym, że nasz dom został sprzedany. A potem ściągam spodnie do jogi i wieszam je na wieszaku na kapelusze obok wypłowiałej maski weneckiej, którą zrobiłam na obozie artystycznym. Dotykam jej błyszczącego spiczastego nosa i spoglądam na czerwony brokat, który został mi na końcu palca – to wzruszające, że wśród kolekcji czapek Red Soksów należącej do Taty wisi pamiątka po mnie. Ale gdy mój wzrok schodzi niżej, czeka mnie niemiła niespodzianka – w miejscu, gdzie powinno znajdować się lustro, widnieje tylko czarny ślad odróżniający się wyraźnie na tle kremowej ściany. Potem patrzę w stronę schodów, gdzie prostokątnych smug jest więcej – to miejsca, gdzie niegdyś wisiały ilustracje z katalogów nasion, które pomagałam Tacie przybijać zaraz po naszej przeprowadzce.

Ze ściśniętym żołądkiem przechodzę do jadalni i tam staję jak wryta, bo oto zniknął orzechowy stół Babci Kay, orientalny dywan stoi zwinięty przy ścianie, a na podłodze leżą pudła wypełnione zapakowanymi obrazami. Gdy włączam światło, cynowy żyrandol oświetla gołe ściany. Przez otwarte drzwi widać salon: sosnowe szafki na książki ogołocone już ze swej imponującej zawartości, dywan również zwinięty, mebli brak. Wyłączam światło.

Wracam do hallu, przystaję przy szafce na buty, zawalonej teraz różnymi bibelotami: zakurzone figurki Indian stoją ramię w ramię z indyjskimi słoniami, a obok leżą kawałki drewna ze wszystkich choinek, które do tej pory mieliśmy, każdy z nich datowany markerem permanentnym Taty.

I dociera do mnie, że właśnie tak samo będzie, gdy rodzice umrą. Dostanę telefon, w pośpiechu, nieodpowiednio ubrana, wybiegnę z domu, by złapać pierwszy samolot i zająć się tym, co po nich pozostanie. Wszystko to, od rzeczy pożytecznych – takich jak otwieracz do konserw, przez niezbędne do życia – takie jak buteleczki z lekarstwami, aż do absolutnie zbędnych – takich jak okropny rzeźbiony owoc z Gwatemali, zostanie wyjęte z kontekstu i w chwili gdy rodzice przestaną żyć, większość z tych rzeczy stanie się po prostu śmieciami. I nagle, niecierpliwa jak dziecko, nie mogę się doczekać, aż wrócą do domu.

Do pokoju telewizyjnego wkraczam przygotowana już na każdą ewentualność, ale tu na szczęście nic się nie zmieniło. Zrzucam wilgotny płaszcz i otulam się starym, miękkim afgańskim kocem, po czym sadowię się na zawalonej rzeczami kanapie, tam gdzie udaje mi się znaleźć wolne miejsce. Zegar bije siódmą. Z kuchni dochodzi ciche mruczenie lodówki. Wciąż jestem roztrzęsiona i nie mogę się uspokoić, sięgam więc po telefon, by zadzwonić do Laury.

– Śucham?

– Mick? – rzucam do słuchawki, owijając kabel wokół palca, gdyż nie jestem pewna, który z bliźniaków odebrał. – Keith? To ty?

– Śucham? – powtarza trzyletni głosik. – Tu Keith, Mick dekoruje ciasto.

– Tu Kate, twoja matka chrzestna...

– Dobra wróżka!

– No cześć, Keith. Brat czuje się lepiej?

– Puszczał pawia. W świątecznym kolorze. Ale paw nie pachniał świątecznie.

Uśmiecham się i otulam bose nogi kocem.

– Tak, słyszałam. Czy jest tam mama?

– Kate? – Laura przejmuje słuchawkę.

– Podobno dekorujesz ciasto – mówię, skubiąc koniec swojego kucyka.

– Robimy świąteczne smakołyki – wyjaśnia, po czym jej głos obniża się konspiracyjnie. – Jesteś tutaj?

– Ta-dam! Przyleciałam pierwszym możliwym lotem.
– Ściągam z włosów czarną gumkę i zostawiam ją na nadgarstku. – Wiedziałaś, że sprzedali dom? – Podnoszę się na kolanach.
– Sprzedali dom?
– Mhm. Moi rodzice sprzedali dom – powtarzam powoli, tak żeby i do mnie to dotarło.
– C h y b a   ż a r t u j e s z. – Niedowierzanie w jej głosie jak zwykle działa na mnie kojąco. – Nawet nie wiedziałam, że wystawili go na sprzedaż. Gdzie się przeprowadzają?
– Nie mam pojęcia! Pudła są wszędzie. To takie straszne. Takie...
– Ale chyba nie to jest teraz najważniejsze, prawda? Przecież nie przejechałaś tylu kilometrów, żeby rozmawiać o rynku nieruchomości i uniknąć opłat za rozmowy międzystanowe? Włącz telewizję, moja droga. Oto zjawił się sam Bóg.
Sięgam po pilota, którego baterie wciąż przyczepione są taśmą klejącą.
– Na którą stację?
– Na którąkolwiek. Zacznij od E!
Włączam telewizor i od razu natrafiam na kobietę w różowym wełnianym płaszczu stojącą na Main Street pod transparentem z napisem: „WITAJ W DOMU, JAKE!".
Czuję w ustach gorycz.
– Cholera, to jakieś kpiny.
– Nie widziałaś tego? – pyta.
– Nie przejeżdżaliśmy przez miasto. Taksówkarz jechał bocznymi drogami.
– Wyobraź sobie, że wzniesiono jego pomnik zrobiony z konserw, pokryto Main Street długim czerwonym dywanem, który wiedzie do drzwi jego sypialni, burmistrz ogłosił dzień dzisiejszy Narodowym Dniem Jake'a Sharpe'a,

a dwanaście świętych dziewic będzie mu robić laskę na dzisiejszym bożonarodzeniowym festynie. Ci ludzie powariowali... Kate? Jesteś tam?

Kręcę głową z niedowierzaniem.

– Kate?

Gdy tak przeskakuję między kanałami informacyjnymi, szczęka opada mi coraz niżej. Na wszystkich widzę te same scenki, żywcem wyjęte z *Today Show*: blondynki w pastelowych płaszczach mrużą oczy ze względu na padający śnieg, a w tle miejscowi skaczą w górę i w dół, krzycząc: „CZEŚĆ, MAMO!".

– Megagwiazda Jake Sharpe, autor multiplatynowych albumów, oświadczył, że...

– Nieoczekiwanie zawitał do swego rodzinnego miasta...

– Jego zaręczyny z międzynarodową gwiazdą muzyki Eden Millay...

– MTV w rozmowie z Jakiem pół roku temu...

– Stacja E! będzie informować państwa o wszystkim na bieżąco...

– Niektórzy zauważyli cynicznie, że ogłoszenie jego zaręczyn zadziwiająco zbiega się z premierą jego pierwszego filmu oraz albumu z największymi przebojami...

– Cała redakcja CNN życzy narzeczonym wszystkiego najlepszego...

– Niektórzy twierdzą, że to zaledwie wierzchołek miłosnej góry lodowej... – dochodzi z kolei ze słuchawki.

Wyłączam telewizor.

– Cholera.

– Myślisz, że to miłosna góra lodowa zatopiła Titanica? – Słyszę brzęk brytfanny o podłogę i chór bliźniaków: „ojej!".

– Przepraszam, muszę kończyć. Trzymaj się, to twoje pięć minut.

Ze zmarszczonym czołem przywracam pstryknięciem ekran do życia i oddając serię strzałów z pilota, rozpoczynam oblężenie centrum miasta, oddalonego o zaledwie kilka kilometrów od mojej siedziby.

– Jake Sharpe...

– Jake Sharpe...

– Jake Sharpe...

– Halo! – słyszę zaniepokojony głos Mamy. – Kate?

– Tak, to ja! Jestem tutaj! – krzyczę.

– O, nie. – Pojawia się w drzwiach z czerwonymi od zimna policzkami, wciąż mając na sobie długi do kostek płaszcz. – Cholera. Wiedziałam. Kto ci powiedział? Nie chciałam ci mówić. Laura. To Laura ci powiedziała...

Jestem przygotowana na tę chwilę od momentu, gdy wsiadłam na pokład pierwszego samolotu, więc teraz odważnie staję przed nią z kocem na ramionach.

– Mamo, mogłabyś zobowiązać każdego mieszkańca Croton do milczenia, ale nic by to nie dało, bo nawet gdybym siedziała teraz na siłowni w Charlestonie, to i tak wszystkiego dowiedziałabym się z telewizji.

– Chyba żartujesz. – Mama podchodzi bliżej i patrzy w ekran, podczas gdy ja przeskakuję z kanału na kanał, by udowodnić jej swoje słowa. – Świat oszalał – stwierdza, bierze ode mnie pilota i wyłącza telewizor.

Wzbierające we mnie poczucie krzywdy każe mi wykrzyczeć:

– A co z wami? – Wskazuję na drzwi wiodące do ogołoconego przedpokoju. – Dlaczego nic mi o tym nie powiedzieliście?

– Bo nie chcieliśmy tego robić przez telefon. O Boże, można się tu ugotować. – Odpina zatrzaski od płaszcza. – Stwierdziliśmy, że poczekamy z tym do naszego spotkania na Florydzie.

– A można wiedzieć, gdzie się przeprowadzacie? – Mama odpina teraz zamek od podpinki.

– Och, Kate, nie denerwuj się tak, pośrednik powiedział, że to potrwa miesiącami, ale oferta kupna przyszła już w pierwszy weekend i wszystko potoczyło się w zawrotnym tempie. – Strząsa płaszcz i rzuca na kanapę. – Twój ojciec rzucił posadę w bibliotece...

– Co?!

– To już postanowione. Potrzebuje odmiany – wzrusza ramionami, jak gdyby nic się nie stało – więc co weekend pakuję część rzeczy. To mi pomaga stopniowo przyzwyczajać się do myśli o przeprowadzce.

– A dokąd się przeprowadzacie? – Zadzieram głowę. Nie potrafię wyobrazić sobie ich gdziekolwiek indziej niż tutaj i robiących coś innego, niż robią tutaj. Niż robili.

– Do Sarasoty. Przeprowadzamy się na rok do apartamentowca, a potem zobaczymy, na co mamy dalej ochotę. Tato potrzebuje odpocząć sobie od śniegu. – Uśmiecha się do mnie blado. – A ja się dostosowuję.

– Dostosowujesz? – pytam lekko spanikowana.

– Pod koniec następnego semestru odchodzę na emeryturę.

– ... na emeryturę.

– No! – Uśmiecha się. – Będziemy siedzieć na plaży i wszystko sobie przemyślimy.

Odwracam się w stronę drzwi, gdyż z przedpokoju dochodzi tupanie Taty strząsającego śnieg z butów.

– Pies Cashmanów znów grzebał w naszej rabatce cynii! – krzyczy.

– Simon, chodź tu! – woła Mama. – Przyjechała twoja córka.

– Katie? – Podchodzi do mnie i jego orzechowe oczy rozjaśniają się. – O Boże, Katie! – Tuli mnie do siebie, a ja wdycham zapach jego poplamionych farbą drukarską rękawów i papieru gazetowego. Jest tyle rzeczy, o które chcę go zapy-

34

tać, ale i tak wiem, że będzie próbował mnie zbyć. Odsuwa się, trzymając mnic za łokcie. – Niech no ci się przyjrzę. – Znając już najnowsze wieści, również ja patrzę badawczo na tę przyjazną, dokładnie wygoloną twarz.

– No dobrze – Mama przypomina sobie o swojej misji, kładzie nam ręce na plecach i popycha nas w stronę drzwi.

– Możesz się jej przyglądać przez całą drogę na lotnisko, gdy będzie prowadzić samochód.

– Mamo...

– Nie próbuj mnie tu „mamić". Wsiadasz w najbliższy samolot dokądkolwiek i zobaczymy się, tak jak było planowane, w Sarasocie, w piątek, na wakacjach.

– Nie. – Zrzucam koc z ramion. – To jest moje pięć minut. Właśnie teraz.

– On nie jest tego wart. – Mama ściąga z szyi kaszmirowy szalik. – Tu jest chyba ze czterdzieści stopni. Simon, otwórz okno.

– Wiem, że nie jest tego wart – odpowiadam i ściągam jej z głowy czapkę, a jej siwe włosy sterczą teraz naelektryzowane. – Dobrze o tym wiem.

– Ale mimo to jesteś w stanie przelecieć dla niego setki kilometrów w nocnej koszuli. – Tato parska śmiechem, że aż drżą szyby w kredensie.

– To jest moje Alamo. Czekałam t r z y n a ś c i e l a t, żeby stanąć z nim oko w oko na moim własnym boisku.

– A co słychać w Kirgistanie? – Tata podwija rękawy swetra i sięga po pilota. – W radiu mówili, że w stolicy zginęło dzisiaj trzydzieści osób.

– Na nic nie czekałaś – Mama wraca do tematu. – Wiedziesz bardzo szczęśliwe, udane...

– Tak – zgadzam się, a w tle brzmi skandowanie: „Jake-Sharpe-Jake-Sharpe-Jake-Sharpe!". – Ale to nie zmienia faktu, że to moje pięć minut jest właśnie teraz.

– Nic? To może na BBC – mruczy Tato, zerkając znad okularów.

– Według ostatnich doniesień na placu leżą czterdzieści dwa ciała.

– O, teraz lepiej...

– SIMON, CZY-MÓGŁ-BYŚ-TO-WY-ŁĄ-CZYĆ? – odzywa się w Mamie Pani Dyrektor Hollis.

Tato wyłącza telewizor, rzuca pilota na puf i zaczyna uderzać po kieszeniach sztruksowych spodni w poszukiwaniu portfela.

– No dobrze. Jadę kupić choinkę. Do czasu gdy wrócę, macie dojść do jakiegoś porozumienia, jasne?

Gdy zmierza do wyjścia, uśmiecha się i delikatnie łapie Mamę za nos.

Po jego wyjściu Mama podchodzi do mnie.

– Nie możesz tego zrobić – mówi cichszym tonem.

– Wydaje mi się, że trzy loty i dwie przesiadki są dowodem na to, że mogę.

– Hola, hola! – Łapie mnie za ramię. – Nie możesz tego zrobić teraz, nie teraz.

– To co, mam mu po prostu powiedzieć, żeby przyjechał w bardziej dogodnym terminie? Kiedy wam będzie to bardziej pasować?

– Kathryn, to jest twoja rodzina. Nie możesz nas narażać.

Jej bezczelność odbiera mi mowę.

– Kathryn.

– J a narażam rodzinę? – Udaje mi się wreszcie wydusić to z siebie i wyrwać rękę. – Tato, nie trzeba nam choinki! – krzyczę. Ojciec zawraca do drzwi. – A już tym bardziej nie trzeba nam żadnego porozumienia. – Staram się nie patrzeć na jej zdumioną twarz. – To zajmie dwadzieścia minut. Co najwyżej. Po prostu muszę tam pojechać i uświadomić mu marność jego egzystencji. Wrócę na obiad, złapię pierwszy poranny lot do Charlestonu i w piątek wszyscy będziemy pić mai tai na Florydzie. – Tato wycofuje się do hallu. – I tam pokażę wam prezentację w Power Poince, dzięki której zrozumiecie, że odejście na emeryturę i sprzedanie domu bez szczegółowego planu doprowadzi do...

– Uświadomić mu marność jego egzystencji? – Tato zmienia temat. Właśnie wszedł znowu do pokoju, by powiesić płaszcz Mamy wciąż leżący na kanapie. – W dwadzieścia minut? A przed chwilą mówiłaś, że w pięć.

– Chyba jednak w dwadzieścia. Bo potrzebuję dziewiętnastu minut na powrót do domu na piechotę. – Natychmiast nastrajam się na jego poczucie humoru. – W końcu egzystencja Jake'a Sharpe'a jest wyjątkowo marna...

– Jestem pewna, że MSNBC zrobi z tego dwugodzinny reportaż, który nadadzą o dziewiątej. – Mama podchodzi do okna, wychyla głowę na zewnątrz i bierze głęboki oddech, po czym cofa się i je zamyka. – Poprzedzone pięciominutową informacją o Kirgistanie – dodaje pod nosem, przekręcając rygiel.

– Idę na górę się przebrać. – Ruszam w stronę schodów, schylając się po swoje rzeczy na podłodze.

– Może lepiej idź tak, w tym stroju, tak samo niestosownym jak cały ten pomysł! – krzyczy za mną Mama.

– Dzięki! – odkrzykuję przytłumionym głosem, gdyż właśnie podnoszę torbę. – Doprawdy, dzięki za wsparcie. Odpłacę wam tym samym, gdy będziecie rysować na piasku plany kolejnych trzydziestu lat swojego życia!

I tak przez chwilę stoję w oczekiwaniu, że przyjdą za mną, zaczną się bronić, wysuwać swoje argumenty. Ale nic z tego, słyszę tylko, jak ponownie włączają telewizor i zgłaśniają, gdyż napływają kolejne doniesienia o ofiarach.

4

Siódma klasa

Podnoszę do nosa suche końcówki włosów i mdli mnie od słodkiego zapachu tony kosmetyków, które wylałam, wgniotłam czy też w inny sposób naniosłam na włosy w ciągu dwóch ostatnich godzin eksperymentów fryzjerskich, polegających głównie na naprzemiennym prostowaniu i kręceniu włosów za pomocą sprzętu należącego do matki Michelle Walker.

– Mam siano, a nie włosy – żalę się Laurze, która apatycznie przekłada pudełka do makijażu na tym męczącym przyjęciu urodzinowym.

– O rany, ale te światła walą po gałach – wzdycha, upuszczając konturówkę do oczu na upstrzony drobinkami złota blat. Znajdujemy się w piwnicznej łazience, którą pani Walker przerobiła na swój salon piękności. Lustro ozdobione okrągłymi żaróweczkami miało pewnie upodobnić to miejsce do garderoby gwiazdy Hollywood, ale stara pralka usytuowana po jednej jego stronie i paskudnie przypalona deska do prasowania po drugiej jakoś psują efekt. – Która jest godzina?

Jennifer-Dwa ściera z oczu kolejny cień i odpowiada z irytacją:

– Druga czterdzieści.

38

– Druga czterdzieści w nocy? – upewnia się Laura, a ja czuję, że mój żołądek nie jest w najlepszym stanie, po tym jak wpakowałam w niego pizzę, prażoną kukurydzę w polewie karmelowej, coca-colę i lodowy tort.

– Mhm... – Jennifer-Dwa kiwa głową, po bokach której zwisają dwa wałki.

– Film na pewno już się kończy. – Wyłączam grzejniki służące za suszarki i dostarczające rozrywki tym z nas, które nie chciały oglądać na wideo trzeciego z rzędu horroru z lat siedemdziesiątych ani przeglądać po raz kolejny „Penthouse'a" ukrytego niezbyt skutecznie przez pana Walkera.

Nagle drzwi otwierają się z hukiem i do środka wpada Stephanie Brauer w swoim przydługawym podkoszulku, przebierając nogami.

– Szybko, szybko, szybko, muszę siku!

Zza jej pleców dochodzi przez chwilę warczenie piły mechanicznej, po czym Stephanie zatrzaskuje drzwi i biegnie slalomem między nami w stronę małych drzwiczek znajdujących się na samym końcu pomieszczenia.

– Dużo wam jeszcze zostało? – pyta zmarniała Laura i przeciera pomalowane à la Kleopatra oczy.

– Upsss – syczę i wskazuję na czarne smugi. – Rozmazałaś się, siostro.

Laura bez życia podnosi palce wskazujące i przygląda się rozmazanemu na nich tuszowi.

– Cholera.

– Ooo, ble – jęczy Stephanie. – Wiecie, że tu wisi bielizna ojca Michelle? Ble – powtarza przy wtórze spuszczanej wody.

– Wyprowadził się, ale zostawił swoje majtki? – pyta Laura, gdy Stephanie wychodzi z toalety. – Dziwne. Nie uważacie dziewczyny, że to dziwne?

Podczas gdy Stephanie podchodzi do lustra, Laura trzyma otwarte jedno skrzydło drzwi, tak że wszystkie trzy mieścimy się w toaletowej wnęce. Teraz przekonujemy się na własne oczy, że owszem, wisi tu pięć par wypranych i wysuszonych bokserek.

– Dziewczyny, no co wy. – Jennifer-Dwa cofa się i zaczyna z trzaskiem wkręcać szminki do środka. – Lepiej odłóżmy to wszystko na miejsce, bo inaczej Michelle wpadnie w histerię.

– Czy Michelle o tym wiedziała? – pyta Stephanie, a wtedy Jennifer-Dwa, samozwańczy stróż Michelle, nieruchomieje, trzymając w ręku kilka do połowy schowanych szminek.

– Skąd? – Stephanie wpatruje się bacznie w pochylony kark Jen. – Jakie były tego oznaki?

– Oddzielne łóżka? – podpowiada Laura, nachylając się w jej stronę. – Oddzielne pokoje?

Jennifer-Dwa nie reaguje i wraca do przerwanej czynności. Ale Stephanie podchodzi do niej z przejęciem:

– Czy się ze sobą kłócili? – Opaska z różowego materiału zsuwa się jej z włosów. – No powiedz, Jenny, proszę.

– Podobno bez przerwy.

Stephanie wciąga policzki i kiwa głową, a potem podnosi z ziemi opaskę i owija ją dwa razy wokół nadgarstka.

Przez chwilę słychać tylko mruczenie zamrażarki, po czym Jennifer-Dwa przełyka ślinę.

– Dziewczyny, ale nie mówcie Michelle, że wam cokolwiek powiedziałam. – Podnosi się, przewierca nas oczami na wskroś i kieruje się w stronę drzwi. Po raz pierwszy tej nocy, wśród tych wytapetowanych okleiną ścian, zapada kłopotliwe milczenie. I wtedy dochodzą nas przytłumione dźwięki zażartej dyskusji. Wychodzimy w pośpiechu z łazienki i podążamy za Jennifer-Dwa, która próbuje lawirować między śpiworami porozrzucanymi bezładnie po pomarańczowym dywanie. Potykając się po drodze o chrapiące bliźniaczki Dunkman, zmierza w stronę rozsuwanych drzwi do ogrodu, gdzie impreza również znalazła się w impasie. Zwrócone plecami do szyby, ubrane od stóp do głów w identyczne marmurkowe wdzianka, Kristi i jej koleżanki debatują zawzięcie.

– No to co, zostajecie? – pyta zimno Kristi, nakładając na usta warstwę opalizującego błyszczyku, po czym podaje go koleżankom. Jeanine otwiera usta, ale widać, że nie wie, co powiedzieć. Patrzy to na Kristi, to na Michelle.

– Posłuchaj, histeryczko – oświadcza wyniosłym tonem jedna ze świty Kristi. – Mamy się zaraz spotkać z chłopakami przy wodospadzie na fajkę, a nie brać udział w orgii.

Kristi wybucha śmiechem.

– No dobra, dziewczyny, ale naprawdę musicie szybko wrócić, powaga – oświadcza Michelle błagalnym tonem. – Jeśli moja mama się obudzi...

– Wiadomo. – Kristi ciągnie drzwi do siebie i do środka wpada chłodne jesienne powietrze. – A gdy będziesz kładła Jeanine spać, to nie zapomnij założyć jej pampersa.

– I wyluzuj, kobieto, bo nabawisz się wrzodów – mówi dziewczyna z jej świty i zasuwa za nimi drzwi.

Przez chwilę patrzymy na odchodzącą świtę Kristi w milczeniu zakłócanym tylko przez chrapanie za naszymi plecami. Gdy dziewczyny znikają nam z pola widzenia, Michelle odwraca się do nas z dzikim spojrzeniem.

– Jestem pijana! Jestem kompletnie pijana! To moje urodziny, do cholery! Upić się nie można czy co?

– O co ci chodzi? Przecież to nie my zaprosiłyśmy Kristi – mruczy Laura pod nosem.

– Dzięki! – pluje Michelle. – Fajna z ciebie koleżanka! – drze się, po czym zaczyna się przepychać między nami w stronę łazienki, próbując ominąć porozrzucane śpiwory. Niestety, potyka się o Dunkmanównę i na naszych oczach zaczyna wywijać rękoma, by złapać równowagę, po czym pada jak długa na podłogę. Stoimy jak wryte, zatykając usta w przerażeniu – może się zabiła? Dana Dunkman śpi dalej, przewraca się tylko na bok, a z jej piersi wydobywa się gulgoczące, urywane chrapnięcie. Michelle stara się podnieść, ale jest w kompletnym szoku. Laura przyciska rękę do ust, próbuje powstrzymać śmiech, ale na widok jej trzęsącego się ciała sama zaczynam chichotać. Wtedy Laura łapie się za brzuch i po prostu zwija się ze śmiechu.

– Przepraszam. Wiem, że to nie jest śmieszne... To wcale nie jest śmieszne.

Jennifer-Dwa podbiega do Michelle, by jej pomóc, a Michelle łapie się za nos, z oczyma szeroko otwartymi ze zdziwienia.

– O rany, ona krwawi – oświadcza Jennifer-Dwa. – Założę się, że to wstrząs mózgu.

– Lód – udaje mi się wykrztusić.

– Przyłóżcie jej lód – Laura przeciera dłońmi załzawione od śmiechu oczy i wstaje.

– Nie idźcie na górę, obudzicie moją mamę! – krzyczy Michelle, gdy widzi, jak procesja dziewczyn zbliża się do schodów. Ktoś łapie parę różowych skarpetek z koronką i przykłada je do nosa Michelle, z którego lewej dziurki sączy się krew.

– Zaprowadźmy ją do łazienki. – Jennifer-Jeden pomaga ją podnieść i kilka dziewczyn próbuje przenieść Michelle na drugą stronę piwnicy, upuszczając ją co chwila.

– Przypomnij mi, gdy będę urządzać urodziny, że mam zaprosić tylko ciebie – szepcze mi Laura do ucha. Nagle zza naszych pleców dobiega głos Jeanine.

– Laura.

Odwracamy się w jej stronę. Jeanine stoi twarzą do ciemnej szyby, patrząc na ogród i na miejsce, gdzie zniknęły Kristi i jej świta.

– Chodź, idziemy – mówi.

– No co ty? Nie wolno nam – przypominam jej.

Jeanine odwraca się z wyrazem zaciętości na twarzy.

– Nie mówiłam do ciebie. Mówiłam do Laury. Zostaw to wszystko i chodźmy na to spotkanie.

Patrzę na Laurę w napięciu, mając nadzieję, że każe Jeanine się wypchać. Ale nic takiego nie następuje. Jeanine ściąga spodnie od piżamy, wkłada dżinsy i wsuwa nogi do mokasynów.

– Będzie tam Rick Swartz. Od czasów letniego obozu piłkarskiego przyjaźni się z Jasonem. – Ściąga z siebie bluzkę, odsłaniając znoszony sportowy stanik odziedziczony pewnie po siostrze i zawstydzona szybko wkłada przez głowę sweter. – No, ubieraj się.

– Jeanine, po co ty tam tak właściwie idziesz? – Niepewność w głosie Laury sprawia, że czuję ucisk w żołądku. – Wiesz, że twoja mama cię zabije.

– Nie mam wyjścia. – Jeanine wyjmuje z kieszeni błyszczyk i smaruje nim usta, po czym pociera wargami dla lepszego efektu.

– Nieprawda, masz wyjście. Tam są tylko cztery dziewczyny. A tu trzynaście.

– Trzynaście dziewczyn, które będą się bawić w robienie makijażu przez resztę siódmej klasy. – Jeanine spogląda na nas szyderczo.

– Dlaczego musisz robić wszystko, co mówi Kristi? – Laura wreszcie zadaje pytanie, które od tak dawna ciśnie jej się na usta. – Ona nawet nie jest zabawna ani... na przykład dzisiaj całą noc siedziała w kącie ze znudzoną miną. Ona jest... sama nie wiem. Rozumiem, że jej mama jest kierowniczką sklepu z ciuchami i dzięki niej ma mnóstwo fajnych rzeczy, ale...

– Jest zabawna. I to bardzo. A ja po prostu nie chcę spędzić reszty wieczoru z tą dzieciarnią, która nawet nie rozmawia z chłopakami przez telefon i całą noc niańczy Michelle Walker. Idziesz czy nie?

Laura wbija wzrok w ziemię.

– Nie – odpowiada cicho.

Twarz Jeanine robi się czerwona jak jej włosy.

– Wobec tego wszystkiego najlepszego na nowej drodze życia. Tylko bynajmniej nie proście mnie na wesele.

– Wal się – mówię, sama zaskoczona swoimi słowami.

– Same się walcie – odpowiada Jeanine i bezgłośnie zasuwa za sobą drzwi.

Laura spogląda na mnie zdumiona.

– Zaraz, zaraz – mówi. I jestem gotowa na tę chwilę, której oczekiwałam od dnia, kiedy Laura powiedziała mi o Jeanine: kiedy to Jeanine zda sobie sprawę, że popełniła największy błąd swojego życia, porzucając swoją najlepszą przyjaciółkę, najlepszą, o jakiej można w ogóle marzyć, i zapragnie Laurę odzyskać. I wtedy Laura odejdzie. Ponieważ mają wspólną przeszłość. Chodziły razem do podstawówki. Razem uczyły się czytać i robiły razem mnóstwo innych rzeczy, których ja...

– Ona ma mi dyktować, co mam robić? – mruczy pod nosem Laura, po czym rzuca się do najbliższego śpiwora.

– Przestań. – Laura zaciska surowo usta, a wtedy już w ogóle nie potrafię powstrzymać się od śmiechu. Poddaję się i rzucam słuchawkę.

– O rany, zaraz się zleję w majtki. – Turlam się po bordowym dywanie w pokoju rodziców Laury aż do drzwi i rozciągam w ten sposób kabel telefonu do granic możliwości.

– Katie! – Laura jęczy błagalnie z drugiej strony korytarza, gdzie rozciągnęła do granic możliwości kabel telefonu brata, tak żebyśmy mogły się widzieć podczas tej Pierwszej Rozmowy.

– Przepraszam – staram się złapać powietrze. – Nie wiem, co mnie tak śmieszy.

Laura siada po turecku w swojej kwiecistej sukience i zaczyna myśleć na głos.

– Dobra, może to nie najlepszy pomysł, żebyś mnie widziała. Może jednak powinnaś się ukryć za drzwiami.

– A może w ogóle nie powinnam tego słuchać? Po co tak właściwie jestem ci potrzebna?

– Żebyś mi potem powiedziała, jak wypadłam. I jak wypadł on. Masz być świadkiem.

– Świadek. – Wzdycham. – Zadzwońmy może do Harrisona Forda. – I znowu dostaję ataku śmiechu.

– Jesteś stuknięta. Nie wiem, po co cię zatrudniłam do tej roboty.

Podnoszę się z dywanu.

– Dobra. No dobra, postaram się powstrzymać. Zrobię to. Ty też to zrobisz. Dzisiaj dzwonimy do chłopaków. Zaczynaj. – Daję jej znak ręką i znów przykładam słuchawkę do ucha. – Dzwoń.

Laura bierze głęboki oddech, grozi mi palcem, po czym wykręca numer Ricka Swartza. Gdy w słuchawce rozlega się sygnał łączenia, serce zaczyna mi walić coraz szybciej.

– Halo? Z kim mam przyjemność? – Słyszymy nagle głos zdziwionej pani Heller.

– Odłóż słuchawkę! – Laura upuszcza telefon, podbiega do schodów i wychyla się przez barierkę. – O, MÓJ BOŻE! MAMO, ODŁÓŻ SŁUCHAWKĘ! – Ja również podbiegam do poręczy i stoimy tam obie, zastygłe z przerażenia.

– Tu Martha Heller. Kto mówi? Nie, nie dzwoniłam do pana. Może się pan rozłączyć... Do widzenia.

– Ja... ja... – Laura jest blada jak trup. – Moja matka zadzwoniła do Ricka Swartza. Jeanine będzie... Co ja mówię, cała klasa... Moja matka zadzwoniła do Ricka Swartza!

– Laura, uspokój się, posłuchaj mnie. – Ujmuję jej twarz w dłonie i obracam w swoją stronę. – Po prostu oddzwoń do niego i powiedz, yyy, że twoja mama jest ciężko chora i po prostu, no, ma wysoką gorączkę i że, yyy... dzwoniła pod losowo wybrane numery i hm... majaczyła. – Kiwam głową z nadzieją.

– Myślisz, że to pomoże?

– Jasne.

– Ale skąd niby miałam wiedzieć, że do niego dzwoniła, skoro rzekomo nie byłam na linii? – W jej niebieskich oczach maluje się rozpacz.

Skubię wargę.

– Powiesz, że właśnie weszłaś do jej pokoju i że mruczała coś pod nosem, z czego zrozumiałaś, że dzwoniła do Ricka Swartza, i że często tak bredzi o tym, co robi, gdy jest chora. No dalej, Laura, tracimy cenny czas. Dzwoń.

– MAMO! NIE PODNOŚ SŁUCHAWKI!

Pani Heller wyłania się na dole schodów. Jedną rękę ma w żółtej gumowej rękawiczce, a drugą stara się upiąć na nowo włosy, które opadły jej na twarz.

– A kto w tym domu płaci rachunki?

Laura przechyla się przez poręcz.

– Mamo, proszę, b ł a g a m, daj nam pięć minut. B ł a g a m.

– Dzwonimy do chłopców, hę? – Pani Heller opiera ręce na biodrach.

– Mamo! – jęczy Laura.

– Lauro! – przedrzeźnia ją matka. – No dobra, ale wracajcie zaraz do lekcji.

– Oczywiście! – potakuję entuzjastycznie, po czym wracamy na swoje stanowiska. Gdy Laura ma pewność, że mama już jej nie słyszy, wykręca numer, a po chwili w telefonie rozlega się sygnał. Przyciskam rękę do futryny. W słuchawce odzywa się głos.

– Słucham?

Laura zamiera. Kopię ją w kostkę, by przywrócić ją do porządku.

– Rick?

– No?

– Cześć, tu Laura Heller. – Jej drobne dłonie zaciskają się na słuchawce tak, że aż bieleją.

– No co?

– No, cześć, dzwonię, wiesz, bo moja mama ma bardzo wysoką gorączkę. Jest poważnie chora i nie wiem, to może być malaria, bo mama poci się jak mysz i postradała zmysły, i... – Znów ją kopię. – W każdym razie robi teraz mnóstwo dziwnych rzeczy, bo, ten, tego, majaczy. Musimy jej ciągle pilnować i właśnie mój brat miał jej pilnować, ale poszedł na próbę swojej kapeli, więc była sama, no i chyba wzięła telefon i zadzwoniła do ciebie, i zachowywała się jak wariatka. Z powodu malarii. Dowiedziałam się o tym, bo właśnie weszłam do jej pokoju, gdy mamrotała coś pod nosem, wspominając twoje imię, i pomyślałam, no wiesz, rany, że lepiej do ciebie zadzwonię i wyjaśnię ci, że mama jest teraz taka dziwna, bo jest chora i dzwoni pod losowo wybrane numery i w ogóle... i właśnie dlatego dzwonię.

– No dobra.

Nie mając już nic więcej do powiedzenia, Laura patrzy na mnie błagalnym wzrokiem i prosi o pomoc. Macham

ręką nonszalancko, żeby przypomnieć jej, że ma udawać wyluzowaną.

– A poza tym co porabiasz? – rzuca Laura do słuchawki.

– Czekaj, a kto mówi?

– Laura. Laura Heller.

– Twoja mama wcale do mnie nie dzwoniła.

– Och! – Laura robi się czerwona jak burak. – Aha, dobra,
no to... cześć.

– Cześć.

Laura ostrożnie odkłada słuchawkę, a potem opada bez sił
na podłogę.

– Cholera. Cho-le-ra-cho-le-ra-cho-le-ra.

Odwieszam słuchawkę, przyklękam przy niej i zaczynam
ją głaskać po głowie.

– Może nikomu nie powie.

Spoza opadających na twarz włosów rzuca mi zrozpaczo-
ne spojrzenie.

– Nikomu? Oprócz Jasona i całej jego bandy? A ten powie
wszystko Kristi, która ze swoją świtą zrobi sobie ze mnie jaja
przy najbliższej okazji. – Laura kryje twarz w dłoniach i jęczy. Przez chwilę nie wiem, co powiedzieć, bo ten scenariusz
rzeczywiście brzmi bardzo prawdopodobnie.

– Po prostu wszystkiemu zaprzeczysz – oświadczam.

– Co?

– Zaprzeczysz wszystkiemu. Jeśli ktoś cię spyta, czy dzwoniłaś do Ricka i mówiłaś, że twoja mama jest chora na mala-
rię, po prostu powiesz, że nie wiesz, o czym mówi. I udasz, że
to oni powariowali, pytając cię o takie bzdury.

– Nie, nie mogę powiedzieć, że Rick Swartz wymyślił coś
takiego. – Laura wzdycha ciężko. – Dobra, teraz ty.

– Co? Zwariowałaś?

– Katie, ja to zrobiłam, teraz twoja kolej.

– Tak, i efekty są fantastyczne.

– Zamknij się. Bierz książkę telefoniczną i szukaj numeru do Jake'a Sharpe'a.

– Nie.

Owszem, twierdzę, że mi się podoba, bo tak powiedziałam przy wszystkich na lekcji wuefu, i będę się tego trzymać, tak jak powinnam trzymać przy sobie kartę biblioteczną, certyfikat opiekunki do dziecka i klucze do domu, ale to jeszcze o niczym nie świadczy.

– Przysięgłyśmy to sobie! – Laura siada na piętach. – To była urodzinowa przysięga!

– To t y wypowiedziałaś takie życzenie, gdy zdmuchiwałaś świeczki na s w o i m torcie urodzinowym! A to nie to samo co obustronna przysięga. Dobra, kończmy geografię. Tato wkrótce po mnie przyjedzie. – Wstaję.

– Ech, ty.

– No co? Wulkany są fajne. Chodź. – Podaję jej rękę i pomagam się podnieść na nogi. – Pomogę ci. Wytłumaczę ci, jak działają.

– No dobrze, ale następnym razem dzwonisz do Jake'a Sharpe'a. Pierwsza.

Wkładam niedojedzoną kanapkę z powrotem do worka, wskazuję na nietknięty jogurt Laury i próbując przekrzyczeć gwar stołówki, pytam:

– Coś z nim nie tak?

– To z tym wszystko jest nie tak. – Laura szczerzy zęby, na których srebrzą się nowiutkie druty. Pochyla się ciężko do przodu i odsuwa lunch, który przyniosła z domu. – Nie mogę uwierzyć, że musiałam to założyć w tym samym tygodniu, kiedy...

– Przesuń się, Malaria. – Rudowłosy Benjy Conchlin w czapce Soksów próbuje się przepchać do swojego stolika i uderza w krzesło Laury.

– ... kiedy wydarzyło się to.

W tym samym momencie podchodzi do nas Jennifer-Trzy, rzuca tackę na stół i wszystkie milkniemy, bo na jej twarzy maluje się: „nie-u-wie-rzy-cie-co-przed-chwi-lą-wi-dzia-łam".

– Coś się stało? – pyta Laura, niszcząc jej teatralny efekt.

Ale Jennifer milczy jeszcze przez chwilę, dopóki nie jest pewna, że wszystkie oczy skierowane są tylko na nią.

– Widziałam Jeanine. W sklepiku. Ma wielką czerwoną plamę na białych spodniach.

Z naszych piersi wydobywa się zbiorowe westchnienie.

– To powinno zdjąć sprawę twojego telefonu do Ricka Swartza z afisza.

Wszystkie przytakujemy i Laura wraca do zmagań z jogurtem. Ofiarowuję jej kawałek jabłka.

– Może spróbuj z tym?

– Rozgnieć je językiem o podniebienie – instruuje ją Michelle, najdłużej z obecnych przy stole nosząca aparat.

– O, jest! – Jennifer wskazuje na drzwi do stołówki i wszystkie odwracamy się, by sprawdzić, czy Jeanine jeszcze żyje, tak jakby wejście do sali pełnej chłopców z krwawą plamą na spodniach nie było równoznaczne ze śmiercią.

Jeanine ma na sobie krótkie spodenki gimnastyczne – no, niezłe posunięcie. Ale mimo to prawie wszyscy gapią się w jej stronę. Chociaż to dziwka jakich mało, to naprawdę jej współczuję. Nasze oczy spotykają się i wysyłam jej uśmiech empatii. Kiwa głową. Nieźle, po prostu przejdzie między stolikami i siądzie ze swoją bandą dziwaków, która przyjęła ją, gdy grupa Kristi ją wykluczyła i... ale ona wciąż stoi. Odgarnia za ramiona niedawno zafarbowane na czarno włosy i rozgląda się.

– Co ona robi? – szepcze Laura.

Żadna z nas nie ma pojęcia, więc wszystkie wzruszamy ramionami.

Wreszcie Jeanine podchodzi prosto do najbliższego stolika, pochyla się, wystawiając na widok publiczny swój wolny od plamy tyłek, i na oczach całej sali mówi coś do Jake'a Sharpe'a. Przebiega wzrokiem po stolikach i wtedy wskazuje palcem. Na mnie.

A wtedy... a wtedy wszyscy, cała stołówka, odwracają się jak jeden mąż. Cała sala patrzy na mnie, a potem na Jake'a Sharpe'a, który wstaje, by się lepiej przyjrzeć. Mnie.

– O-ra-ny.

– O-ra-ny – powtarza Laura.

– Informuje faceta, który ci się podoba, że ci się podoba. – Jennifer-Trzy wyjaśnia to, czego i tak każdy się domyśla, i wszystkie patrzymy po sobie z niedowierzaniem. Wtedy odzywa się dzwonek, obwieszczając koniec przerwy i zarazem mojego życia. W stołówce znów następuje poruszenie. Ale Jake i jego kumple siedzą na miejscu. Czekają. Bo siedzą tuż przy wyjściu. A pozostali dalej gapią się na mnie bez żenady, gdy szurając nogami, podchodzą w stronę półki na brudne tacki.

– Idziemy razem. – Laura wstaje i wyrzuca odpadki do kosza.

– Nie – słyszę swój głos. – Muszę tylko... Ja tylko...

I wtedy ruszam pędem przed siebie, a pryszczate twarze wokół mnie rozmazują się w jedną plamę. Przyciskam lunch i książki do piersi z oczyma utkwionymi w jeden punkt, błyszczący nad drzwiami znak: „wyjście", a po drodze mijają mnie fale spojrzeń i szeptów. Nagle ktoś woła: „Hej, Hollisówna!", i bezwiednie odwracam głowę w bok, skąd dochodzi głos Randy'ego Brysona, a wtedy wszystko zaczyna się dziać w zwolnionym tempie: mój wzrok napotyka zielone oczy Jake'a osadzone w trójkątnej twarzy, na którą opadają mu włosy. Jake zadziera do góry głowę, jak pies Laury, gdy widzi za oknem jelenia. A potem wszystko wokół znów doznaje przyspieszenia, znów dociera do mnie gwar i wychodzę na zatłoczony korytarz, zmierzając do... dokąd? Patrzę na drzwi wiodące na parking, na którym kwietniowy deszcz uderza o asfalt. Mogłabym stąd wyjść i po prostu iść przed siebie. Ale zamiast tego daję się unieść ludzkiej fali, która zmierza na lekcje nauk społecznych.

– To ona. – Słyszę komentarze.

– Podoba jej się Jake Sharpe.

– Katie chce wyjść za Jake'a Sharpe'a i urodzić mu dzieci!

Sama nie wiem, jakim cudem udaje mi się dotrzeć do klasy i zająć swoje miejsce. Wsuwam drżące nogi pod ławkę, a w tym czasie pani Sandman wchodzi do klasy i zapala światło.

– Katie chce ssać Jake'owi Sharpe'owi fiuta! – słyszę szept za swoimi plecami. Staje mi przed oczyma reszta mojego życia w tej szkole, gdzie jestem traktowana jak kuriozum, podczas gdy Jeanine przechadza się każdego dnia z wielgachnymi podpaskami przyklejonymi do twarzy i nikt nie zwraca na nią uwagi. – No, dalej, weź go do buzi!

– Proszę pani?

– Tak, Katie? – Pani Sandman stawia na biurku kubek z kawą i spogląda przez okulary na swój konspekt.

– Chciałabym coś ogłosić. – Czy aby na pewno? Sama nie wiem, jak to się dzieje, ale dumnie, niczym Krystle Carrington, wchodzę na siedzenie plastikowego krzesła, a potem na ławkę, jak gdyby chodziło o sprostowanie plotki przed balem maturalnym. A potem odrzucam włosy za ramiona, wyobrażając sobie, że mam na sobie bluzkę z poduszkami ozdobionymi koralikami. – Tak, no więc, hm, zapewne wszyscy słyszeliście, że podoba mi się Jake Sharpe. Chciałam zatem rozwiać wszelkie wątpliwości i położyć kres plotkom. Owszem, mnie, Katie Hollis, podoba się Jake Sharpe. Zatem nie ma o czym mówić. A teraz wszyscy możemy spokojnie wrócić do swoich zajęć. – No dobra. A teraz w dół, najpierw jedna noga, a potem druga.

Pani Sandman patrzy na mnie z niedowierzaniem, podobnie jak i cała klasa. Pociągam w dół koszulkę i siadam na miejsce. Okazuje się, że nie padłam trupem, ale tak właściwie wcale nie jestem pewna, czy nie powinnam żałować, że tak się nie stało.

– Ale heca – Laura obniża głos.

– O co chodzi? – pytam, ściągając z kanapki żółty ser, po czym zwijam go w rulonik i wkładam do ust, szczęśliwa, że ludzie wreszcie przestali się na mnie gapić, jakbym miała w każdej chwili wskoczyć na stół i oświadczyć, że oni również mi się podobają.

– Twój Jake Sharpe siedzi z Jasonem i jego bandą. – Laura wskazuje głową na stolik, przy którym siedzą szkolne gwiazdy.

Wpycham do ust resztę sera.

– On nie jest mój. Nawet ani razu nie powiedział mi „cześć".

– Był na tyle twój, że weszłaś na ławkę i oświadczyłaś to przed całą klasą.

– To nie tak miało być, inaczej to sobie wymyśliłam. A poza tym to było wiele dni temu i byłabym wszystkim wdzięczna, gdyby raczyli nie wracać do tego tematu. No i nie zapominaj, czyj skandal zszedł dzięki temu z afisza, Pani Malario.

Laura wzrusza ramionami i z większym już doświadczeniem zabiera się do jabłka.

– Pomyślałam, że może zainteresuje cię, że od dnia twojego pamiętnego oświadczenia Jake znacząco zyskał na popularności. Twój występ wyniósł go na szczyty.

– To dlatego mam wrażenie, jakby ktoś po mnie deptał.

Przez chwilę konsumujemy lunch w milczeniu, a hałas wokół nas wznosi się – nowe słowo w naszym słowniku – ponad wszelką miarę. Przez ostatnie cztery dni unikałam jak ognia nawet patrzenia w kierunku Jake'a, więc dziś pozwalam sobie na ukradkowe spojrzenie w stronę najbardziej hałaśliwego stolika. No tak, Jake Sharpe, ta oferma pogwizdująca pod nosem na hali sportowej, siedzi sobie teraz między Benjym Conchlinem i Toddem Rawleyem i jak gdyby nigdy nic sączy srebrne capri sun.

Laura, ssąc jabłko, przygląda mu się uważnie.

– Czy on nie obciął sobie włosów?

Wyglądam raz jeszcze zza papierowej torby.

– Chyba tak, wygląda teraz tak bardziej... no wiesz. – Bardziej interesująco. Jak młodszy brat Rivera Phoeniksa. – Trudno powiedzieć. Przecież nie przyglądam mu się bez przerwy. Po prostu próbuję zapomnieć o całej tej historii.

Jeanine przystaje przed naszym stolikiem, otwiera karton mleka, a włosy sterczą jej bardziej niż zwykle. Dziewczyny wokół nas nagle milkną i patrzą to na nią, to na mnie. Biorę głęboki oddech i próbuję pójść za radą Mamy.

– Cześć, Jeanine, może przysiądziesz się do nas? – Uśmiecham się tak uprzejmie, jak tylko mnie na to stać, i z satysfakcją obserwuję zmieszanie na jej twarzy. – Jen, przesiądź się z Michelle o jedno miejsce, żeby Jeanine mogła sobie usiąść.

– Nie... nie trzeba. – Jeanine odpowiada cicho, i to cudowne uczucie widzieć ją tak zakłopotaną. – Katie, a Jake Sharpe już ci się nie podoba? – Ostentacyjnie strzepuje okruszki z bluzy z nadrukiem metalowej kapeli, a ja staram się nie pokazać po sobie, jak bardzo mnie wkurzyła. – A może wolisz Laurę?

– Wiesz co, Jeanine? Odpieprz się – mówi Laura tonem tak obojętnym, że Jeanine niemal kurczy się na naszych oczach, po czym żegna nas, salutując:

– Zresztą nieważne. No to na razie.

Rozglądam się wokół stołu, wszyscy jednak czekają na odpowiedź na pytanie Jeanine.

– Oczywiście, że Jake Sharpe wciąż mi się podoba, jasne?

Laura kładzie mi rękę na ramieniu i delikatnie naciska w dół:

– To tak na wypadek, gdybyś chciała poinformować o tym całą stołówkę.

Uśmiecham się, podnoszę kromki chleba i przykładam jej do policzka.

– Ble. – Laura powstrzymuje chichot. – Ble, upaprałaś mnie majonezem!

– W „Seventeen" piszą, że to najlepsza maseczka nawilżająca – informuje Jennifer-Dwa i wstaje od stołu, by odnieść tackę.

Podaję Laurze serwetkę.

– O rany, o co tyle hałasu? Przecież każdemu ktoś się podoba, no nie?

Laura starannie ściera majonez z policzków.

– Ale do tej pory nikt jeszcze nie odczuwał potrzeby, by wchodzić na ławkę i oznajmiać to przed całą klasą.

5

22 grudnia 2005 roku

Przekręcam porcelanową gałkę, powoli otwieram drzwi, którym stawia opór wyblakła różowa wykładzina, i od razu uderza mnie w nozdrza chłodne, zatęchłe powietrze, przesiąknięte zapachem spleśniałego papieru i kurzu. Gdy wreszcie udaje mi się otworzyć je na oścież, w jasnym świetle księżyca widzę, że – w przeciwieństwie do innych pokoi, które rodzice przystosowali do przyjmowania gości – moja dawna siedziba wygląda tak samo jak w dniu, gdy wyjechałam na studia, wręcz nierealnie.

Wchodzę do środka i rzucam torby na łóżko obok ręczników, które Mama zawsze zostawia na kołdrze, przysypanych ulotkami okolicznych ferm zajmujących się uprawą dyni i rafinerii cukru klonowego – chyba niezamierzony komentarz do tego, że nie chcę się wynieść z tego domu na dobre. Odsuwam ulotki, odsłaniając monogram „EHK" i przypominam sobie nasze dawne kłótnie: „Skoro wiszą w twojej łazience, Kathryn, to chyba wiadomo, że są twoje, prawda?". Ale Michelle Walker miała ręczniki z inicjałami, to i ja chciałam. Dwanaście skoszonych trawników później doczekałam się wreszcie.

Uśmiecham się na wspomnienie własnego uporu i zapalam lampkę nocną, która oświetla Muzeum Katie w całej jego chaotycznej glorii. Jak zawsze oszołomiona ogromem tego wszystkiego, rzucam się na łóżko i obejmuję wzrokiem masy, po prostu masy pamiątek, które tak pracowicie zebrałam do czasów studiów – wszystko to wygląda tak, jak gdyby w każdej chwili miał się tu zjawić Johnny Depp i tylko na podstawie rzeczy znajdujących się w tym pokoju miał stwierdzić, czy nadaję się na jego żonę. Nie mogę się nadziwić, jakim cudem spałam spokojnie w tej gęstej atmosferze, wśród tych wszystkich obrazów moich dawnych pasji i ideałów: tu jakieś zdjęcie dawnego kandydata na prezydenta, ustawy, które nigdy nie zostaną wcielone w życie, zmarła na AIDS gwiazda rocka, a oprócz tego świnki, pocztówki z Jamesem Deanem, figurki aniołków i imponujący zbiór wielkogłowych lalek. Chryste Panie. I oto wreszcie spakuję to wszystko do worków na śmieci, i ogołocę swój pokój zupełnie.

Podchodzę do biblioteczki i przejeżdżam palcami po zakurzonych tomach – Jerome David Salinger i Francis Scott Fitzgerald przed zapomnianą Jackie Collins. Na dolnej półce leżą wszystkie płyty kompaktowe, których nie zabrałam ze sobą na studia, a pomiędzy Morrisseyem i soundtrackiem *Pretty Woman* stoi mój stary żółty odtwarzacz. Włączam go i płyta zaczyna się obracać ze świstem. Muzyka uderza z głośników, pogłaśniam i uśmiecham się do siebie, gdy rozlega się żywa, elektroniczna melodia.

– „*Ready to duck. Ready do dive*" – mruczę wraz z Bono i przypominam sobie, jak to razem z Laurą pakowałyśmy Torbę i układałyśmy Plan.

Plan.

Zastanawiając się, czy Laura w całej swojej nieskończonej mądrości mogła przewidzieć, że zgubię bagaż, klękam na dywanie, podnoszę narzutę i sięgam pod łóżko. O, jest, wciąż na mnie czeka – czarna torba od Donny Karan, do której dziewięć lat temu włożyłyśmy wszystko, co może mi być potrzebne, by Jake Uświadomił Sobie Marność Swojej Egzystencji. Kładę ją na łóżko, rozsuwam zamek i wyciągam ze środka: jedwabną minisukienkę na ramiączkach, a potem kolejną, a potem jeszcze kolejną, a każda we wzorki w... motyle. Dalej jedna... dwie... trzy... cztery garści ekskluzywnej bielizny Victoria's Secret. A z samego dna torby wyjmuję dwie pary lakierowanych sandałów. Na koturnach.

Koturny. Hm.

Podnoszę torbę, przewracam ją na bok i sięgam do środka po ostatnią rzecz. Marzę, by były to idealnie skrojone dżinsy, kaszmirowy sweterek z głębokim dekoltem i dopasowany płaszcz z podpinką. Ale zamiast tego znajduję wypchaną kosmetyczkę, a w niej przeterminowany korektor, i... – o, dzięki wam, niebiosa! – kilkanaście zestawów cieni do powiek w odcieniu srebra i turkusu. I brokat.

Patrzę na to, co mam do wyboru, a potem za oszronione okno i zastanawiam się, czy mam się śmiać, czy płakać. Wyłączam odtwarzacz, wychodzę na korytarz i kucam przy schodach.

– Mamo? – wołam niepewnie.

Z kuchni dobiega mnie aria Królowej Nocy z *Czarodziejskiego fletu* zakłócana szumem wody.

– Mamo? – krzyczę znowu. Wolałabym tego uniknąć, ale nie mam wyjścia.

– Chciałaś czegoś? – Mama, ubrana w szeroki golf i fartuch, pojawia się na dole z marchewką w dłoni.

Nie przychodzi mi łatwo przyznać się do porażki. Przełykam ślinę.

– Przepraszam, że zachowałam się jak dziecko.

– Co mówi to dziecko? – drze się Tato z kuchni.

– Że przeprasza! – krzyczę.

– Powiedz jej, że wobec tego może zostać na kolację – odpowiada Tato, zakręcając wodę.

Mama natomiast milczy i patrzy na mnie wyczekująco, a ja opieram głowę o kraty poręczy.

– No dobrze, przyznaję, moja walizka zaginęła podczas teleportacji. A w moim magicznym kuferku są tylko buty z pasków. Właściwie wszystko tam jest z pasków. – Bo pakowałyśmy tę torbę w czasach, gdy chodziło o to, żeby błyszczeć jak kula dyskotekowa. Półnago do tego.

– Mhm. – Mama nadgryza marchewkę. Mam wrażenie, że moje dowcipy jej nie bawią.

– To może... – Podnoszę brwi z nadzieją.

– To może ci zająć więcej niż dwadzieścia minut – stwierdza Mama.

– To może – nie potrafię już ukryć irytacji – to może pożyczysz mi samochód, żebym dotarła jakoś na spotkanie z Laurą w centrum handlowym.

– Ty? Chcesz opuścić dom? – Mama otwiera szeroko oczy w udawanym zdziwieniu. – To nie zamierzasz się po prostu zaszyć w zaciemnionym pokoju i poprosić Laurę, by do ciebie przyjechała?

– Mamo, mam wypracowaną logiczną strategię, jak się poruszać po tym mieście.

– Nie boisz się wyjść do ludzi? – Mama wywija marchewką.

– To tylko zakupy w centrum handlowym.

Mama marszczy brwi.

– Za dwa dni są święta. Tam będą tłumy.

– No i?

– No i może ci to dać okazję do dalszego wypróbowywania twojej logicznej, wypracowanej strategii.

– Mamo?

– Tak? – pyta głosem pozbawionym emocji.

– Pytam, czy mogę pożyczyć samochód i pojechać nim do centrum handlowego.

– A ja mówię, że w ciągu dwudziestu czterech miesięcy, jakie minęły od czasu, gdy ostatnio zaszczyciłaś nas odwiedzinami na święta, droga do centrum handlowego stała się o wiele poważniejszą wyprawą, niż ci się wydaje.

Domyślam się, o co jej chodzi. Biorę więc głęboki oddech i próbuję inaczej.

– Dobrze, Mamo. Obiecuję, że uwinę się z tym raz-dwa i wrócę punktualnie na kolację. A potem spędzimy cały tydzień ze sobą w Sarasocie. Do Nowego Roku będziecie mnie mieć po dziurki w nosie.

– Co za zbytek łaski. – Mimo moich wysiłków jej twarz ani drgnie.

Bezsilnie walę głową w poręcz. Dzięki ci, Jake, oto znów płaszczę się przed rodzicami i próbuję wybłagać – tak, wybłagać! – żeby mi pożyczyli samochód.

– A przecież w ogóle miało mnie tu nie być – jęczę, kołysząc się na piętach.

– To miłe, że traktujesz nas jako przykry obowiązek do spełnienia – stwierdza Mama ironicznie.

– Mamo – wzdycham, ale nie potrafię zaprzeczyć. – Mamo. – Próbuję wykrzesać z siebie odrobinę uczucia, żeby załagodzić całą sprawę i dojść do jakiegoś porozumienia. Takie tarcia nigdy się nie zdarzają ani w Sarasocie, ani w Charlestonie, tylko tu, gdzie widmo Jake'a zagęszcza atmosferę. Muszę jakoś rozgonić burzowe chmury. Opieram głowę o wyciągnięte ramię.

– Mamo. – Sięgam ręką w dół między kratami. – Czy możesz mnie podwieźć do centrum handlowego?

– Powtórz to. – Mama podnosi marchewkę do ucha i zamyka oczy.

Spoglądam w dół, rozgniatając twarz o kraty poręczy.

– Czy możesz mnie podwieźć do centrum handlowego? Proszę!

Mama uśmiecha się, jej twarz łagodnieje, i otwiera oczy.

– No, to już lepiej. Przez chwilę miałam wrażenie, że czas stanął w miejscu.

6

Ósma klasa

„Every man's got his patience and here's where mine ends". Kołyszę biodrami do śpiewu George'a Michaela, okrążając na rolkach wraz z innymi salę gimnastyczną, gdzie co roku we wrześniu odbywa się taka impreza. Wykonuję obrót i sunę teraz pewnie tyłem do kierunku jazdy, a wtedy napotykam szeroko otwarte oczy Laury. Na czubku nosa błyszczy jej kropla potu, stawia drobne, niepewne kroczki, a jej blond loki kołyszą się w tył i w przód, więc objeżdżam Toma Finkle'a, który porusza się jak robot, i podaję jej rękę. Łapie mnie kurczowo spoconą dłonią.

– Niezła w tym jesteś – dyszy i dla pewności ściska mi ramię drugą ręką.

– Po raz pierwszy dobrze się czuję w tym miejscu. – Wskazuję na salę gimnastyczną, której ściany ozdobione są z rzadka mizernymi kartonowymi liśćmi i kapeluszami pierwszych osadników wykonanymi przez komitet rodzicielski.

– Wyprowadzisz mnie stąd w jakieś spokojne miejsce? Boję się tu rozmawiać, bo zaraz ktoś mnie przejedzie.

Kiwam głową i prowadzę ją przez mur furkoczących dżinsów i półgolfów w stronę trybun, gdzie Laura hamuje, lądując na mnie całym ciałem.

– Spokojnie – pomagam jej usiąść i kucam przed nią.

– Widzicie ją? – podjeżdża Jennifer-Jeden i szturcha mnie rolkami w plecy. Kieruję wzrok tam, gdzie wskazuje palcem, na Stephanie Brauer w kolejnym modnym sweterku.

– To chore.

– Chciałabym, żeby tata kupował mi nowe ciuchy za każdy weekend, kiedy mnie nie odwiedzi – wzdycha Michelle za naszymi plecami, gdy zdejmuje rolkę i uderza nią o barierkę, by usunąć kamyczek ze środka.

– Cholera!!!

– Hamuj przodem rolki! – krzyczę, gdy Maggie sunie w naszym kierunku na szeroko rozstawionych nogach. Laura i ja chwytamy ją w pasie, po czym Maggie przechyla się bezwładnie ponad naszymi ramionami i upada wprost na kolana Jennifer-Jeden.

– To jakiś koszmar – jęczy, gdy podnosimy ją i sadowimy między nami. – Jesteś tu chyba jedyną osobą, której się to podoba – mówi do mnie z wyrzutem.

– Gdy byłam mała, Tata uczył mnie jazdy, tyle że na lodzie.

– Dlaczego nie mogą nam po prostu zorganizować zwyczajnej dyskoteki, jak w normalnych szkołach? – pyta Laura, ściągając kryształowe kolczyki, po których zostają jej na uszach czerwone ślady.

– Ten majowy bal na zakończenie gimnazjum to będzie niezła jazda – stwierdza Jennifer-Jeden, zeskrobując lakier z paznokci.

– A najlepsze jest to, że trzeba przyjść z kimś. To impreza dla par – mówi Jennifer-Dwa tonem, jak gdyby już teraz powinna być na takiej właśnie imprezie, a rodzice po prostu podrzucili ją nie tam gdzie trzeba.

I jak gdyby didżej ją usłyszał, rozlegają się pierwsze dźwięki *Lady in Red* i światła gasną do połowy. Nachylam się w stronę Laury i mrugam do niej słodko oczami. Odwzajemnia mi się, składając usta w dzióbek.

– Panie proszą panów! – głos didżeja na chwilę zagłusza piosenkę. Parkiet pustoszeje i wszyscy patrzą po sobie, wstrzymując oddech.

– Powinnaś poprosić pewną osobę. – Laura trąca mnie w ramię.

– Nie ma mowy – odpowiadam, a w tym czasie Kristi i jej świta, z wyciągniętymi na bok ciężkimi od bransoletek rękoma, podjeżdżają jak gdyby nigdy nic do swoich wybranków. Mam wrażenie, jakby ktoś przywalił mi w brzuch.

– O matko! – jęczy Maggie. – Kristi Lehman prosi twojego Jake'a Sharpe'a!

– On nie jest mój – prostuję odruchowo. Ale nie odwracam wzroku. Wszystkie w napięciu obserwujemy, jak jedna z Nich najzwyczajniej w świecie podchodzi do Jake'a i bierze go za rękę.

Jennifer-Jeden zdobywa się na głupi żart:

– Czy aby na pewno jego rodzice nie płacą ci, żebyś pchnęła ich syna do góry na drabinie społecznej?

Okrążają salę i co chwila nikną w cieniu, by zaraz potem się wynurzyć, aż wreszcie zbliżają się w naszą stronę. Jake delikatnie porusza ustami do piosenki, Kristi natomiast, z włosami spiętymi poprzeczną klamrą, robi balona, a gdy ten pęka, zasysa gumę z powrotem do ust. Gdy przejeżdżają obok nas, moją uwagę przykuwa wolna ręka Jake'a, który porusza zakrzywionymi wąskimi palcami w rytm syntezatora.

– Bardzo jesteś zazdrosna? – Michelle Walker wtyka między nas głowę, spryskana dezodorantem tak, że aż ciężko oddychać.

– Na pewno jesteś. Kristi to niezła zdzira. – Wychyla się w naszą stronę Jeanine, która siedzi ze swoją bandą metali, a Kristi wreszcie wypuszcza Jake'a na wolność. – Ja bym była zazdrosna.

Udaję, że poprawiam coś przy rolkach i mam to wszystko głęboko gdzieś, ale kątem oka obserwuję tego chłopaka, który jeszcze rok temu był nikim, w tych swoich głupich hawajskich spodenkach, a teraz osiągnął szczyty popularności – co akurat wcale mi nie przeszkadza. Ale to, że teraz tańczy z tą laską tuż przed moim nosem...

Światła znów włączają się na całą moc i zanim jeszcze przebrzmią dźwięki poprzedniej piosenki, zaczyna się *Lean on Me*. Jak gdyby na umówiony sygnał, chłopcy opuszczają wirujące kółko i rozjeżdżają się na różne strony, a dziewczyny w tym czasie z trzaskiem poprawiają ramiączka staników. Ciekawe, jak to jest, być takim... obojętnym?

Przy dźwiękach reggae Kristi próbuje dziwacznie poruszać biodrami – pewnie wydaje jej się, że wygląda to po jamajsku – i chłopcy już, już wybuchają śmiechem, kiedy Jake podjeżdża do niej i okrąża ją z uśmiechem. Kristi łapie go za rąbek koszuli i ciągnie do stolika z napojami.

Tak. Cudownie by było mieć przy sobie chłopaka. Każdy by widział, jak z okupującego ławki Kopciuszka przemieniam się w księżniczkę, wspaniałą, pewną siebie. Ech, to by było...

– No i co? – Jeanine domaga się odpowiedzi na swoje pytanie. – Jesteś zazdrosna?

Kiwam głową. Jestem.

Laura staje wysoko na palcach, tak że spod sukienki wystają jej krótkie skarpetki, i obraca się z boku na bok. Ja robię to samo, starając się jednocześnie zebrać z tyłu ręką zbędne centymetry za dużego, odstającego gorsetu. Znajdujemy się bowiem właśnie w wypełnionej brzęczeniem świetlówek przymierzalni sklepu Lord & Taylor.

– Nie sądzisz, że ten materiał wygląda jak nowa tapeta w naszej jadalni? – pyta Laura, podnosząc ręką swój biust w ciasno zawiązanym gorsecie.

– Eee, nie. – Przyciskam odstający materiał łokciami, by móc podtrzymać kokardę nad pasem Laury. – Ta sukienka jest naprawdę ładna. – Opadam na pięty, cofam się i opieram o ścianę. – A z kim tam idziemy, że musimy być takie wysokie?

– Katie? – słyszę zza kabiny głos Taty, zbieram więc ręką fałdy sukni i wychodzę do niego. – A, tu jesteś. – Tato cofa się w stronę wejścia do przymierzalni, gdzie tłoczą się stojaki z garniturami. Z ramienia zwisa mu kilka swetrów i sztruksy, a na zgiętym palcu kołysze się sukienka w brzoskwiniowym kolorze. – Znalazłem coś takiego. Może być?

– Dzięki, daj, przymierzę.

– Świetnie. – Mierzy mnie wzrokiem od stóp do głów. – Właściwie już się przyzwyczaiłem, że lubisz rzeczy duże i bezkształtne, ale moim zdaniem to byłoby już przesadą.

– Wiem, Tato. Na pewno w tym nie pójdę.

– Twoja mama przetrząsa wieszaki z wyprzedażą w dziale męskim. W tamtych kurtkach będziemy się mogli bawić w lwy pożerające chrześcijan. Jeśli będziesz potrzebować jakiejś rady, to krzycz.

Pokazuję ręką na głowę, żeby poprawił naelektryzowane włosy, po czym wracam z brzoskwiniową sukienką do kabiny, gdzie zastaję Laurę siedzącą apatycznie na kwiecistym pufie.

– Jak myślisz, kogo powinnam poprosić?

– Michaela J. Foksa? – pytam tradycyjnie.

– Ze szkoły – pada tradycyjna odpowiedź, a ja w tym czasie obracam się przed lustrem i zastanawiam się, jak bym wyglądała w głębokim dekolcie ze ściśniętymi piersiami.

– Poprosisz Jake'a?

– Nie, no co ty.

– Nie zaperzaj się tak. – Grozi mi palcem. I jakby odgadując moje myśli, dodaje: – Twoja mama ma niezły biust. Jeszcze wszystko przed tobą.

Siadam przed nią na podłodze i wzdycham:

– Nie mogę poprosić Jake'a. Trwało wieki, zanim cała ta sprawa przycichła, to po pierwsze. A poza tym on się ciągle zadaje ze świtą Kristi. A ty poprosisz Ricka?

Laura marszczy nos.

– A, no widzisz. – Podnoszę się.

– A co myślisz o Craigu?

– Craigu? Twoim partnerze z zajęć laboratoryjnych?

– Tak. – Ściąga z włosów bordową aksamitną frotkę i owija nią nadgarstek, a delikatne loki opadają jej na ramiona. – Myślę, że uroczo byście razem wyglądali. On – wysoki blondyn, i ty – wysoka brunetka.

– Wariatka. – Klepię ją po głowie i na skutek mojego zapomnienia gorset opada mi do pasa. Błyskawicznie zasłaniam piersi rękoma. – Dobra, poddaję się. Mogłybyśmy się tu zmieścić obie, a do tego nasze wnuki.

Laura wstaje, ściąga z wieszaka brzoskwiniową sukienkę i popycha mnie w stronę mojej kabiny.

– Przymierz to. Powinno ci w tym być do twarzy. A do tego jest na ramiączkach.

– Więc przyznajesz, że nie mam biustu.

– Mówię tylko, że w sukience na ramiączkach twój biust będzie wyglądał jeszcze ponętniej. – Uśmiecha się słodko i zamyka za mną kabinę. – A więc co z Craigiem? – krzyczy zza drzwi.

Uwalniam się od ciężkiej satyny i przymierzam następną sukienkę, szukając w myślach odpowiedzi na jej pytanie.

– W sumie jest całkiem miły.

– Tak, jest sympatyczny. A do tego inteligentny.

Próbuję wejść w szorstką krynolinę.

– Tylko że nigdy nie myślałam o nim w taki sposób.

– To znaczy jaki? Tak jak o Jake'u Sharpie?

Wystawiam głowę na zewnątrz.

– No właśnie.

Laura mruży oczy.

– Katie, nie może być tak, że każda ma chłopaka, tylko nie my, z powodu jakiegoś głupiego Ricka Swartza czy Jake'a Sharpe'a. Musimy coś z tym zrobić. – Opuszcza wzrok na nadgarstek i owiniętą wokół niego frotkę. – Zamierzam po- prosić Randy'ego Brysona.

– Serio?

– Tak. Moim zdaniem jego oczy będą pasować do kwiat- ków na tej sukience. – Podnosi spódnicę i układa ją z gracją.

– A więc zapinaj kieckę i bierzmy się do roboty.

Maksymalnie skoncentrowana próbuję poprawić te pasma włosów, które odmawiają posłuszeństwa i w żaden sposób nie chcą leżeć grzecznie z innymi, pokręconymi, spryskanymi lakierem i upiętymi satynową spinką z kokardką w brzoskwi- niowym kolorze. Gdy już mam ochotę wyrwać z głowy nie- posłuszne kosmyki, drzwi od łazienki otwierają się i do środka wpada Kristi Lehman, a wraz z nią hałaśliwa muzyka.

Wchodzi do kabiny, ciągnąc za sobą warstwy białej ko- ronki.

– Przyszłaś tu z Craigiem, no nie? – krzyczy zza drzwi.

– Aha! – Zatrzymuję się z rękoma na drzwiach damskiej toalety, bo nie wiem, czy Królowa skończyła już swoją kwestię, a nie chcę jej znieważyć.

– Jest całkiem sympatyczny. Kiedyś mieszkał niedaleko mnie.

– Tak, mhm. Jest bardzo sympatyczny – odpowiadam, chociaż o ile zdążyłam się zorientować, nie da się o nim powiedzieć niczego więcej. Na naukach społecznych wysłałam mu liścik, otrzymałam odpowiedź twierdzącą i oto jestem tu z chłopakiem, który tylko uśmiecha się nieśmiało i od siódmej wieczór nie powiedział do mnie nic poza zdaniem: „Czy mogłabyś mi podać bułkę?".

Kristi wychodzi z kabiny i poprawia sukienkę bez ramiączek, która zsuwa jej się z tego okropnego, wielkiego biustu.

– A ja przyszłam z Jakiem. O, cholera, przecież on się tobie podoba, dobrze mówię? – Jak miło. – Ale chyba nie masz do mnie pretensji, prawda? – Nawet nie czeka na odpowiedź, odwraca się do lustra i poprawia szminkę. – Chodzimy ze sobą. Teraz już oficjalnie, no wiesz.

Czuję się tak, jakby właśnie wbiła mi pod żebra wszystkie swoje sztuczne szpony.

– To super! Nie, no, naprawdę, to super! Moje gratulacje!

Stoi przez chwilę przy lustrze i przygląda mi się badawczo w odbiciu, a srebrna tubka z wprawą wędruje po jej ustach.

– Jesteś urocza.

– Tworzycie fantastyczną parę! – słyszę znowu swój głos. – Bawcie się dobrze!

Wychodzę z łazienki i przy wtórze wyjącej gitary zmierzam prosto w stronę kranu z wodą pitną. Nachylam się, przyciskam rękę do piersi, by jakieś zboki nie zaglądały mi za dekolt, i udaję, że piję, ale po prostu obserwuję spływającą wodę. A więc Jake Sharpe osiągnął szczyty popularności. Nie zamieniając ze mną ani słowa.

Puszczam metalowy przycisk, prostuję się i ściągam łopatki tak, by dobrze było widać wycięcie w moich gołych plecach, omijam gromadę odzianych w marynarki nauczycieli i w poszukiwaniu Craiga zmierzam w stronę grupki chłopców, którzy okładają się zdjętymi z szyi krawatami. A wtedy rozbrzmiewają dźwięki z *Dirty Dancing*, o nie.

Stwierdzam, że chyba sobie odpuszczę, znajduję Laurę i inne dziewczyny, które też sobie odpuściły i tańczą same w kółku przy stole z jedzeniem. Laura ciągnie mnie do siebie i szepcze mi do ucha.

– Jake Sharpe powiedział Randy'emu, że masz seksowną sukienkę. – Cofa się, by przyjrzeć się mojej reakcji, i trzyma mnie przy tym za ramiona, jak gdyby się bała, że zaraz odfrunę.

– Serio? – staram się przekrzyczeć muzykę. Laura potakuje z entuzjazmem.

– Ale właśnie się dowiedziałam, że chodzi z Kristi.

Laura wzrusza ramionami. Patrzę nad jej nagim, opalonym ramieniem na Kristi, jak wraca do swojego krzykliwego stada, w którym każda z tych gęsi lśni białymi falbankami i koronkami. Gdy Benjy nachyla się w jej stronę, Kristi wyrywa mu z ręki krawat i uderza go, dzięki czemu ona i jej świta zostają sprytnie włączone do zabawy. A wtedy Jake zachodzi ją od tyłu, obejmuje w pasie i podnosi do góry. Kristi zaczyna wierzgać nogami i wywija krawatem jak wstążką gimnastyczną, a tymczasem jej chichoczące przyjaciółki zaczynają się bić z chłopcami.

– Tańcz! – Laura przywraca mnie do porządku.

Przez chwilę mam ochotę spotkać się z nim wzrokiem, ale zaraz zwalczam w sobie tę chęć. Ten krawat działa na mnie jak płachta na byka. Mam seksowną sukienkę. Ja... jestem seksowna. JESTEM SEKSOWNA! Oszołomiona, odrzucam głowę do tyłu i zaczynam tańczyć w rytm *Walk Like an Egyptian*. Seksownie, i to jak seksownie!

Razem z Laurą schodzimy do miasta, które rozciąga się u stóp wzgórza – senne, ukołysane brzęczeniem cykad, które

tego upalnego
przegadaną no
tycznym kroki
asfalcie. Imitacj
na nosie, niezby
popołudnia, więc

Cały czas sied
i wzdycham, prób
na szklanym stole
chyla się, by dać ci

– Myślisz, że wł
– To znaczy jak
przeszukiwać toreb
mniałam kasety. Mó

– No wiesz, sekso ... , ...ci, który ci się podoba, dowiaduje
się, że masz urodziny, przychodzi do ciebie i chce cię pocałować – wyjaśniam, gdy wkraczamy na szkolne boisko.

Laura podnosi swój kucyk i przejeżdża ręką po mokrym
karku.

– Mogę się o to modlić co wieczór, jeśli chcesz.

– Umowa stoi. – Wystawiam swój mały palec i Laura uderza w niego swoim.

Nad zieloną przestrzenią unosi się wilgotny wiatr.

– O rany, nie rozglądaj się – szepcze nagle Laura i spuszcza
głowę. Dyskretnie podążam wzrokiem w kierunku, od którego Laura odwraca oczy, i przez fale gorąca unoszące się nad
zakurzoną murawą dostrzegam postać jadącą wolno rowerem
i idącą obok niej drugą, z kijem baseballowym w dłoni.

– Kto to? – pytam przez zaciśnięte zęby, nie poruszając
prawie wcale ustami, chociaż tamci są dopiero w połowie
boiska.

– Jake – szepcze Laura.

, jak żołądek podchodzi mi

...eniła płeć. To pewnie ten nowy, Sam,
...wno przeprowadził. Poznaję ten jego kre-
...lek drużyny Green Bay. – Idziemy dalej, jak
...y nic. Udaję, że drapię się w ramię i kątem oka do-
..., że rower przecina boisko po przekątnej.
...Mam coś między zębami? – Laura, nie zatrzymując się,
...ieznacznie rozchyla usta.

   – Nie. A ja?

   – Ty też nie.

   Tak jak i Laura nie podnoszę głowy do góry. W pewnym momencie w zasięgu mojego wzroku, tuż pod poziomem mojej grzywki, pojawia się przednie koło czerwonego roweru. Robi leniwe kółko wokół nas i w trakcie tego manewru udaje mi się przyjrzeć trampkom Jake'a i jego opalonym, umięśnionym łydkom. A potem kolejne kółko. Na nasze gołe nogi padają długie cienie. Wymyśl coś, o czym można by do nich zagadać, cokolwiek...

   Idziemy dalej, Jake wciąż krąży wokół nas na rowerze, a Sam, wlokąc się za nim, podrzuca kij do góry i łapie go, wydając przy tym głośne sapnięcie. No dobra, Katie, wysil się, żeby coś powiedzieć. Coś zabawnego. Coś naprawdę zabawnego. Po-wiedz-coś...

   A wtedy cienie znikają z moich stóp. Sapanie staje się cichsze.

   Odwracam się i udaje mi się jeszcze dojrzeć bokserki wystające z szortów Jake'a, który oddala się na rowerze. Sam drepcze obok, z kijem opartym na ramionach jak nosidło.

   Laura ciągnie mnie za rękaw, a potem nagle rzuca się do ucieczki, aż jej podskakuje torebka na ramieniu. Ruszam za nią przez boisko.

– Dlaczego biegniesz? – pytam, z trudem łapiąc oddech.

Laura zatrzymuje się dopiero przy trybunach, pochyla się tak, że kucyk spada jej na twarz, łapie się za kolana i zaczyna się śmiać.

– Nie wiem. Czemu nic nie powiedziałaś? – Laura prostuje się i poprawia stanik.

– A ty? To było takie dziwne.

Wychodzimy znowu z cienia na słońce i ostatnie kilka przecznic pokonujemy w milczeniu. Gdy przechodzimy przez Adams Street i wchodzimy na schody, Laura podsumowuje:

– A we wrześniu będą nas szukać do upadłego i wyznają nam miłość aż po grób. – Wyciąga z torebki kasetę. – Dam sobie głowę uciąć.

– Ale ten na filmie nie wyznał jej miłości aż po grób. Kupił jej tylko tort na urodziny – prostuję.

– Co za różnica. – Laura wchodzi do środka przy dźwięku zawieszonych nad drzwiami dzwonków, a chłodne powietrze uderza w nasze spocone twarze.

7

22 grudnia 2005 roku

— Robię to tylko dla ciebie, nie dla niego. — Mama kręci głową, gdy stoimy w korku na Main Street, otoczone ze wszystkich stron przez telewizyjne furgonetki.

— Może ty, owszem, nie robisz tego dla niego — stwierdzam, gdy nagle jak spod ziemi wyrasta przed nami stado opatulonych dziennikarzy z aparatami.

Mama naciska mocno na hamulec i przygważdża mnie prawą ręką do siedzenia.

— Obyś ty też nie robiła tego dla niego.

Uśmiecham się do lusterka, a Mama z powrotem łapie za kierownicę.

— Spokojnie, mówiłam ci, przyjechałam tu dla siebie. Ale oni nie. — Wskazuję na to, co dzieje się na zewnątrz.

— Ty może jeszcze nie.

Zapadam się głębiej w siedzeniu, tak że z pożyczonego szala wystaje mi tylko nos.

Mama skręca w lewo, na względnie spokojną Adams Street, by wydostać się z korka.

— Co się stało z wypożyczalnią kaset? — pytam, gdy mijamy kryty gontem dwupiętrowy budynek opatrzony szyldem siłowni.

– Nie wytrzymali konkurencji z „Blockbusterem" z centrum handlowego – wyjaśnia mi zakłopotana. – Ale założenie siłowni było świetnym posunięciem Trudy. Chodzę tam trzy razy w tygodniu.

– No proszę, Mamo! Jestem pod wrażeniem.

– Tajemnica tkwi w zatyczkach do uszu. Nie mogę znieść jazgotu, który tam puszczają, więc po prostu zatykam uszy, a potem wszystkim potakuję i uśmiecham się do każdego. To nawet całkiem przyjemne. Teraz już wiem, dlaczego twój ojciec zawsze wydaje się taki spokojny.

Na wspomnienie Taty odwracam wzrok od hipnotyzujących tylnych świateł samochodu, który jedzie przed nami, i wbijam go w jej klasyczny profil.

– Jak on się w tym wszystkim odnajduje?

– Nawet dobrze – odpowiada Mama cicho.

– A ty?

– Ja też.

– Naprawdę?

– Hm... – Mama odgarnia włosy z oczu. – Jestem, rzecz jasna, zmęczona: przeprowadzką, świętami i Bóg wie czym jeszcze, ale jakoś sobie z tym radzę.

– Naprawdę? – pytam raz jeszcze, starając się rozeznać, czy oszukuje tylko mnie czy również samą siebie.

– Naprawdę.

– Twój mąż nagle zmusza cię do przejścia na wcześniejszą emeryturę i do porzucenia pracy, którą uwielbiasz, a ty twierdzisz, że wszystko jest w porządku?

– Owszem. Tak samo jak ty się wybierasz na drobne zakupy do centrum handlowego, tak samo u mnie wszystko jest w porządku. – Nieruchomieję. Mama wzrusza ramionami. – No, więc Tato chce teraz napisać książkę w przerwach między wylegiwaniem się w słońcu a łowieniem ryb. I właśnie tak będziemy spędzać czas. Bo to stawało się już... to po prostu za bardzo się na nim odbijało, takie miałam wrażenie. I trzeba się z tym liczyć.

Czuję, jak powieki zaczynają mi drgać, szukam więc w torebce kropel, aplikuję do oczu i mrugam, a część spływa mi po policzkach.

– No jasne. Wciąż bierze zoloft, tak?

Uspokajam się, gdy Mama kiwa głową. Jedziemy teraz objazdem przez świeżo odśnieżone ulice, całkiem swobodnie, zatrzymując się tylko na światłach.

– W bibliotece też się starał. Ale moim zdaniem to wina tutejszych ludzi. Najpierw zatrudniają cię, byś wprowadził zmiany, a potem wszystkie je blokują.

– Chyba że chcesz otworzyć siłownię.

– A tak, wtedy witają cię z szeroko otwartymi ramionami. Wciąż masz problemy z oczami?

– Tylko gdy jestem zmęczona. – I zestresowana, dodaję w myślach. Przecieram zaparowane szyby, na których wełna zostawia mokre smugi, i patrzę na oświetlone nocne Croton.

– O rany. Ale się to miasto rozbudowało. Wszystko jest tu teraz takie...

– Przerośnięte i krzykliwe, oznajmiające z hukiem koniec cywilizacji, jaką znamy.

– Chciałam powiedzieć po prostu: „wielkie".

Kilka razy powoli okrążamy ogromny parking – każdy metr kwadratowy asfaltu pokrywa morze pobielonych samochodów. Przygryzam wargę i rozglądam się w poszukiwaniu miejsca. Na próżno.

– Daruj sobie. – Mama wjeżdża na ośnieżony chodnik przylegający do parkingu i wyjmuje kluczyki ze stacyjki. Wystawiam głowę, próbując objąć wzrokiem hektary samochodowej tundry, którą trzeba pokonać, by dostać się do wejścia.

Ale Mama już zarzuciła torebkę na ramię, wysiada i zatrzaskuje drzwi. Biegnę więc pod wiatr, by ją dogonić, i biorę pod ramię. Ściska mi rękę łokciem i ze spuszczonymi głowami brniemy przed siebie.

– Powiedziała, że będą w pasażu gastronomicznym! – krzyczę, gdy wchodzimy w pękającą w szwach alejkę wypełnioną kolejkami głodnych, zestresowanych rodzin. – O, są! – Wyciągam rękę w kierunku odległego stolika, przy którym jedzą hamburgery. Przeciskając się w ich stronę, widzę, że Laura z synkami śmieje się z czegoś, a wtedy nagle odczuwam ukłucie zazdrości i zarazem zdumienie. Ciekawe, czy na ślubie chłopców też ciągle będę się dziwić: „O Boże, to Laura ich urodziła?". Albo gorzej, jako stara panna, nad którą wszyscy będą się litować, zostanę matką chrzestną trzystu dzieciaków? Podnoszę rękę i macham w ich stronę. Laura rozpromienia się na mój widok.

– Ciociu, ciociu, a wiesz, że mój pies rzygał? A teraz jem cheeseburgera z frytkami! – Mick stoi na krześle i oznajmia te obie fascynujące wieści jednym tchem, próbując przekrzyczeć ryk dochodzącej z karuzeli muzyki. Laura śmieje się znowu i odstawia jogurt, podczas gdy Mick rzuca swoje dorodne ciałko w moje ramiona. – Jesteś mokra, ciociu. – Kładzie mi rączkę na policzku, a gdy odstawiam go na siedzenie, przygląda jej się uważnie.

– Claire zmusiła mnie do porządnego spaceru. – Łapię serwetkę i ocieram twarz, a Mama w tym czasie rozpina płaszcz. A potem biorę na ręce Keitha, mierzwiąc mu grzywkę policzkiem. Keith kopniakiem zrzuca swoje niebieskie śniegowce, żeby je porównać z moimi.

– Ty masz brązowe, ciociu.

Laura wstaje, by objąć nas oboje, i uśmiecha się szeroko na widok mojej garderoby.

– Bardzo eleganckie wdzianko.

– Mamo! Zaraz mnie zgnieciesz! – drze się Keith i ześlizguje z moich ramion.

– No proszę, Kate Hollis przyszła do centrum handlowego w Croton i nie kryje się za żadną maską – śmieje mi się do ucha. – Zuch dziewczynka. Niech no ci się przyjrzę!

– Niech no j a ci się przyjrzę – odpowiadam, cofając się i dotykając ręką jej okrągłego brzucha. I znów to samo ukłucie. – Wyglądasz pięknie.

– Daj spokój. Oprócz tego, że nie mam aparatu na zębach, to czuję się tak, jakbym przechodziła po raz drugi okres dojrzewania. A tak właściwie to po raz trzeci. Nawet nie wiesz, jakie to dziwne uczucie kupować płyn na pryszcze w wieku lat trzydziestu. – Odstawia Keitha z powrotem na miejsce i poślinioną serwetką próbuje zetrzeć obwódkę z keczupu wokół jego ust.

– Lauro, wyglądasz promiennie! – oświadcza Mama, pomagając jej zebrać resztki po jedzeniu. – Z ciążą ci do twarzy.

– To nacieszcie się moim widokiem, bo już niewiele mi zostało. – Wręcza mi tackę pełną pogniecionych opakowań, z którą zmierzam slalomem w stronę kosza. Przystaję na chwilę, bo oto banda dzieciaków urządza sobie wokół mnie gonitwę i o mało nie przewracam ich matki.

– Katie? – Boże, gdzie jest ta maska? Kobieta przystaje, wydmuchuje do góry powietrze, by odgarnąć grzywkę z oczu, i wypuszcza dzieci, by jeszcze trochę pobiegały. – Katie Hollis?

Spoglądam przez chwilę w niedowierzaniu na gęste rude włosy i lśniącą skórę.

– Jeanine?

– O Boże, Katie, to ty! – Ku mojemu kompletnemu zdumieniu, Jeanine gwałtownie przyskakuje do mnie i zaczyna mnie ściskać. Jej poncho wydziela intensywną woń kadzidła.

– To niesamowite. – Wypuszcza mnie z objęć i uśmiecha się promiennie. – Co u ciebie?

– Wszystko w porządku, dzięki. – Śmieję się. Jej entuzjazm jest zaraźliwy. – A u ciebie?

– Nie uwierzysz. – Zatrzymuje jednego z biegających chłopców, bierze go na ręce i sadowi na biodrze. – Jadąc tutaj, właśnie rozmawiałam z Anne o tobie!

– A to twój synek? – Pocieram różowy policzek wiercącego się w jej ramionach dziecka, mając nadzieję, że tym samym odciągnę uwagę od swojej osoby.

– Timmy – uśmiecha się czule, wichrząc mu włosy. – Idę teraz na spotkanie z Craigiem, by kupić świąteczne prezenty. To nasz ostatni rok jako małżeństwa. Rozwodzimy się. Nie będę już panią Shapiro.

– O Boże, bardzo mi przykro – mówię. To smutne, że nasza klasa powoli dołącza do grona tych, którym „się nie udało".

– Dzięki – wyciąga rękę i dotyka mojego ramienia. – Ale tak będzie lepiej dla wszystkich. – Przekłada Timmy'ego na drugie biodro i przez legginsy widać jej napięte mięśnie.

Nie mogę uwierzyć, że tyle w niej energii i pogody ducha.

– Wyglądasz fantastycznie.

– O, tu jesteś! – woła Laura, podchodząc do nas chwiejnym krokiem, bo Mick stoi jej na butach. – Cześć, Jeanine! – Odstawia Micka na podłogę i każe mu wrócić do stołu. Obejmują się z Jeanine na tyle, na ile pozwala im Timmy i będące w drodze Dziecko Numer Trzy.

– Ćwiczysz w domu asany? – Jeanine kładzie dłoń na brzuchu Laury, zdecydowanym ruchem, a nie tak niepewnie jak ja.

– Staram się! To znaczy ćwiczę – odpowiada Laura z zakłopotaniem. – Gdy chłopcy śpią. – Odwraca się w moją stronę i wyjaśnia: – Jeanine uczy jogi dla kobiet w ciąży.

– Jeanine, zadziwiasz mnie.

Jeanine znów przekłada Timmy'ego na drugi bok i zwraca się do mnie z przejęciem:

– Musisz przyjść do mnie na lekcje. Prowadzę zajęcia w szkole, o, tam na górze, zwie się D-Om Jogi. – Wskazuje ręką na ruchome schody. – Zaraz za Sunglass Hut. Przyjdź, koniecznie. Będziesz mi za to naprawdę wdzięczna, zobaczysz.

– Brzmi zachęcająco – przytakuję.

– Twoi starzy sprzedali dom? – Jeanine zmienia temat.

– Tak – potwierdzam. No pięknie. Okazuje się, że właściwie obca osoba wiedziała o tym przede mną. – Pakują manatki i przeprowadzają się na południe.

– Anne i ja oglądałyśmy go, gdy był wystawiony na sprzedaż. Szukamy domu z trzema sypialniami. Wasz jest przestronny, a do tego dobra lokalizacja... Ale ta energia! – Jej twarz zasępia się, macha wolną ręką, jakby chciała odpędzić złe moce. – Zupełnie zablokowana. A twój dawny pokój, szkoda słów! Całe to miejsce powinno zostać oczyszczone.

Spoglądam na swój kciuk umazany keczupem. Laura wyjmuje z kieszeni chusteczkę, podaje mi i mówi:

– Wybacz, Jeanine, ale naprawdę musimy już lecieć. – Wzrusza ramionami przepraszająco.

Jeanine kiwa głową ze zrozumieniem.

– Przyjechałaś tu, by się z nim zobaczyć, co?

– Z nim? – Miętoszę w rękach chusteczkę i kiwam małym palcem leżącej na biodrze ręki, dając Mamie znać, żeby szykowała się ze mną do ucieczki.

– Z Jakiem.

– Aha. – Wypuszczam z płuc powietrze.

– Moja droga – Jeanine poklepuje mnie po ramieniu. – O d p u ś ć   s o b i e. Boże! Joga byłaby dla ciebie zbawienna!

Twoja aura właśnie tego potrzebuje najbardziej. Powinnaś się zapisać na jogę, gdy wrócisz do domu. Gdzie mieszkasz?

– W Charlestonie.

– O rety, ten facet naprawdę nieźle cię poharatał.

– Nie, to nie dlatego. – Patrzę na Laurę, uśmiechając się słabo. – Po prostu nienawidzę zimnego klimatu.

– Zimno to stan umysłu, moja droga. – Jeanine patrzy mi prosto w oczy i nic nie wskazuje na to, żeby zamierzała puścić nas wolno, a wręcz przeciwnie, mam wrażenie, że to dopiero początek listy tych rzeczy, których pragnie moja aura.

Pochylam się i całuję ją delikatnie w policzek.

– Cieszę się, że cię spotkałam, Jeanine!

– Mam jutro zajęcia. Weź od Laury harmonogram i przyjdź. Joga mnie ocaliła!

– Oczywiście! – Macham jej na pożegnanie i Jeanine odprowadza nas wzrokiem. Po chwili oglądam się i widzę, jak kieruje się w stronę blondyna, który czeka przy stoliku, trzymając w ręku dwie pełne po brzegi torby. Mój wzrok zatrzymuje się najpierw na jego wielkim piwnym brzuchu, potem na spalonym słońcem czole, potem na pasie narzędziowym, potem na gumowcach, a wreszcie na przeglądanym przez niego „US Weekly" z Jakiem na okładce. Zwieszam głowę i biorę Laurę pod ramię, żeby znaleźć się szybko poza zasięgiem wzroku Craiga.

– Właśnie dlatego nie powinnam się z tobą spotykać w miejscach publicznych. Jestem na ustach wszystkich: żałosna dziewczyna, porzucona przez gwiazdę rocka. I tylko z tego jestem znana w promieniu pięćdziesięciu kilometrów.

– Po pierwsze, wszyscy rozmawiają tu głównie o zakupach. I z przykrością oświadczam, że nie jesteś wyjątkiem i nie tylko ty stąd wyjechałaś. Tak, pewnie w tym momencie Jason Mosley wzdycha nad twoim smutnym losem, uprawiając w Olympii swoją hydroponiczną sałatę. Jennifer-Dwa lituje się nad tobą, jadąc z Filadelfii, i dam sobie głowę uciąć, że Maggie, gdy się jutro obudzi, wyrzeknie słowa: „Katie jest żałosna", a zaraz potem pójdzie nakarmić gołębie na Trafalgar Square. Kate, weź się w garść.

Przywołana do porządku, obiecuję jej to skinieniem głowy.

– Ale hydroponiczna sałata...?

– Sprawdź w Internecie na jego stronie.

– Dobra, przestaję się nad sobą użalać. A kim jest Anne, guru Jeanine?

– Hm. – Przystajemy i czekamy, aż przejedzie błyszczący pomarańczowymi światłami wózek ochrony. – To jej dziewczyna, a wkrótce oficjalna partnerka.

– Chrzanisz.

Laura uśmiecha się od ucha do ucha.

– A czasami palimy razem trawkę. Teraz już jesteś na bieżąco.

– Laura!

– Oczywiście nie teraz, kiedy jestem w ciąży. – Laura wybucha śmiechem. – Spróbuj wychować bliźniaki. Dziwię się, że Sam i ja nie rozpuszczamy jeszcze tabletek valium w kartonach z sokiem pomarańczowym. – Wózek przejeżdża, więc idziemy dalej w stronę Mamy i Keitha grających w łapki. – Dobra! Bierzmy się do roboty. Przed dziewiątą chcę położyć dzieciaki do łóżka.

– Kocham cię i doceniam to, że zostałam włączona do spisku – oświadcza Mama. – Ale nie ukrywam, że nie wytrzymam tu dłużej niż czterdzieści pięć minut... – Wskazuje ręką na otaczające nas tłumy ogarnięte przedświąteczną gorączką. – A potem wyzionę ducha. Moja propozycja brzmi następująco: wezmę chłopców na karuzelę, a wy załatwicie swoje sprawy. – Keith i Mick patrzą z zachwytem na świątecznie przybrane urządzenie kręcące się pod kopułą imitującą nocne niebo. – Dobrze, panowie, podajcie mi ręce, *per favore*.

Wstaje od stolika i chłopcy łapią ją za ręce, a potem dają się uwieść czarowi gipsowych koni. Przez chwilę stają mi przed oczyma czasy, gdy byłam w ich wieku i mocny uścisk jej dłoni dawał mi poczucie bezpieczeństwa.

– Zostały wam czterdzieści dwie minuty – oświadcza Mama i niknie w tłumie.

Z głośników dobiega piosenka o czerwononosym reniferze i automatycznie wprawia mnie w dobry nastrój. Dajemy się z Laurą ponieść szalonemu tłumowi. Omijamy sklepy optymistycznie prezentujące na wystawach ubrania na lato i udaje nam się dopchać do działu damskiego sklepu Lord & Taylor.

– Jak rozumiem, dają do tego darmowy wosk do depilacji okolic bikini? – Wskazuję na manekiny ubrane w spodnie i spódnice sięgające poniżej bioder.

– A spróbuj znaleźć coś, co ci zakrywa tyłek, gdy jesteś w ciąży. Przeginają albo w jedną, albo w drugą stronę. Masz do wyboru albo ubrać się w namiot harcerski, albo świecić gołą kością ogonową. Może to? – Podsuwa komplet ze sztucznego zamszu.

– O, nie. – Obracam wieszak, by pokazać jej, dokąd sięgają spodnie. – Wolałabym nie wyglądać jak prezenterka MTV.

– Nie orientujesz się w najnowszych trendach? Wszystkie powinnyśmy wyglądać teraz jak czternastolatki.

– Kristi Lehman miałaby z tym problem. – Przeglądam odsłaniające pępek sweterki. – Nawet gdy miała czternaście lat, wyglądała na więcej.

– Wiesz, że prowadzi teraz sklepik przy stacji benzynowej w Fayville?

– No co ty? – Obracam się na pięcie i trącam ją w ramię. – Pieprzysz! Dlaczego nic o tym nie wiem?

– Niezłe, co? – Laura się uśmiecha, delektując się moją reakcją. – Nigdy nie jeździmy w tamte strony. Ale Sam musiał kiedyś zainstalować sprzęt w Clarkson i zatrzymał się, by zatankować. Powiedział, cytuję, że wyglądała na... zmęczoną.

– Zmęczoną! – Kręcę głową z niedowierzaniem.

– Zmęczoną. – Laura wyciąga ręce do góry i torebka zjeżdża jej po ramieniu. – Czy życie nie jest piękne?

– Ależ jest, oczywiście. – Wpatrujemy się w siebie rozanielone.

– Cholera, która godzina? – pyta Laura, zerkając na zegarek na komórce, i popycha mnie w stronę wieszaków. – Dwadzieścia osiem minut, śpieszmy się.

Mokra od potu, łapię cokolwiek, co może na mnie pasować. Laura dorzuca na mój stos to, co sama wybrała, tak że wkrótce zasłania mi on widok. Potem zaczyna kluczyć wokół okrągłych stojaków obwieszonych sztucznymi futrami i zmierza w stronę przymierzalni, a ja podążam ślepo za nią. Nagle Laura przystaje, wpadam na nią i ubrania wypadają mi z ręki. Na szczęście ona łapie je w ramiona, po czym zajmujemy miejsce w długiej kolejce umęczonych kobiet, które w jednej ręce trzymają swoje ciężkie płaszcze, w drugiej – potencjalne zakupy, a oprócz tego próbują wachlować się kołnierzami golfów.

– To jakiś koszmar.

– Radzę ci się rozebrać do bielizny już tutaj, bo będziemy tu kwitnąć całą noc.

Idę więc za jej radą i ściągam z siebie kolejne rzeczy, aż wreszcie stoję w samej bieliźnie i wełnianych podkolanówkach Mamy. Laura sadowi się na prowizorycznej poduszce zrobionej z puchowego płaszcza, ściąga włosy do tyłu szalikiem, żeby mieć większą swobodę ruchów i móc sprawniej odwieszać odrzucone ubrania, po czym zaczyna mi doradzać: „Oj, nie", „Nie", „Odpada", „Zamierzasz robić karierę w polityce?", „Absolutnie nie", „Wybierasz się na casting do *Ani z Zielonego Wzgórza?*". Aż wreszcie zaczyna chichotać bez opamiętania i wyrzuca z siebie: „Wyglądasz... jak... Dolly Parton!".

Opadam na kolana i kryję twarz w dłoniach.

– Wszystko robię nie tak.

Laura przeciera mokre od łez oczy.

– Nie! No co ty. Ale Kate, dlaczego aż tak bardzo przejmujesz się tym, co masz na sobie? – Wzdycha melancholijnie. – Miałaś świetnych chłopaków. To znaczy dalej spotykasz się z fantastycznymi facetami...

Parskam śmiechem.

– Na nudę w łóżku nie narzekasz. – Odpycha od siebie pozostałe ciuchy.

– Raczej nie – przyznaję, ściągając pluszowy gorset. – Za to ty masz męża. – Odbijam piłeczkę.

– Wiecznie zmęczonego męża. A ty robisz wspaniałą karierę i ważne rzeczy dla świata. Latasz do Buenos Aires, ot tak, za pstryknięciem palca.

– Byłam w samolocie, w hotelu, w fabryce, a potem znowu w samolocie. To równie dobrze mogło być Cleveland.

– Czy w Cleveland trzymają w sklepach zdjęcia Evity Peron obok każdej kasy?

– Nie, raczej nie. To akurat było fajne – przyznaję. – Tym bardziej że były to zdjęcia prawdziwej kobiety, a nie Madonny.

– A widzisz? To było zupełnie nowe doświadczenie. – Wyciąga paczkę gum i pakuje jedną do ust. – A moja najdalsza podróż to była wizyta u ciebie w Charleston.

– Dobra, ale przecież jeszcze nie masz sześćdziesiątki. Jeszcze wszystko przed tobą. No i masz rodzinę!

Laura kładzie ręce na wystającym brzuchu.

– Za to twoje ciało wciąż należy do ciebie.

– I pracuję nad nim po to, by pewnego dnia osiągnąć to, co ty już masz, czyli mężczyznę, który przysięgnie, że będzie ze mną aż do śmierci, i dwoje albo troje wspaniałych dzieci! Laura, gdybym ci powiedziała, że za trzy godziny możesz stanąć twarzą w twarz z Rickiem Swartzem, co byś wtedy zrobiła?

Jej oczy zaczynają błyszczeć.

– Wzięłabym drugą hipotekę i... zamówiłabym krawca z Paryża, żeby szybko skroił coś w sam raz dla mnie, żeby zatuszować to i uwypuklić tamto. I wydałabym kupę kasy w salonie piękności, żeby każdy centymetr kwadratowy mojego ciała, w tym i te, które mi ostatnio przybyły, został wypielęgnowany na błysk, tak żebym wyglądała bosko, porażająco, żeby wszystkim wokół opadły szczęki i żeby żałosny Rick Swartz uświadomił sobie marność swojej egzystencji.

– No widzisz, a jedyną rzeczą, na jaką się zdobył, było wygadanie całej klasie, że do niego dzwoniłaś. – Podaję jej króciutki sweterek z angory.

– Wiesz, może po prostu znajdziemy ci jakieś porządne dżinsy, a dobry makijaż dopełni reszty – stwierdza wreszcie Laura, sięga na dno sterty i wyciąga kilka par spodni. Podnoszę się. – Więc co powiesz tej kanalii?

– A ty co byś powiedziała Rickowi Swartzowi? – Zsuwam stopami pierwszą parę spodni, zupełnie nietrafioną, a Laura wręcza mi kolejną.

– Mówiłam ci, podobno siedzi teraz w więzieniu, i to mi wystarcza do szczęścia.

– Czyż życie nie jest piękne?

– To mi poprawiło humor już rok temu. Tak, nasza stara klasa to nieustające źródło radości. Ale sama nie wiem, czy powinnam go łaskawie odwiedzić i mimo tej całej wścieklizny...

– Malarii – poprawiam ją, biorąc do ręki kolejną parę spodni.

– No tak, malarii. O Boże, wścieklizna, wyobrażasz to sobie? W każdym razie wydęłabym swoje idealnie zarysowane usta, wyprężyłabym w głębokim dekolcie swój ogromny obecnie biust i powiedziała mu, że zachował się podle.

– No właśnie. – Odwracam się, by zademonstrować jej, że ze spodni wystaje mi pół tyłka. – Mój wywód będzie brzmiał podobnie. Na pewno motyw podłego zachowania zostanie w nim wyeksponowany.

– Nie masz dokładnego planu? Poważnie? Nie spakowałyśmy do tamtej torby notatek, które w punktach mówiły, co masz robić?

– Nie wracajmy już do tej torby, zresztą już od dawna nie myślałam o tym wszystkim poważnie. I Bogu dzięki. Ale pamiętam, był plan A. – Ściągam dżinsy z jej ramion zbyt gwałtownym ruchem, przez co tracę równowagę. – Miało dojść do naszych uszu, że widziano go w Los Angeles, jak śpiewał na ulicy, żebrząc o parę centów, i że futerał na datki był pusty.

– Obawiam się, że to nie przejdzie.

– Plan B. Gwiazda jednego przeboju. Miał popaść w całkowite zapomnienie i tylko czasem gościłby, siwy i spasiony, w programie *Gdzie są gwiazdy z tamtych lat*.

– Plan C. – Laura prostuje się, jedną rękę opiera na lustrze, a drugą podpiera plecy. – Całkowity odlot. Miałaś przyjechać na jego pogrzeb w gustownej, ale zapierającej dech w piersiach małej czarnej, z medalem Nagrody Nobla wiszącym u szyi, a jego matka miała cię wziąć za rękę, spojrzeć w oczy i powiedzieć...

Zapinam ostatnią parę i kończę za nią:

– „...wiesz, kochana, chociaż odniósł sukces, to po swoim wyjeździe nigdy nie czuł się tak naprawdę szczęśliwy". A ja miałam uścisnąć pomarszczoną rękę staruszki i powiedzieć: „Moje kondolencje". A potem spytać: „Czy to prawda, że znaleziono go nagiego we własnych odchodach z kciukiem w buzi?".

– O, uwielbiałam plan C. – Laura zerka w lustro nad moim ramieniem.

– Tak, a na końcu był Negatywny Plan Z, który zakładał, że nasze oczy spotkają się na twoim ślubie, gdy będziemy siedzieć w nawach po przeciwnych stronach kościoła. Potem mieliśmy się wymknąć na balkon, a ja miałam być ubrana w seksowną minisukienkę, jak się domyślam, we wzorki w motylki.

Twarz Laury wykrzywia grymas.

– Wiesz, ciągle nie jestem w stanie zrozumieć, dlaczego Sam wierzył, że on przyjedzie na nasz ślub.

– Bo wszyscy oni zawsze chcieli widzieć w Jake'u równego faceta – wzdycham.

– Ale uwierz mi, to im mija. A tak na marginesie, te spodnie skrojone są idealnie na ciebie, tak żeby ktoś postradał dla ciebie zmysły.

– Skrojone tak, by Jake uświadomił sobie marność swojej egzystencji – podchwytuję. – A potem wracam do swojego fantastycznego życia. Tam. Taki był plan.

– To dżinsy już mamy. A co na górę?

– Tu tego nie znajdę. Może wyszperam coś w domu.

– Świetnie. Zatem zostało nam sześć minut na kosmetyki. Biegnij szybko do stanowiska Lancôme, a ja zapłacę za to. Uff!

Już zamierzamy się rozdzielić, kiedy przystaję:

– Lau...

Laura odwraca się i wpatruje we mnie uważnie. Nagle oczy zachodzą mi łzami i stać mnie tylko na głupi uśmiech.

– Wiem – mówi cicho. – Wiem, co czujesz.

– Macie własne problemy, zupełnie to rozumiem.

Jej twarz pochmurnieje.

– Wiesz, co zrobili ostatnio jego prawnicy? Zagrozili nam, że jeśli nie przestaniemy, to, cytuję, podejmą drastyczne kroki prawne. Dostaliśmy w poniedziałek oficjalny list. Więc świat nie jest do końca taki piękny.

– O Jezu. I co wy na to?

Laura kręci głową i obejmuje swój brzuch.

– Sam mówi, że nie możemy sobie pozwolić, by pakować w to pieniądze.

– A ty? – Patrzę, jak jej ręka na brzuchu podskakuje.

– Siedziałam wtedy w tamtej cholernej piwnicy tuż obok ciebie – mówi, trzęsąc się z gniewu – a mój mąż układał melodię najdłużej utrzymującego się na szczytach list przeboju lat dziewięćdziesiątych. Więc nie mogę mu tego darować, nie mogę. Chwila, w której się poddamy, będzie jak przyznanie, że niczego złego nie zrobił. – Zamyka oczy i zaczyna miarowo oddychać. – Nie mogę tego tak zostawić. – Serce mi się kraje z żalu, chwytam ją za rękę i Laura otwiera oczy. – Więc jeśli możesz chociaż trochę spieprzyć wieczór tej Cholernej Gwiazdy, to, jak dla mnie, będzie to wystarczający sukces. Rozumiemy się? – Kiwam głową. – Ale nie możesz wtedy tak wyglądać.

– Jasne. – Przeczesuję ręką włosy. – Kocham cię.

Laura, w której żyłach płynie skandynawska krew, rumieni się z zakłopotaniem na to wyznanie, po czym uśmiecha się delikatnie.

– Chyba za dużo hormonów zalewa mi teraz mózg, żeby się tym zajmować. Idź już!

– Tak jest!

– No idź – odpędza mnie ręką. – I kopnij go w dupę w imieniu nas wszystkich. Tylko wcześniej zrób sobie dobry makijaż.

8

Dziewiąta klasa

– Sam, ale z ciebie ułom – wzdycha znudzona Jennifer-Dwa, gdy Sam próbuje zamknąć za sobą drzwi naszego minivana i przycina jej kurtkę.

Rzucam okiem w stronę Taty, który siedzi za kierownicą pochylony nad deską rozdzielczą, by sprawdzić, czy ją usłyszał. Bogu dzięki, radio jest bardziej fascynujące niż banda czternastolatków. To, że musimy teraz słuchać burzliwej debaty na temat sytuacji w Nikaragui zamiast mojej nowej kasety Guns'n'Roses, było ciężko wynegocjowanym warunkiem, pod którym zgodził się podwieźć nas na grupową randkę. Może i z radia dobiega nas nudna dyskusja, ale poza tym nie jest źle.

– Zdążymy na drugą czterdzieści pięć? – pytam, próbując przekrzyczeć hałas, jaki robi Sam, otwierając ciężkie drzwi i zamykając je znowu, dalej niedokładnie.

– Najpierw do góry, a potem mocno do siebie, Sam. Do góry i do siebie – instruuje go Tata.

– Katie, przecież ci mówiłam. – Siedząca za mną Jennifer-Dwa nakłada ponownie błyszczyk, którego pierwsza warstwa sprawia, że jej usta, zamiast lśnić, wyglądają na jeszcze bardziej popękane. Przez to, że razem z Kristi była tego lata ratownikiem, jeszcze bardziej zadziera nosa i zachowuje się tak, jak gdyby chciała maksymalnie wykorzystać swoją popularność, zanim zblaknie tak samo jak jej opalenizna. Chociaż, trzeba przyznać, Laura i ja też z niej korzystamy. Tak właściwie to dzięki temu ta randka jest możliwa. No, ale my się tak nie zachowujemy. – Jeśli nie zdążymy na *Indianę Jonesa*, o trzeciej jest jeszcze *Smętarz dla zwierzaków*. Nie zachowuj się, jakbyś była jakimś ułomem.

Tym razem jej uwaga jest na tyle głośna, że Tato rzuca mi znaczące spojrzenie w bocznym lusterku. Jego nozdrza nadymają się i komunikują mi, że żadną miarą nie pochwala tego, w jaki sposób nastolatki kaleczą naszą ojczystą mowę. Kiwam głową w odpowiedzi, by zakomunikować, że oczywiście to jest nie do przyjęcia, ale czasem ludzie tak mówią, więc niech dalej uprzejmie prowadzi samochód i dalej protestuje w milczeniu. W m i l c z e n i u.

– Mam się gdzieś jeszcze zatrzymać, czarująca młodzieży? – pyta, gdy ciche kliknięcie oznajmia wreszcie, że drzwi są domknięte.

– Proszę jeszcze jechać po Jake'a, na Bluebell Lane, pod numer pięćdziesiąt trzy. – Sam nie wyczuwa sarkazmu w głosie Taty i zadowolony z siebie, sadowi się obok Benjy'ego i mnie, po czym odruchowo wyciera o kurtkę brudną od smaru rękę. Laura siedząca obok Taty odwraca się w naszą stronę, spanikowana tak samo jak ja przed tym długo oczekiwanym wydarzeniem. „Będę siedzieć w samochodzie z Jakiem Sharpe'em?" – pytam ją wzrokiem. „Tak!" – odpowiada ruchem brwi. „O Boże!" – krzyczę zmarszczeniem czoła.

– Powiedział, że będzie czekał... – Sam zaczyna nagle wyć, bo Benjy łapie go za włosy i zaczynają się tarmosić. – Przy!... końcu!... podjazdu!

– Tam. To on, proszę pana – mówi spokojnie Jennifer-Dwa, nie zwracając uwagi na tamtych. Ech, to jej opanowanie, ta jej zarozumiałość, ten jej błyszczyk na naszych wargach. Spękanych. Na widok Jake'a w skórzanej kurtce, który kopie mokre liście na kupkę przy krawężniku, odczuwam ucisk w żołądku. Nie wygląda na kogoś, komu właśnie złamano serce. Może to, że Kristi rzuciła go dla Jasona, uczyniło silniejszą osobą nie tylko mnie, ale i Jake'a. Może ma takie samo wrażenie jak wszyscy, że Kristi i Jason są sobie przeznaczeni i że skoro ta dwójka jest wreszcie razem, to wszechświat może się zająć całą resztą i poprawić również nasz los.

Sam, teraz już ekspert w tej dziedzinie, otwiera drzwi i wyskakuje razem z Benjym z samochodu, po czym, bawiąc się w porwanie, łapią Jake'a brutalnie i wrzucają go do środka jak worek ziemniaków. Jake ląduje na siedzeniu, a jego trampki na moich kolanach. Tato wzdycha.

– Przepraszam – Jake Sharpe odzywa się do mnie po raz pierwszy w życiu, po czym ściąga stopy z moich kolan i sadowi się u mojego boku. Rudowłosy Benjy i blondyn Sam wciskają się obok niego, głowa przy głowie, i ich fryzury tworzą teraz różnorodną kolorystycznie mieszankę.

– Ble, ale śmierdzisz. – Benjy zakrywa nos kurtką.

– Mój tata pali liście. – Jake klepie Benjy'ego w czoło.

Odwracamy się w kierunku, z którego unosi się dym, gdzie mężczyzna z grabiami pochyla się nad czerwonym płomieniem.

– To nie jest twój tata! – drze się Benjy.

– Facet, który kosi nam trawnik, co za różnica?

Benjy daje kuksańca Jake'owi. Sam daje kuksańca Jake'owi. Jake daje kuksańca im obu naraz, tak że jego łokieć o milimetr mija nasadę mojego nosa, ale w ogóle mnie to nie złości.

– Chłopcy, jeden z was będzie się musiał przesiąść do tyłu, i to już. Każdy musi zapiąć pasy. – Tato traci cierpliwość. Cier-pli-wo-ści-Ta-to. Cier-pli-wo-ści.

Kuksańce przeradzają się w przepychanki.

– Sam? – Wysuwa zaproszenie Jennifer-Dwa i biedny Sam, czerwony ze wstydu, przy wtórze chłopców przedrzeźniających Jennifer przesiada się na tylne siedzenie.

– Bardzo zabawne – Jennifer-Dwa komentuje pod nosem zachowanie moich sąsiadów, którzy zwijają się ze śmiechu.

– Zapinacie pasy albo nigdzie nie jedziemy – rozkazuje Tato. Kropla potu spływa mi po dekolcie. O rany, proszę. Tato, proszę, daj się choć raz ponieść fantazji, łap wiatr w żagle! To o wiele lepsze niż roztaczanie przed nami tych wszystkich ponurych wizji – gips, utrata kończyn, śmierć – czy to naprawdę duża cena za to, żebym mogła pokazać się w poniedziałek w szkole i nie wysłuchiwać o tym, że...

Ale wszyscy zapinają pasy bez szemrania i dociera do mnie, że ich życie za kulisami wygląda podobnie – im też rodzice ciągle każą wkładać skarpetki, kłaść się spać o określonej porze i pić mleko.

Gdy Tato wyjeżdża na autostradę, chłopcy zaczynają rozmawiać o *Appetite for Destruction*, najnowszym albumie Gunsów, chwilowo przebywającym na wygnaniu w samochodowym schowku na rękawiczki.

– Przepraszam was, nie możemy go puścić w samochodzie, bo nasz odtwarzacz ostatnio się popsuł, p r a w d a, Tato?

Wreszcie Sam wyjmuje z kurtki walkmana, włącza go na maksa i wszyscy pochylamy się, by usłyszeć wątłe echo wydobywające się ze słuchawek, starając się nie zwracać uwagi na płynącą z radia dyskusję o sandinistach. Jake siedzi nieruchomo, by żadnym szmerem nie zakłócać muzyki, i jego ciało idealnie przylega do mojego, od stopy do ramienia. Ciało przy ciele. Czuję jego ramię, rękę, udo i łydkę. Oto nagle Jake siedzi obok mnie. Niesamowite. Zupełnie niesamowite. Tak niesamowite, jak gdyby dotknąć ekranu telewizyjnego i poczuć ciepło skóry Kirka Camerona.

– *„Take me down"* – zaczynają wyć chłopaki, podczas gdy ja i Laura siedzimy nieruchomo w oczekiwaniu na to, co przyniesie dzisiejsze popołudnie. Gdy Jake zaczyna kiwać głową do rytmu, przez moje ramię przechodzą wibracje, wkrótce zaś on i Sam zaczynają grać na wyimaginowanych gitarach, a Benjy robi z siedzenia Laury perkusję i porusza miarowo kończynami.

– Zastanawiam się, czy jeśli znajdę jeszcze jedną pracę po szkole, to uda mi się do końca następnego lata zaoszczędzić na perkusję – mówi rytmicznie Benjy, kiwając głową.

– Nasz zespół to będzie coś – oświadcza Sam. – Jak Gunsi.

Jake bierze głęboki oddech i z całej siły ryczy refren Samowi prosto w twarz. Benjy i Sam natychmiast dołączają do niego, a Tato podkręca dźwięk w samochodowym radiu.

– Zna ktoś jakiegoś basistę? – Jake rzuca pytanie.

– Mhm. – Laura odwraca się w naszą stronę. – Czy przypadkiem Todd Rawley nie akompaniuje pani Bcazley w chórze?

– Sprawdź to, Jake – mówi Sam, a Laura, dumna, że jej rada została wzięta pod uwagę, rumieni się, odwraca i otula mocniej swoim płaszczem.

Ja nie mam nic do powiedzenia, więc po prostu daję się ukołysać ruchom Jake'a, wpatrzona w ślad po bucie, który odbił się na moim kolanie, i powtarzam w myślach to pierwsze słowo, jakie do mnie wypowiedział, szukając w nim zaszyfrowanej głębszej informacji.

Ale nic się nie dzieje aż do momentu, gdy siedzimy w kinie, szukając najlepszej pozycji, by choć trochę odsunąć się od Jennifer-Dwa, która całuje Sama, jakby to była kolejna pozycja na jej Liście Obowiązkowych Rzeczy do Zrobienia – i gdy Jake Sharpe wraca z popcornem. Wtedy czuję, jak to coś zapuszcza korzenie w moim brzuchu, jak oplata go ta gumowa opaska. W pewnym momencie coś mówi mi, że mam się odwrócić i rzeczywiście, Jake właśnie wchodzi na salę przez górne drzwi. Gdy jego smukła sylwetka zbliża się w moją stronę, opaska zaciska się coraz bardziej. Potem Jake zaczyna się przepychać do swojego miejsca, podciągam nogi na krześle i nasze oczy spotykają się, a wtedy zabłąkane ziarnko popcornu spada mi na kolana – i opaska zaciska się bardzo, bardzo mocno. A potem znów się rozluźnia, gdy Jake siada na drugim końcu obok Benjy'ego, który wyciąga rękę do torebki z popcornem. Przyciskam rękę do piersi, wpatrując się w ekran. To coś innego niż próba wymazania Jake'a Sharpe'a z pamięci, coś innego niż unikanie Jake'a Sharpe'a, innego nawet niż świadomość tego, co powiedział Jake Sharpe na temat mojego wyglądu. To nowe coś, co dotyczy Jake'a Sharpe'a, dzieje się wewnątrz mnie, w samiuteńkim środku.

Ludzie piszczą, Laura kryje głowę w moim ramieniu, ale ja wpatruję się w ekran bez mrugnięcia okiem. Mój umysł jest zupełnie oderwany od obrazów i nie robi na mnie wrażenia staruszek trzymający się za buchające krwią kostki ani nawet widok skręconego kręgosłupa konającej dziewczyny. Siedzę prosta jak struna, każda cząstka mnie, każda myśl podążają tylko w jednym kierunku, bo właśnie stałam się Kompasem Nastawionym na Jake'a Sharpe'a.

– Chyba mamę zabiję. – Laura podciąga swoją luźną skórzaną kurtkę pod pośladki i siada na zimnym krawężniku.

– Co powiedziała? – pytam, patrząc na krążące po parkingu samochody oraz znajdujący się po drugiej stronie pasaż gastronomiczny centrum handlowego, a właściwie na migoczące w środku światła karuzeli. Jake Sharpe opiera się o ceglany mur multikina. Jakieś pół metra za mną, po lewej.

– Nie było jej w domu. Za to odebrał mój głupi brat, który mnie ochrzanił, że go obudziłam.

– Zaraz tu będzie. – Klepię ją pocieszająco po kolanie. – Miejmy nadzieję, że Jennifer-Dwa wróci tu ze swoim seksnie-wolnikiem przed jej przyjazdem.

– Ona jest żenująca – stwierdza Laura, wpatrując się w rząd wysokich drzew okalających parking, gdzie Jennifer--Dwa zabrała Sama od razu po wyjściu z kina, gdy okazało się, że mama Laury jeszcze na nas nie czeka. Żadne z nas nie komentuje tego faktu. Z wyjątkiem Benjy'ego, który krzyczy:

– Oczywiście wiesz, że to się połyka!

Odpowiada mu wrzask:

– Niedoczekanie twoje, dupku!

Przenika nas chłód październikowej nocy, więc chowam ręce do rękawów, żałując, że nie mam na głowie czapki, którą Mama kazała mi włożyć do kieszeni.

– I tak się kończy to całe dzwonienie i odbieranie. – Laura obejmuje ruchem ręki całe nasze żałosne grono. – Ech. – Podnosi się z miejsca i wygląda na ulicę. – Idę jeszcze raz do środka, może tym razem się do niej dodzwonię.

– To ja zostanę na straży – zgłaszam się na ochotnika.

– Ja też, na wypadek gdyby zjawiły się tu żądne krwi dzieciaki powracające zza grobu. – Benjy wyjmuje słomkę, którą miętosił w ustach przez trzy godziny, i wymachuje nią w powietrzu, rozbryzgując wokół siebie ślinę.

– Od razu czuję się bezpieczniej. – Laura chowa się, by nie oberwać plwociną.

– Albo jednak pójdę się odlać. – Benjy łapie drzwi, zanim zdążyły się zamknąć za Laurą, i znika w wyłożonym czerwoną wykładziną hallu.

Jakle bębni o pokrywkę kosza na śmieci. Staram się ze wszystkich sił nie odrywać wzroku od koni na karuzeli, ponieważ teraz zostaliśmy tylko we dwoje i opaska zaciska się coraz mocniej, tym bardziej że jego trampki stają obok mnie.

– Żałosny.

Unoszę wzrok.

– Film. Był wyjątkowo żałosny.

– Mhm. – Kiwam głową. Wiatr wieje mi prosto w twarz, i chociaż para leci mi z ust, wolę nie zapinać płaszcza i tylko trzymam ramiona uniesione do góry tak, jakbym dopiero co wzruszyła nimi niedbale, i jakby to była najwygodniejsza pozycja na świecie. Jake zaczyna bawić się leżącą koło krawężnika puszką. Toczy ją delikatnie czubkiem buta w stronę mojej stopy, a potem z powrotem do siebie.

– I niby wszystko z powodu pogrzebu kota. Kompletna bzdura – stwierdzam.

– Tak – śmieje się Jake. Obserwuję z uwagą różowy napis na puszce pod jego czerwoną gumową podeszwą i próbuję się domyślić, w jakim teraz potoczy się kierunku. Taka zgadywanka.

– Widziałaś *Dużego*? – pyta. – Niezły film.

– *Duży*? Uwielbiam ten film! Pamiętam, jak Tom Hanks musiał się pożegnać z Elizabeth Perkins, bo musiał znów stać się dzieckiem i dorosnąć. Jej, to było świetne.

– ... no.

Nie, nie, nie! Nie tak! Co tam się jeszcze wydarzyło? Co się wydarzyło?

– I ten cały motyw, jak on gra na wielkim keyboardzie, był niezły.

– Prawda? – Hura! – Wspaniale by było od razu mieć to wszystko i nie musieć tyle mieszkać z rodzicami czy kończyć szkoły albo iść na studia. Po prostu wypowiadasz życzenie i już! Masz to, czego chcesz. Fajne mieszkanie. Fajną pracę. Seksowną dziewczynę. – Jake traci kontrolę nad puszką i jego stopa ląduje na moich palcach. Ból przeszywa mi całą nogę, ale zagryzam wargę w milczeniu.

Słyszę klakson, podnoszę głowę i na widok zbliżającego się samochodu państwa Hellerów macham ręką. A wtedy stopy Jake'a stają tuż naprzeciw moich i widzę przed oczami jego ręce. Strzela palcami niecierpliwie i wreszcie dociera do mnie, o co mu chodzi. Wysuwam z rękawów zdrętwiałe dłonie i trzęsąc się z zimna, dotykam jego skóry. Jake łapie mnie za nadgarstki i przechyla się do tyłu, ciągnąc mnie w górę. Z rozpędu moja twarz ląduje tuż pod jego, moje oczy na wprost rozpięcia jego koszuli i delikatnego wgłębienia na obnażonej szyi.

– Dzięki – wyrzucam z siebie, gdy puszcza moje ręce, ale wcale nie jestem pewna, czy udało mi się wydobyć z siebie jakiś dźwięk.

– Katie, skarbie. – Pani Heller opuszcza szybę. – Przepraszam za spóźnienie, w sklepie były dzikie tłumy. Gdzie jest Laura?

– Poszła do pani zadzwonić. Już po nią idę.

Łapię Jake'a za rękaw. Patrzy na moją rękę zaskoczony.

– Sam. – Cofam dłoń i wskazuję na drzewa. Jake kiwa głową ze zrozumieniem. Ruszam w stronę szklanych drzwi, a Jake biegnie w stronę sosen i opaska na moim żołądku znowu się rozluźnia.

Na widok roweru Jake'a podnoszę się z powykrzywianych drewnianych schodów Muzeum Osadnictwa i szybko wyjmuję ręce z kieszeni płaszcza. Zaciskam usta, upewniając się, że listopadowy wiatr nie usunął z nich błyszczyku, a w tym czasie Jake zeskakuje z roweru i prowadzi go przez żwir do schodów.

– Nawet nie wiedziałem, że tutaj jest coś takiego. – Patrzy na stopnie, które wiodą do szarego drewnianego domku za moim plecami. – To tylko dziesięć minut rowerem od mojego domu. Niesamowite. – Uśmiecha się.

– Wiem, sama nawet nie wiedziałam, że w Croton jest tyle do zwiedzania. I chyba właśnie stąd ta praca domowa.
– Fajnie, że zadzwoniłaś. – Naprawdę? – Ja pewnie jak zwykle zostawiłbym to na ostatnią chwilę.
– Tak, a teraz mamy trzy tygodnie, żeby nad tym popracować. Nie żebym zamierzała pracować nad tym przez całe najbliższe trzy tygodnie. – Poprawiam się. – To znaczy Laura i Benjy też właśnie się umówili w miejscu, które im przydzielono, więc nie jesteśmy jedyni. – Opieram się o starą drewnianą poręcz, mając nadzieję, że chłód drewna ukoi moje skołatane nerwy.

Jake ściąga czapkę i wpycha ją do kieszeni, a potem gładzi włosy zaczerwienioną od zimna dłonią.

– Mój tata był w takim szoku, że z własnej woli jadę w niedzielę do muzeum, że dał mi dwadzieścia dolców, tak zupełnie za nic. – Spogląda w dół na kierownicę. – Więc może...
– Prowadzi rower do zardzewiałego ogrodzenia otaczającego pusty żwirowy parking i kopnięciem opuszcza stopkę roweru, która sadowi się między kamykami.

– To chyba wystarczy. – Powstrzymuję się od włożenia rąk do kieszeni, choć uderza w nas przenikliwie zimny wiatr.
– Nie sądzę, by któryś z milionów pozostałych zwiedzających muzeum się na niego skusił.

– Nie byłbym taki pewien, chyba trafiliśmy na godzinę szczytu. – Śmieję się, gdy wbiega po schodach. Nie spodziewałam się, że ma poczucie humoru. – Założę się, że mają tu jakiś sklep z pamiątkami. – Otwiera drzwi i przytrzymuje je plecami, żebym mogła wejść do środka. Stoimy przez chwilę w milczeniu, by się ogrzać, i zdaję sobie sprawę, że ta sama muzyka poważna, która leciała w samochodzie Mamy, dobiega teraz z czarnego tranzystora na parapecie.

– Dzień dobry! – Starsza kobieta w fioletowym swetrze z szorstkiej wełny podnosi się nad drewnianym stołem, na którym leży stos ulotek, i ścisza radio. – Witam państwa! – Nasz przyjazd najwyraźniej ją ożywił, co widać po zaróżowionych policzkach. – Datki są mile widziane, choć nieobowiązkowe. Mogłabym was wtedy oprowadzić.

– Nie, nie trzeba. – Jake i ja odpowiadamy chórem.

– Już tu byliśmy – mówi Jake.

– Wiele razy – dodaję.

– To nasze ulubione muzeum, wiemy, którędy iść. – Jake uśmiecha się ujmująco.

Kobieta kładzie pomarszczone ręce na ulotkach, zapada się z powrotem w krześle, a jej ramiona opadają w rozczarowaniu.

– Dobrze, skoro wiecie, którędy iść...

– Ale bardzo dziękujemy za propozycję – mówi Jake.

– A zatem... – zaczyna, więc odwracam się do niego i unoszę brwi zachęcająco. – Zaczniemy jak zwykle od góry?

– Tak – odpowiadam. – Górne piętro jest najfajniejsze.

– Jake zaczyna się wspinać po schodach, a ja za nim, mając przed oczyma kieszenie jego spodni. Docieramy wreszcie do małej izdebki odgrodzonej od zwiedzających niską barierką z pleksiglasu. Stoimy przez kilka minut w milczeniu, a ja udaję, że wpatruję się w starą kapę, spod której wystaje siennik, i wdycham słodki zapach Jake'a.

– Liczyłem na coś więcej – mówi. Znów zaczynam się śmiać. – Żadnej karuzeli? Żadnej kolejki czy czegoś podobnego?

– Ciszej. Jeszcze nas usłyszy – szepczę.

– No i co? Przecież grzecznie zwiedzamy muzeum – odpowiada mi również szeptem.

Zerkam w stronę schodów.

– Głupio mi, że nic jej nie daliśmy. Chyba naprawdę chciała nas oprowadzić.

– Przecież tu nawet nie bardzo jest po czym. – Jake uśmiecha się, patrząc na mnie. Z okienka za jego plecami wpada do środka szare światło, rozjaśniając jego postać, a świst wiatru, który wieje na zewnątrz, zlewa się z dźwiękami symfonii dobiegającej z dołu. Z trudem powstrzymuję się, by nie zarzucić mu rąk na szyję.

– Proszę pani? – woła Jake, nie spuszczając ze mnie wzroku. – Jeśli nie jest za późno, chcielibyśmy panią prosić, by nas pani oprowadziła.

– Nie, nie jest za późno, wcale, już do was idę! – słyszymy z dołu.

Gdy z promienną twarzą kobieta oprowadza nas po pięciu izdebkach i opowiada o tkaniu na krosnach oraz ogrzewanych węglem łóżkach, nie opuszczam Jake'a ani na krok i myślę tylko o jednym – że to jest nasz początek. Cały dramat i upokorzenie były Przedtem. A dzień dzisiejszy zwiastuje początek Potem. Stanę się dziewczyną Jake'a Sharpe'a.

Podążam za nim do wyjścia, gdzie wyciąga z kieszeni dwudziestodolarowy banknot, który dostał od ojca, i wrzuca go do koszyka na datki.

– Wielkie dzięki – mówi i macha kobiecie na pożegnanie, drugą ręką otwierając mi drzwi. – To było naprawdę ciekawe.

– Słodki Jezu... dziękuję! – wykrzykuje kobieta, patrząc na pognieciony banknot. Zapewne Jake ustanowił jakiś rekord.

– Tak, dziękujemy! Było fantastycznie! – Uśmiecham się. Może być pani pewna, że zaprosimy panią na ślub!

Zbiegam po schodach i wychodzimy na zewnątrz, na zimne wieczorne powietrze. Jake zapina kurtkę.

– To było wyjątkowo...

– Nudne? – Uśmiecham się.

– Ależ skąd! – Jake się śmieje. – Ten kawałek o produkcji świec był całkiem ciekawy. – Wyciąga z kieszeni złożony plan zadania. – Pewnie użyję świecy jako jednego z moich trzech eksponatów. Więc nie próbuj mi ukraść tego pomysłu. Zaklepuję go sobie. A ty już coś wymyśliłaś?

– Aha...

Uśmiecha się od ucha do ucha.

– Nawet jej nie słuchałaś!

– Co? – Śmieję się. – Ależ nie! Słuchałam! – Poważnieję. – Chyba jest teraz naprawdę szczęśliwa. – Wskazuję ponad jego ramieniem na okno, gdzie nasza przewodniczka z uśmiechem na pomarszczonych policzkach poprawia obrus z namaszczeniem. – To był dobry uczynek.

Oboje patrzymy, jak szczęśliwa sadowi się z powrotem na krześle i pogrąża w przerwanej lekturze.

Jake spogląda na mnie spod postawionego kołnierza kurtki, który sięga mu do policzka, i chwyta zamek między zęby.

– Czy twoja rodzina jest bardzo religijna?

– Nie. – Ale może być, jeśli sobie tego życzysz. – A co, twoja jest?

Zadziera głowę do góry.

– Nie, tylko... rzadko spotyka się ludzi, którzy mówią tyle o dobrych uczynkach.

– Tacy są chyba moi rodzice. – Wzruszam ramionami i staram się wymyślić, co by tu zrobić, żeby wyciągnąć go do baru na gorącą czekoladę.

– Ale ty nie?

Spoglądam na ciemniejące niebo.

– Ja chyba też. To znaczy jeśli można zrobić coś, przez co ktoś poczuje się lepiej i nie jest to trudne...

Jake wybucha śmiechem, jego zielone oczy wpatrują się we mnie ciepło.

– Aaa, rozumiem, jeśli nie jest to trudne.

– Czy to zwiedzanie było trudne? – Wyciągam bojowo palec w kierunku jego piersi. Jake łapie go.

– Jak test z historii.

– Dlatego możemy sobie chyba zafundować jakiś odmóżdżający film w przyszły weekend.

Nie wiem, czy teraz Jake się cofa, czy tylko odchyla do tyłu, ale nagle wypuszcza mój palec. Wbija wzrok w swoje adidasy, włosy opadają mu na twarz i mam ochotę odgarnąć je do tyłu – jeszcze chwilę temu właśnie tak bym zrobiła, ale już nie teraz. Jake grzebie butem w żwirze i wzdycha ciężko.

– Wiesz, Katie, z nikim się nie spotykam.

– Jasne! Oczywiście! – odpowiadam pośpiesznie. – Nie, po prostu chodziło mi o to...

– Od czasu zerwania z Kristi – dodaje.

Kąciki jego popękanych ust opadają, unika mojego wzroku. Wiatr wieje coraz silniej, przygina do ziemi pobrązowiałe pokrzywy pod ogrodzeniem, a ja marzę, by mnie stąd wywiał i uniósł przez pola, hen, aż do Kalifornii.

– Nie, to nie tak. To było tylko w sprawach szkolnych. Nie chodziło mi o...

Jake podchodzi do swojego roweru i podnosi stopkę. Szukam w myślach jakiegoś sposobu, żeby ocalić tę chwilę, żeby cofnąć to, co się stało, ale Jake wyciąga z kieszeni czapkę, wkłada ją na głowę i odzywa się niskim głosem:

– Muszę już jechać do domu. Mama prosiła mnie, żebym jej pomógł dziś wieczorem zdjąć ze strychu ozdoby.

– Jasne! Jedź. Moja mama będzie tu za moment, więc...

– Dzięki za wspólne zwiedzanie. – Spogląda na mnie jeszcze raz, a potem przekłada nogę przez ramę roweru. – Naprawdę, Katie.

– Aha – udaje mi się z siebie wydusić.

Wygląda, jakby chciał powiedzieć coś jeszcze, ale milczy. Po chwili odwraca się, prowadzi przez chwilę rower przez żwir, a potem kładzie nogi na pedały i rusza w dół ulicy.

Oczy mnie pieką, podobnie jak i całe ciało, gdy tak obserwuję malejącą sylwetkę Jake'a Sharpe'a. Nasz samochód pojawia się na horyzoncie trzy przecznice dalej, z włączonymi światłami, i zwalnia, gdy mija Jake'a. Stoję w bezruchu, gdy Mama podjeżdża do mnie i zatrzymuje samochód. Opuszcza szybę, na jej twarzy maluje się niezbyt dobrze ukrywana ciekawość:

– I jak?

Teraz to ja wbijam wzrok w ziemię. Obchodzę samochód ze spuszczoną głową i wsiadam z drugiej strony, otulona zapachem jej perfum. Zaciskam zęby, starając się nie rozkleić, i pragnę tylko jednego – żeby mnie zawiozła do domu. Gdy odwraca się, by spojrzeć do tyłu i nawrócić samochód, jej dłoń delikatnie przeczesuje moje włosy.

– Dzwonił Craig Shapiro – mówi niepewnie. – Prosił, żebyś do niego oddzwoniła.

9

22 grudnia 2005 roku

– Cannelloni stygnie, a my padamy z głodu! – Słyszę głos Taty na schodach, gdy pośpiesznie przeszukuję szafę pełną staroci: *body*, krótkich, zwiewnych sukienek i wojskowych kurtek.

– Zaraz schodzę na dół! – wołam, bo oto wreszcie udaje mi się wygrzebać czarny kaszmirowy sweter Mamy z czasów jej studiów. Strzepuję go, przyciskając do piersi pomięte rękawy, po czym przymierzam.

Tato puka do drzwi.

– Wszystko w porządku?

– Tak – oświadczam, wychylając głowę i zapraszając go do wejścia.

Tato popycha drzwi, wchodzi do środka i siada na moim łóżku. Jego wzrok napotyka stertę brudnych ciuchów, w których przyjechałam. Mam nadzieję, że coś powie. Ale on milczy.

– A więc piasek na okrągło, tak? – próbuję od niego coś wyciągnąć, sięgając właśnie po torbę ze sklepu Lord & Taylor.

– Na okrągło. – Kiwa głową. – Ładnie w tym wyglądasz.

– Dzięki. Ale ty wiecznie chodziłeś z parasolem. – Wracam do tematu. – I nie znosisz komarów.

Tato wygina palce.

– Wyjaśniłaś wszystko w pracy?

Biorę z toaletki swoją starą szczotkę do włosów i uderzam nią o udo, by otrzepać ją z kurzu.

– Nie, czekam, aż zgłoszą moje zaginięcie policji, by się przekonać, czy naprawdę im na mnie zależy.

– Jestem pewien, że tak. Mnie na przykład bardzo na tobie zależy.

– Dzięki. – Próbuję rozczesać zmierzwione końcówki wilgotnych od prysznica włosów. – Podczas obu przesiadek wisiałam z nimi na telefonie, pracowałam w Święto Dziękczynienia i odbyłam niedawno podróż do Buenos Aires, więc chyba mogę sobie pozwolić na wyjazd na święta dwa dni wcześniej.

– Zgadzam się.

– Tato, o co chodzi? Dlaczego stąd uciekasz?

Tato wyjmuje chusteczkę higieniczną.

– To pytanie brzmi śmiesznie w twoich ustach.

– Bardzo zabawne. – Zrzucam kosmetyki z łóżka, łowiąc w lustrze kątem oka swój widok z profilu. – Cholera, dziura. – Wkładam palec pod sweter. Na szczęście, nieduża. Nie mam czasu ani ochoty przeszukiwać rzeczy Mamy w poszukiwaniu halki, biorę więc z biurka flamaster i rysuję nim dużą kropkę na żebrach. Opuszczam sweter i *voilà*! – ani śladu po dziurze.

– Jesteś genialna. – Tato wydmuchuje nos.

– Dzięki. – Odwracam się znów do lustra. – Tylko teraz nie mogę wykonywać żadnych gwałtownych ruchów, ale w sumie mi to nie przeszkadza, bo w moich planach żadne gwałtowne ruchy nie są przewidziane. W moich planach w ogóle mało co jest przewidziane.

– W moich też. – Jego aparat słuchowy zaczyna piszczeć, więc sięga do ucha, by go nastawić.

Siadam przed nim na piętach i wpatruję się w jego twarz.

– No więc, Tato, jak się czujesz?

– Dobrze, odpukać. – Stuka się pięścią po głowie i zorientowawszy się, że sterczą mu włosy, przejeżdża po nich ręką.

– A jak sypiasz? – Dotykam jego kolana.

– Nie gorzej niż wszyscy w moim wieku. – Zaczyna uderzać po kieszeniach w swoim ulubionym odruchu, więc od razu wstaję i robię krok w tył, by miał więcej miejsca. – Gdy idzie się naszą ulicą o trzeciej nad ranem, to można zauważyć, że w każdym domu jest włączony telewizor.

– Przechadzasz się po mieście o trzeciej nad ranem?

Uderza rękami po udach.

– No chodź, Mama czeka z jedzeniem.

– Zaczekaj, Tato. Dalej chodzisz do doktora Urdanga?

– Katie, zrozumiałbym sens twoich pytań, gdybyś podczas swojej wizyty miała zamiar odnowić mi polisę ubezpieczeniową...

– Chcę po prostu zrozumieć, skąd te twoje podchody.

– Odbywam intensywny trening, by zaciągnąć się do Tajnych Służb Jej Królewskiej Mości.

– Tato...

– Katie. – Tato wkłada chusteczkę z powrotem do kieszeni.

Wściekła na jego dziecinny upór, rozrywam opakowanie nowego zestawu do makijażu.

– Może byś mi tak wreszcie udzielił poważnej odpowiedzi?

Tato podnosi się.

– Słuchaj, skarbie, mam całe pudła notatek z centrum badawczego i od lat chciałem zrobić z tego książkę. – Tak, tak, już to słyszałam. – A poza tym siedziałem w tej okropnej, oświetlonej fluorescencyjnym światłem bibliotece, słuchając ciągle tych samych pięciorga ludzi, którzy co roku toczą idiotyczne spory o plan wydatków, i po prostu nie wytrzymałem. Na co w ogóle tyle czekałem? – Nie wiem, może żeby coś zgromadzić na funduszu emerytalnym? – Czuję się po prostu świetnie. Wreszcie mam wrażenie, że jestem wolny. Znowu gotuję, nadrabiam zaległości książkowe. Odstawiłem te cholerne tabletki, po których czułem się jak zombi...

– Co zrobiłeś? – Nie wierzę własnym uszom.

Tato staje w progu.

– No chodź, Katie, mój sos puttanesca smakuje najlepiej, gdy jest gorący.

– Czy Mama o tym wie?

Tato udaje, że nie słyszał pytania, i zamyka drzwi. Cholera. Zerkam na budzik. Patrzę na leżące na kołdrze kosmetyki. Otwieram puderniczkę i przeglądając się w lustrze na drzwiach, robię szybki makijaż.

– Kate? – woła Mama.

– Już idę. – Nakładam tusz na rzęsy i dopiero teraz widzę, jak trzęsie mi się ręka.

Zbiegam do kuchni, a Mama odwraca się do mnie i z niewinną miną wyciąga w moją stronę butelkę.

– Napijesz się wina?

– Nie, dzięki – odpowiadam, patrząc na Tatę błagalnym wzrokiem, żeby się odezwał. Ale on unika mojego spojrzenia, zajęty nakładaniem cannelloni na talerze.

– Może zatem mleka? – Mama wychyla głowę zza drzwi lodówki. Nie potrafię oderwać wzroku od ust Taty zaciśniętych ponuro.

– Dzięki, ale muszę...

Tato wzdycha.

— Załatw to. Jak najszybciej.

Mama wzrusza ramionami i oznajmia:

— Kluczyki leżą na stole.

— Dzięki, pójdę na piechotę — odpowiadam i całuję ją w policzki. Serce mi się kraje, gdy omijam Tatę, nawet na niego nie patrząc. — Wciąż muszę obmyślić, co mam powiedzieć.

10

Dziewiąta klasa

Laura stoi na praktykablach w sekcji altów i robi zeza w moją stronę. W odpowiedzi płaszczę nos jak królik. – Weźcie się w garść! Do występu zostały jeszcze trzy tygodnie, a chyba nie chcecie się najeść wstydu! – Pani Sergeant macha swoimi wielkimi łapskami w kierunku barytonów i po sali po raz tysięczny sączą się smutne, anemiczne dźwięki piosenki zespołu Jefferson Starship *We Built This City*.

Wspierana przez Todda Rawleya na gitarze basowej, malutka pani Beazley uderza z zacięciem w klawisze fortepianu, tak że aż różowe korale podskakują jej na szyi i stukają rytmicznie o wymyślne wiązanie bluzki. W rzędzie poniżej mnie i Laury siedzi Jake, dzięki czemu mogę bez przeszkód obserwować, jak słuchając melodii, przesuwa palcami po nutach. Tej prawdziwej piosenki, a nie uproszczonej wersji, którą chce zaprezentować pani Sergeant.

– Soprany, proszę zrobić całą buzią takie okrągłe, duże „oooo"! I dalej! *„Say you don't know me or recognize my face"*. – Otwiera usta tak szeroko, że widać jej migdałki. – A teraz dokładna artykulacja: *Ea-ting. Up. The. Night.* – Zatrzymuje nas zrezygnowanym ruchem tandetnego cienkopisu, który służy jej za batutę, ale pani Beazley radośnie brnie dalej.

Tak jak i Jake. Ma słuch absolutny. Jego głos rozchodzi się po sali jak światło wydobyte z otchłani naszych żałosnych popiskiwań. Wszyscy odwracają głowy w jego stronę. Jest w tym dobry. Jest w tym cholernie dobry. Mógłby nagrać płytę, którą z powodzeniem można by sprzedawać w sklepach muzycznych – naprawdę ma talent. I śpiewa dużo, dużo lepiej niż pani Sergeant, która rozszerza usta jak żaba, przeciąga dźwięki, jakby była diwą operową, i na dodatek stoi zawsze z szeroko rozstawionymi nogami. Na jej tłustej, obwisłej twarzy pojawiają się wypieki i nagle wszyscy zaczynają z uwagą studiować swoje nuty. Pani Beazley wydyma usta i ściąga swoje różowe okulary. Jake chrząka, a Laura korzysta z okazji i układa usta w wielkie „o”. Parskam śmiechem.

– Katie, uważasz, że to zabawne? – Zapieniona pani Sergeant odwraca się w moją stronę.

Nieruchomieję.

– Nie...

– Uważasz, że to zabawne, gdy ktoś zgrywa gwiazdę i nie pozwala kolegom się wykazać? – Cała się trzęsie z wściekłości.

– Nie, ja tylko...

– Tylko co? A może chciałaś zwrócić jego uwagę?

Opadam bezsilnie na krzesło. To cios poniżej pasa.

– Nie, ja tylko... przypomniało mi się coś... śmiesznego, co usłyszałam w czasie lunchu.

– Co? – Stuka w swój pulpit. – Co takiego śmiesznego usłyszałaś? I skoro uważasz, że to powód, by nie przestrzegać elementarnych zasad dobrego wychowania, to może się tym z nami podzielisz?

– Nie. – Zwieszam głowę. – Przepraszam.

– Trzeba lat pracy, lat ciężkiej, wytężonej pracy, żeby móc naprawdę dobrze śpiewać. – Mruży oczy. – Wobec tego mam dla ciebie i dla Jake'a Sharpe'a propozycję nie do odrzucenia, która zapewne uszczęśliwi wasze nadęte *ego*. Otóż zaśpiewacie przed nami wszystkimi w duecie z dowolnym akompaniamentem ostatni kawałek piosenki, fragment „*Marconi plays the mamba*". A będzie to... następny piątek wydaje się rozsądną datą. Dwoje początkujących chórzystów powinno sobie poradzić z tak dziecinnie łatwym zadaniem, skoro wydaje im się, że są tacy genialni – dodaje drwiąco. – I jeszcze jedno, Katie.

– Tak?

– Skończ z flirtami. – Fala gorąca uderza mi na twarz. Z uśmiechem satysfakcji na ustach ta jędza daje znak głową i pani Beazley zaczyna od nowa.

Podczas gdy Laura próbuje wydobyć ze stosu podręczników streszczenie *Daisy Miller*, siedzący przy szafce obok niej Benjy przerzuca szmacianą piłeczkę z jednej ręki do drugiej.

– Pani Sergeant po prostu brakuje bzykanka.

– Zamknij się – odpowiadamy z Laurą chórem. – Tobie zresztą też – dodaje Laura tak, by wszyscy, którzy ją słyszeli, mieli jasność co do tego, w jakiej fazie jest ich znajomość. Benjy łapie ją za gołą łydkę i Laura przewraca się na jego kolana z krzykiem:

– Ben-jy!

– I gdyby tylko chodziło o to, że mamy odczytać nuty, nie byłoby tak źle. – Zaczynam panikować. – Ale musimy jeszcze znaleźć do tego jakiś akompaniament, a ja nie mam zielonego pojęcia, jak się do tego zabrać!

Craig, który siedzi obok mnie oparty o szafkę naprzeciwko Laury i Benjy'ego, nie odrywa wzroku od czasopisma motoryzacyjnego i kartkuje je wolną ręką. Drugą natomiast ściska moją dłoń, którą wysuwam na chwilę, żeby zmierzwić mu włosy.

– Hej, potrzebuję pomocy.

– Co? Przecież musisz tylko coś zaśpiewać. – Craig płaszczy grzywkę z powrotem, tak jak lubi.

– W duecie – poprawia go Laura, a w tym czasie Benjy próbuje wsadzić jej rękę pod bluzę. Laura chichocze, łapie przez materiał jego dłoń i powstrzymuje ją w bezpiecznej odległości od stanika. Craig otacza mnie pocieszająco ramieniem, a ja podciągam nogi i zwijam się w kłębek oparta o jego mocne ciało. Ciało najwyższego faceta w klasie. Ciało, które od czterech miesięcy mogę z dumą nazywać swoim chłopakiem. Ciało, które kocha się we mnie od balu kończącego gimnazjum, choć wtedy było zbyt nieśmiałe, żeby się do mnie odezwać. Ciało, które myśli o mnie jako o „KatieHollis", jednym ciągiem. Słodkie ciało, kochane ciało, uczciwe ciało. Ciało kogoś, kto by nigdy, przenigdy, choćby nie wiem co, nie powiedział, że nie chce z nikim chodzić, po to tylko, by w niecały tydzień później zacząć się spotykać z Anniką Kaiser.

– Masz dobry głos, Katie. – Craig ściska mi ramię i przewraca kolejną błyszczącą stronę. – Poćwiczysz trochę i będzie dobrze. To nie takie trudne, zobaczysz.

Wkurzona, odpycham jego rękę i wstaję.

– Dzięki.

– Katie, to moja wina, przepraszam – mówi Laura, odsuwa brutalnie Benjy'ego i również się podnosi.

– To tylko... – Patrzę jej w oczy. Teraz, gdy publicznie okazałam mój brak entuzjazmu dla tego zadania i oznajmiłam jego przyczyny, stwierdzam nagle, że nie chcę dalej udawać przed Craigiem.

– Wiem. – Laura ściska moją dłoń. – Wszystko będzie dobrze. Przepraszam, że cię w to wpakowałam. Niech on coś wymyśli. A ty pójdziesz za jego radą.

Szmaciana piłka przelatuje obok naszych kolan i Craig musi nurkować, by nie dostać w głowę.

– Mam być zazdrosny? – Odrzuca piłkę w kierunku Benjy'ego.

– Ależ skąd! – krzyczymy chórem.

Minęły trzy dni, a z ust Jake'a Sharpe'a nie usłyszałam żadnej rady, za którą mogłabym pójść albo nie. Gdy więc po biologii wszyscy pakują książki, podchodzę do jego paczki. Od pięciu miesięcy, jakie minęły od naszej „randki", jeszcze nie byłam tak blisko niego. Staram się nie zwracać uwagi na piegi, które zostały mu po pierwszej wiosennej opaleniźnie, i zagaduję:

– Jake?

– Cześć – odpowiada, rysując coś długopisem po plecaku.

– Cześć. Chyba powinniśmy się umówić na jakieś próby.

– Sam i Todd odwracają się w moją stronę, kładą mu podbródki na ramiona i wystawiają szeroko języki.

– Dobra. Kiedy ci pasuje.

– W poniedziałek mam okienko po trzeciej lekcji. Myślisz, że zdążymy się przygotować, jeśli zajmiemy się tym w poniedziałek? Zostanie nam tylko pięć dni.

Nagle zwraca wzrok w moją stronę i uśmiecha się, jak gdyby właśnie przypomniał sobie o moim istnieniu i myśl ta nie była mu nieprzyjemna.

– Tak.

– A więc poniedziałek, po trzeciej lekcji. Myślisz, że sala muzyczna będzie wolna? A może nie. Pewnie sala gimnastyczna jest wolna. Tak, sala gimnastyczna na pewno jest wolna. Jak myślisz?

– Jak myślisz? – przedrzeźnia mnie Todd, szczerząc głupio zęby.

– Nie mam pojęcia. – Jake wzrusza ramionami.

Dobra, rozumiem, wszystko ci jedno.

– W porządku, no to sala gimnastyczna.

– Dobrze. – Jake kiwa głową i zakłada plecak. Gdy odchodzą, z dziury w materiale, na którym narysował jaszczurkę, wypada dziesięciocentówka. Podnoszę ją na szczęście.

Dostaję się do sali gimnastycznej po trzeciej lekcji. Dostaję skurczu ręki od zabawy tą cholerną dziesięciocentówką. Dostaję wrzodów na tyłku od siedzenia na twardym drewnie i roztrzepywania sobie włosów przez trzy godziny. Dostaję karę – muszę zostać po szkole – za to, że opuściłam kolejną lekcję; to tak na wypadek gdybym się pomyliła. A tak w ogóle to dostaję szału.

– Jake. – Podchodzę do niego, gdy stoi przy kranie z wodą pitną i klepię go po ramieniu. – Co się stało?

– Cześć. – Podskakuje jak oparzony.

Odsuwam rękę, która wywołała tak piorunujący efekt.

– Cześć. No więc co się stało?

– O co chodzi? – ociera kroplę z podbródka. – Po trzeciej lekcji, środa.

Przechodzący obok Sam szturcha go w ramię.

– Poniedziałek. A to było wczoraj – prostuję, a Jake w tym czasie wychyla się ponad moim ramieniem, by oddać w plecy oddalającemu się Samowi. – I co teraz? – Wyciągam głowę, by skupił na mnie uwagę, i z trudem powstrzymuję się od przygryzania wargi z wściekłości.

– To może w środę, po trzeciej lekcji?

Oczywiście nie mogę w środę po trzeciej lekcji.

– Nie mogę w środę po trzeciej lekcji. – Przekładam książki na drugie biodro. – To może po szkole? Sala muzyczna powinna być wolna.

– Dobrze.

Ale nie jest dobrze. A wręcz przeciwnie. Jest fatalnie. Budzę się na praktykablach – z rękami zdrętwiałymi od trzymania ich pod głową, by nie oklapły mi włosy – i to dopiero w jakiś czas po zapadnięciu zmierzchu, gdy pani Beazley wpada do sali, bo zapomniała swoich różowych okularów.

– Jake? Cześć.

– Cześć.

– Tu Katie Hollis. – Opieram się o ścianę naszej kuchni.

– No cześć.

– Cześć – powtarzam.

Laura zaciska pięść, by dodać mi otuchy. Zbieram się zatem w sobie.

– Dzwonię, ponieważ... no więc co się stało?

– No tak – mówi, jakby się spodziewał, że zadzwonię.

O rany! – mówię bezgłośnie do Laury, wzruszając ramionami.

– Tak. – Próbuję uspokoić głos, żeby nie posądzano mnie już więcej, że jestem psychopatką. Laura robi surową minę, więc odwracam się do niej plecami i skupiam wzrok na zegarze migoczącym na kuchence. – Zostały nam już tylko dwa dni.

– Wiem. Może po szkole? – proponuje.

Zakładam ręce na piersiach, wbijam wzrok w plecioną wycieraczkę i krzywię usta.

– Może jednak przed szkołą, tak dla pewności. Czy to dla ciebie za wcześnie?

– Nie, skąd. – W tle słychać brzdąkanie strojonej gitary. – Sam, stary, przestań na chwilę.

Odwracam się w stronę Laury, która ćwiczy obracanie i podrzucanie pałeczki przed paradą, wykorzystując do tego dwie kuchenne łopatki.

– Dobrze, Jake, a więc siódma rano. W sali muzycznej. Na pewno?

Laura chwyta obie łopatki i wyciągniętym kciukiem daje mi znać, że to była dobra robota.

– Oczywiście.

– Wystawiona! Znowu! A do tego siedzenie po szkole za karę! Bezsenne noce przez cały tydzień! Trzy rozdziały *Świata zabawy* w plecy! I muszę jutro stanąć przed wszystkimi i tą starą jędzą, żeby zaśpiewać z Jakiem Sharpe'em, który chyba, jak to udowodnił, jest kompletnym ułomem. I nie wahałabym się powiedzieć tego mojemu Tacie prosto w twarz! – oświadczam Laurze w drodze ze szkoły.

– Ogłoszę ćwiczenia przeciwpożarowe. Albo może poproszę Benjy'ego, by ogłosił alarm bombowy? Może wtedy się stawi.

– Nie! Teraz wreszcie on musi się tym zająć.

– To prawda. – Kiwamy do siebie głowami, stąpając po ostatnich wysepkach śniegu w zalewie wiosny.

– Tyle że tylko ja będę tam kwiczeć jak zarzynane prosię.

– To takie smutne! – Laura zatrzymuje się i wzdycha. – To taki smutny widok, prosię idące na rzeź, jak tak można?

– Laura!

– Katie! Nie wiem, może po prostu idź do niego i powiedz mu, jakim jest ułomem!

Robię wielkie oczy na myśl, że rzeczywiście mogłabym uczynić coś takiego.

– A gdybym rzeczywiście tak zrobiła? – mruczę.

– Zostałabyś moim idolem i upiekłabym całą brytfannę czekoladowych babeczek specjalnie dla ciebie.

– No, to odsuń się.

Uwalniam jedno ramię z plecaka i mimo zaburzonej równowagi drugie trzymam na tym samym poziomie, gdyż teraz mu-

118

szę wyglądać na naprawdę wyluzowaną i nie mogę ryzykować utraty cennych punktów, które daje prosty kręgosłup. Naciskam ponownie błyszczący dzwonek u drzwi i wpatruję się w przypięty do nich wielkanocny stroik. Będę tu stać całą noc, i już. Będę tu czekać, aż wyjdzie rano i będziemy ćwiczyć tę pieprzoną piosenkę przez całą drogę do tej pieprzonej szkoły...

— Cześć. — Jake otwiera mi drzwi. Trzyma w ręku pudełko z makaronem.

— Cześć.

— Wejdź. — Zaprasza mnie ruchem ręki do środka. Jego zachowanie tak mnie zaskakuje, że podążam za nim bezwolnie. Już mam rzucić swój stary zielony plecak w hallu, jak to robię u Laury, ale uderza mnie, że wyglądałby on bardzo nie na miejscu na błyszczącym parkiecie. Jake, w samych skarpetkach, ślizga się po nim i znika w drzwiach po drugiej stronie salonu niczym Biały Królik z *Alicji w krainie czarów*, tyle że odziany w dresy. Staram się nie stracić go z oczu, ale mój wzrok przykuwają oszałamiające boazerie, chińska ceramika, małe porcelanowe pieski na kominku oraz lada z rzędem kryształowych karafek. Najbardziej zbliżonym do tego miejscem, w którym zdarzyło mi się przebywać, był hall bostońskiego hotelu Ritz-Carlton, gdzie spotkaliśmy się z kuzynostwem na herbacie, gdy miałam dziewięć lat.

Jake znajduje się w kuchni wytapetowanej na liliowo i częściowo obitej materiałem w tym samym kolorze. Jestem w szoku, że nie ma tu żadnych obrazów. Żadnych bibelotów. Żadnych rysunków ani dobrych ocen przypiętych do lodówki. Żadnych uszu Myszki Miki na książkach kucharskich. Kuchnie z sitcomów, które próbują udawać prawdziwe rodzinne kuchnie, są mniej sterylne niż ta rzekomo prawdziwa rodzinna kuchnia.

Jake stoi przy kuchence i miesza serowy sos. Stoję za nim z książkami w rękach. Wreszcie, zadowolony z efektu, odwraca się, stawia garnek na stole i wskakuje na obity liliowym materiałem taboret.

– Może położysz książki? – pyta, biorąc do ust drewnianą łyżkę. Kładę podręczniki na stole i ściągam plecak. Jake odkłada łyżkę. – Przepraszam. Zjesz ze mną?

– Jasne – odpowiadam bezwiednie, po czym Jake bierze z półki dwa widelce i rzuca mi jeden, jakby puszczał kaczki. Łapię go, a Jake przesuwa miedziany garnek na środek stołu.

– Twoich rodziców nie ma w domu? – pytam, nabijając na widelec pomarańczowy makaron.

– Tata jest w podróży służbowej, gdzieś na zachodzie. W tym tygodniu chyba Teksas albo Nowy Meksyk. A mama śpi. Na górze.

– Nie pracuje? – pytam automatycznie.

– Nie. – Jake śmieje się krzywo, kłując widelcem po garnku, i włosy opadają mu na twarz.

Kiwam głową z zakłopotaniem i staram się zrozumieć, jak doszło do tego, że oto nagle łączy nas czynność tak intymna jak jedzenie z jednego garnka, a cisza, która dzwoni wokół, tylko pogłębia tę zażyłość. Bo w wyobraźni tym, co zwykle robię, gdy dzieli nas pół metra, nie jest rzucanie po kuchni widelcami, ale obejmowanie jego twarzy i całowanie go. I właśnie teraz jestem dziewczyną, która nie całuje Jake'a Sharpe'a. Jestem dziewczyną, która nie całuje Jake'a Sharpe'a i która właśnie chrząka.

– Wiesz, Jake, jestem naprawdę wkurzona. Zostałam wrobiona w ten głupi duet po części dlatego, że nie umiałeś się zamknąć, kiedy było trzeba, a do tego straciłam pół tygodnia, czekając na ciebie, gdy wystawiałeś mnie do wiatru.

Przechylam głowę i czekam na odpowiedź. Jake przerywa jedzenie i wpatruje się we mnie uważnie.

– Chodzisz z Craigiem.

Słucham?!

– No tak.

– Od jak dawna?

Czuję, jak krew szumi mi w uszach.

– No nie wiem. Chyba od listopada. – Rzucam mu takie samo spojrzenie i odbijam piłeczkę. – A ty chodzisz z Anniką.

– Mhm. – Jake kiwa głową nad garnkiem. – Zgadza się.

– I...

– I nie mam pamięci do terminów.

– Rozumiem...

– Ale teraz jesteśmy tu oboje.

– Mhm.

– No więc poćwiczmy.

– Dobra.

Jake energicznie wstaje od stołu, o mało nie przewracając stołka, po czym od razu wkłada garnek do zlewu i zalewa go wodą, zapewne według jakichś odgórnych instrukcji.

– Razem z Samem i Toddem pracujemy nad materiałem dla zespołu. Ćwiczyliśmy właśnie tę piosenkę Jefferson Starship i chyba da się z tego zrobić jakiś akompaniament. Chcesz markizę? – Trzyma otwartą lodówkę, gdzie para kłębi się nad kilkoma pudełkami słodyczy i przynajmniej pięcioma galonowymi butelkami wódki.

– Tak, dzięki. Twoi rodzice wydają przyjęcie?

– Co? – Odwraca się w stronę zapełnionej lodówki i nieruchomieje. – Nie.

– Och, pomyślałam tylko...

– Spoko. – Bierze ciasteczka i zamyka cicho drzwi.

– Szczerze mówiąc, kiepska ze mnie śpiewaczka. – Próbuję zmienić temat. – To znaczy lubię śpiewać w dużej grupie, ale już na solistkę się nie nadaję. – Nie podejrzewałam siebie o tak fałszywą skromność.

– Rozumiem. Ale nie ma w tym nic złego. Ty przecież interesujesz się naukami przyrodniczymi i w tym właśnie jesteś dobra. – Nie mam czasu, by się zatrzymać i przetrawić informację, że on wie, co mnie interesuje, ani żeby zadzwonić z tym do Laury albo zamieścić ogłoszenie w gazecie. Jake właśnie wychodzi z kuchni na długi korytarz, który jak się okazuje, wiedzie do pokrytych brązową wykładziną schodków.

– Idziesz? – Staje na pierwszy stopniu, jego twarz oświetla słaba żarówka, i spogląda na mnie: – Muszę ćwiczyć w piwnicy – wyjaśnia. – Mamę często boli głowa. – Patrzy na mnie błagalnie.

– Rozumiem – odpowiadam poważnie i zdaję sobie sprawę, że jest to komentarz nie tyle do jego słów, ile do tego spojrzenia, które prosi mnie, by o nic więcej nie pytać.

Pani Sergeant ubrana w poliestrową sukienkę z golfem wznosi się nad wąskim czarnym pulpitem z rękami skrzyżowanymi na piersi i czeka na naszą porażkę. Za jej plecami cały chór wierci się na praktykablach i kontempluje urodę własnych paznokci albo pisze do siebie liściki. Cały, z wyjątkiem Laury, która wbija wzrok w kolana i zaciska dłonie, jednocześnie przerażona i pełna współczucia. Gdy Todd zaczyna brzdąkać na gitarze, a spod palców pani Beazley wydobywają się początkowe dźwięki piosenki, żołądek ściska mi się na nowo. Po mojej lewej stronie zrelaksowany Jake wyjmuje ręce z dżinsów i miarowo stuka w fortepian, jakby miał to być prawdziwy występ, a nie zwyczajna tortura. Czy jeśli zapadnę teraz w śpiączkę, zostanie mi to oszczędzone? Czy mogę właśnie teraz oświadczyć, że wypisuję się z chóru? A może powinnam po prostu udać, że dano nam za zadanie nauczyć się tańca, i zacząć sunąć po sali jak w *West Side Story*? I włożyć w to całe serce. Albo zacząć coś deklamować, na przykład poemat o Beowulfie. Albo po prostu odwrócić się na pięcie i wyjść. Już widzę oczyma wyobraźni, jak pani Sergeant ściga mnie po parkingu, ciągnie za włosy przez korytarze... a wtedy Jake zaczyna śpiewać. Patrzy na mnie, kiwa głową zachęcająco i czuję, że moje wargi poruszają się i spomiędzy nich wydobywa się dźwięk. Zdaję sobie sprawę, że Jake przycisza swoją partię, żeby moja była lepiej słyszalna. Dobywam z płuc mocniejszy dźwięk i opuszczam swobodnie ramiona, tak jak powtarzał mi podczas próby. Im mocniej śpiewam, tym mocniej śpiewa on i oto, sama nie wiem jakim cudem, jesteśmy już w połowie. Czuję rozchodzącą się po całym ciele ulgę i spoglądam na Jake'a, mojego zbawcę i przewodnika, którego cała twarz rozjaśnia się w uśmiechu.

11

22 grudnia 2005 roku

Zatrzaskuję za sobą drzwi, wybiegam na pokryty śniegiem bruk i wciągam do płuc orzeźwiające powietrze. Stawiam kołnierz jasnego płaszcza, który nosiłam w jedenastej klasie, i zauważam z rozczarowaniem, że prawie wcale nie różni się od mojego ostatniego nabytku w J. Crew. No, może z wyjątkiem dziur w kieszeniach. Wsuwam palce w rozdartą satynę i sadowię ręce w mocno wytartych wgłębieniach. Stawiam energiczne kroki, znacząc starymi glanami ślady na śniegu, i obserwuję swój oddech kłębiący się w nocnym powietrzu jak para lokomotywy, a z każdym krokiem, który oddala mnie od kuchni rodziców, czuję, że lżej mi na duszy.

Pyzaty, jasny księżyc oświetla migoczące trawniki upstrzone lśniącymi bałwanami i świątecznymi ozdobami, które mijam po drodze. Schodzę w dół wzgórza posuwistym krokiem, śnieg skrzypi mi pod nogami, a potem skręcam za szkołą i idę na przełaj przez boisko. Przypominam sobie jego rower, jak zataczał wokół mnie leniwe kręgi, i jego koła zazielenione po porannym koszeniu trawy. Wspomnienia dawnych lat zalewają mi umysł. A potem jeszcze wspomnienia czasów, gdy tamte wspomnienia stały się anegdotami.

Idę brzegiem zamarzniętego potoku w stronę snobistycznej części miasta, gdzie domy porozrzucane są wśród lasów i otoczone niskimi kamiennymi murkami, za pomocą których niegdyś koloniści parcelowali Croton. Księżyc znika za chmurami, ale nie przeszkadza mi to w mojej wędrówce, bo i tak znajduję drogę na oślep, w czym pomaga mi znajomość historii tego miejsca i moja osobista historia. Próbuję stłumić adrenalinę, uspokoić serce, wdycham więc powietrze przez nos i wydycham przez usta, jak gdyby to był tylko miły spacerek o świcie. Odzyskuję równy krok oraz jasny umysł i mam nadzieję, że gdy go zobaczę, słowa same się znajdą.

Skręcam w Bluebell Lane i nagle mimo ciemności czuję, że nie jestem tu sama. „Ktoś idzie!" – słyszę i nagle oślepia mnie silny strumień telewizyjnych reflektorów.

„Kim jesteś?", „Chcesz się zobaczyć z Jakiem?", „Jesteś jego znajomą?", „Skąd go znasz?", „Jesteś znajomą jego rodziny?", „Chodziliście razem do szkoły?", „Hej!" – Ktoś pstryka mi palcami przed twarzą. – „Jaki on tak naprawdę jest?", „Jaki był w szkole?" – Histeria narasta, pytania zasypują mnie i zlewają się w ogłuszającą kakofonię. – „Czy zawsze przejawiał taki talent?", „Czy był najbardziej lubianą osobą w szkole?", „Czy zawsze był taki przystojny?"

– Mhm. – Chrząkam i nagle wszyscy milkną. Każda agencja informacyjna czeka na moje słowa, mikrofony w pełnej gotowości bojowej tkwią pod moim podbródkiem. Powiedz coś. No. Powiedz. Coś. – On... Ja... chciałam tylko powiedzieć... – Wtedy zza moich pleców pada na nich halogenowe światło i każdy odwraca głowę w tamtą stronę, gdzie blask reflektorów zwiastuje przybycie kawalkady limuzyn.

– EDEN! – I w ten oto sposób odchodzę w zapomnienie. Samochody wbijają się klinem w bezkształtną dziennikarską masę. Paparazzi uderzają hałaśliwie o karoserię i namawiają usilnie: „PROSZĘ OPUŚCIĆ SZYBĘ!" – tak, to z pewnością kusząca propozycja. Korzystam z okazji, że skupili się na czymś innym, odwracam się i nurkuję z powrotem w ciemność. Skręcam szybko w lewo na teren posiadłości Ackermanów, a potem wbiegam w las. Natychmiast jednak uświadamiam sobie, że ogrodzenia mogą być pod prądem – robi mi się gorąco na myśl, jaka jestem nierozważna, i zwalniam kroku. Tak, to, co chcę powiedzieć, straci na mocy, jeśli będzie temu towarzyszył czarny dym z moich włosów.

Docieram do wąwozu i zaczynam się ponownie skradać w kierunku siedziby Sharpe'ów, od północnej strony, gdzie kończy się kamienny mur i jakieś sto jardów drutu kolczastego wyznacza granice ich królestwa. Szukam drogi po omacku, przebiegam ostrożnie palcami wzdłuż ostro zakończonego metalu i modlę się w duchu, by inwestycje w ich pączkującą posiadłość nie uwzględniały zatkania dziury. Ale oto jest – miejsce, gdzie górny drut został wygięty do góry, dolny odgięty w dół, a środkowy wycięty obcęgami. Przechodzę przez dziurę i chwiejnym krokiem ruszam w kierunku domu, napędzana adrenaliną, w ciszy, którą zakłóca jedynie mój ciężki oddech.

Gdy wychodzę z zagajnika, wreszcie oczy do czegoś mi się przydają i oszołomiona widokiem przystaję. Tak jak niegdyś rozciąga się przede mną ogromna polana, ale dobudowa trzeciego piętra sprawiła, że razem z domem przypomina ona jeszcze bardziej porcelanową paterę z tortem. Susan nigdy nie tolerowała drzew w pobliżu domu – źle działały jej na nerwy. Ciekawe, jak jej nerwy znoszą to, że parter jej twierdzy został wybrany na miejsce epifanii. Silne białe światło bije z każdego okna i tworzy wokół domostwa pierścień sztucznego słońca. Osłaniam oczy rękoma. Gdy tak stoję przez chwilę na trawniku, dostrzegam, że pod wpływem temperatury z reflektorów stopniał śnieg na rabatkach. No jasne, Sharpe'owie nie muszą się przejmować takimi drobnostkami jak pora dnia czy nocy.

Spuszczam głowę i biegiem pokonuję ostatni etap do domu, do starego piwnicznego okienka. Przyklękam, palcami znajduję rowek, który wyryłam niegdyś w drewnie, i ciągnę okienko do góry. Ku mojemu zdziwieniu podnosi się bez oporu, siadam więc na parapecie, wsadzam nogi do środka i badam grunt pod stopami, aż wreszcie wyczuwam coś twardego i wsuwam do środka resztę ciała.

– Witaj, Katie. – Nieruchomieję. Przykucnięta na pralce, odsuwam włosy z oczu możliwie najbardziej niedbałym ruchem i spoglądam w kierunku, gdzie siedzi Susan Sharpe i studiuje etykietki win, przesuwając palcem wzdłuż aksamitnej lamówki kaszmirowego kardiganu.

– Witaj, Susan. – Silę się na obojętny ton i z radością widzę, że wzdryga się na dźwięk swojego imienia. – Co u ciebie słychać? – pytam uprzejmie, chociaż czerwone policzki i butelka w jej ręce powinny mi wystarczyć za odpowiedź.

Podnosi na mnie wzrok z wymalowaną na twarzy tą samą co zawsze zimną pogardą.

– Na górze jest za duży hałas. Na Boga, nie jestem w stanie zrozumieć, po co Jake potęguje histerię wokół własnej osoby. – Odkłada butelkę i wyciąga następną, a ja w tym czasie zeskakuję na betonową podłogę i poprawiam ubranie. – O, reserve, tego szukałam. – Opuszcza okulary w szylkretowych oprawkach, które do tej pory tkwiły na jej siwej głowie, by załzawionymi oczyma przyjrzeć się etykiecie. – No cóż, chyba muszę wracać na górę. – I uśmiecha się wyniośle. – Pamiętaj, żeby zamknąć za sobą okno, kiedy będziesz wychodzić. – Zatrzaskuje drzwi, po czym sunie na górę w swoich butach na obcasach od Salvatore Ferragamo i stamtąd gasi światło.

– Dzięki – mruczę, słysząc trzask zamykanych na górze drzwi. Rozglądam się wokół i rozpinam kurtkę – silne światło, które wpada przez okienko, sprawia, że i tak wszystko widać doskonale. Poza tym, że połowa pomieszczenia została przekształcona w piwniczkę na wina z kontrolowaną temperaturą, właściwie nic się tutaj nie zmieniło. Nadal stoi tu ten stary zielony tapczan i zapomniany sprzęt muzyczny, przykryty teraz prześcieradłami. Spoglądam z powrotem na pralkę, z której zeskoczyłam – wciąż ta sama. Czuję, że oblewam się rumieńcem.

Dobra, wystarczy.

Kładę rękę na poręczy i stawiam stopę na pierwszym stopniu. No cóż, teraz nie jest lato i nie jestem opalona. I nie mam męża, który mógłby mnie ochronić. Więc mogę się jeszcze wycofać. Przeczołgać z powrotem przez okno i czekać kolejnych dziesięć lat. Biorę głęboki oddech – cała adrenalina nagle zasysa mnie do okna. Ale nie mogę tego zrobić. Nie może być tak, że przebyłam całą tę drogę tylko po to, by tkwić w tej cholernej piwnicy.

Wychodzę po schodach i znajduję się w tym długim korytarzu na tyłach domu, który, jak kiedyś Susan oznajmiła mi z dumą, został zaprojektowany w dziewiętnastym wieku dla służby, by mogła biegać tam i z powrotem, jak najmniej przeszkadzając przy tym państwu. Podążam za zgiełkiem, przystaję przed salonem, z którego dochodzi mocne uderzenie gitary basowej, i ostrożnie wystawiam głowę za drzwi. Od razu rzuca mi się w oczy, że Susan połączyła starą jadalnię z salonem i usunęła sufit, żeby stworzyć tym samym prawdziwie „duży pokój", ale nie mam pojęcia, co jeszcze mogła tu zmienić, bo pomieszczenie jest zapchane aparatami, kamerami, dekoracjami, rekwizytami, mnóstwem, mnóstwem ubrań, dwiema garderobami i kilometrami grubych kabli wijących się dosłownie wszędzie.

– Tutaj, Larry. – Stojący obok mnie mięśniak rzuca wiszący mikrofon koledze, nie trafia jednak i robi wgniecenie w boazerii. Susan z pewnością się ucieszy.

Kryję się za obwieszonym ubraniami wieszakiem na kółkach i sunę pomału do przodu, kierując się gorączkowymi nawoływaniami, które brzmią jak na ostrym dyżurze. „ANDY, WIĘCEJ PUDRU!" „CO Z TYM PUDREM?" „PRZYNIEŚCIE INNY PUDER!"

– Mogę prosić o wodę mineralną? – słyszę pytanie. – Dzięki. – Głos ten jest zarazem głęboki i matowy. Oczy zachodzą mi łzami, więc unoszę je do góry, gdzie wystawna sztukateria wyznacza granicę dawnego sufitu. Mrugam powiekami, dopóki wszystko znów nie nabiera ostrości. Oddycham głęboko, a potem rozglądam się po pokoju. Został on urządzony tak, jak styliści MTV wyobrażali sobie pokój dziecinny gwiazdy rocka, a na środku siedzą John Norris, Eden Millay i Jake Sharpe. Jake znajduje się kilka metrów ode mnie. I wygląda znajomo. Rozpoznaję go nie jako widmo dawnego siedemnastolatka w trzydziestoletnim ciele, ale jak kogoś widzianego niedawno – światło, otoczenie, mikrofony, kamera – oto Jake Sharpe, którego znam z teledysków puszczanych na siłowni, z wywiadów, na które trafiam przypadkiem w telewizji, z okładek czasopism, które rzucają mi się w oczy w supermarketach – ten, ten... sztuczny twór – to właśnie rozpoznaję.

Za jego plecami ktoś zrzuca z niewidocznej drabiny płatki mydlane, które spadają za sztucznym oknem w sztucznej ścianie, tworząc tym samym bukoliczną scenkę bożonarodzeniową, i założę się, że za chwilę zajrzy do środka jakiś stażysta przebrany za łosia.

– Fanfary! John, daj znać, gdy będziesz gotowy. – Na sygnał reżysera Jake obejmuje Eden, która sadowi się czule w jego ramionach.

John daje znak skinieniem głowy, podnosi wzrok znad swoich notatek i patrzy prosto w kamerę.

– Są tu dzisiaj z nami dwie największe gwiazdy w branży muzycznej, Jake Sharpe i Eden Millay. Witajcie, moi drodzy.

– Witaj, John – kłania się Jake.

– Witaj, a przy okazji: Wesołych Świąt! – mówi Eden. Na jej jasnobrązowy balejaż pada światło sztucznego księżyca, a jej głos brzmi zaskakująco głęboko jak na kogoś o tak wąskiej piersi.

– Zacznijmy od tego, Eden, że niedawno świętowałaś swoje okrągłe, czterdzieste urodziny, a MTV miała zaszczyt uczestniczyć w ich obchodach w Red Rock. – Jake bierze ją za rękę, tak że światła odbijają się od wielokaratowego brylantu w jej pierścionku.

– To była fantastyczna impreza. – Eden czule ściska dłoń Jake'a. – W tym miejscu jest coś naprawdę wyjątkowego. Ziemia ma energię, której nie czuje się nigdzie indziej.

– To wspaniale, Eden. W rogu ekranu możecie państwo podziwiać zdjęcia z tej imprezy. – John popija kawę z jednorazowego kubka. – Dobrze, a teraz pomówmy o czymś innym. Eden, właśnie zakończyłaś światową trasę koncertową promującą twój najnowszy album, na którym znalazło się dwanaście klasycznych piosenek *country*. To coś nowego w twojej karierze. – John z wdziękiem porusza temat tego katastrofalnego pod względem komercyjnym eksperymentu.

Eden uśmiecha się z niezmąconą pewnością siebie i odsuwa z oczu fale otaczające jej trójkątną twarz.

– Tak, wiem, to było ryzykowne posunięcie, ale to jest właśnie muzyka, na której się wychowałam. – Muska palcami złote piórko na szyi, prężąc pod bluzką swoje bicepsy. Żałosne. – Zrozum, cieszę się, że sukces moich dwóch pierwszych albumów otworzył przede mną ogromne możliwości i dał mi swobodę działania, ale czułam, że teraz przyszedł czas na coś bardziej osobistego.

John chrząka.

– W Azji odnotowano rekordową sprzedaż biletów na twoje koncerty.

– Tak, podobno było to wejście smoka – komentuje Eden, tym razem jeszcze bardziej pewna siebie.

– Cięcie! – krzyczy reżyser i na planie znów robi się poruszenie.

Ktoś wręcza mi zwój kabli w drżące ręce.

– Potrzymaj – warczy mięśniak.

Głos Johna brzmi teraz płasko i zgoła nie telewizyjnie.

– Dobra, Jake, tu będzie przerwa, w której puścimy krótki filmik zmontowany z twoich przemów na rozdaniach Grammy, z występów podczas Dnia Ziemi, z odebrania Oscara za najlepszą piosenkę i parę innych, a głos spoza planu będzie podawał liczby: czterdzieści milionów sprzedanych albumów i tak dalej, i tak dalej.

– Super. – Jake daje znak ręką, że mogą kontynuować. Eden szepcze mu coś do ucha, a Jake przytakuje z uśmiechem. Może było to: „Masz wielkiego fiuta"?

– Fanfary!

– Już!

– A zatem, Jake – John poprawia się na krześle – jesteśmy tu, w Croton Falls, twoim rodzinnym mieście, uroczym zakątku północnego Vermontu, którego wpływowi zawdzięczasz rustykalny klimat panujący w wielu swoich piosenkach. Podobnie jak Sting ciągle wraca w swoich utworach do życia w dawnych angielskich portowych miasteczkach, ty śpiewasz dużo o miasteczkach przemysłowych Nowej Anglii.

– Wiesz, John, myślę, że w erze globalnego handlu dobrze jest przypomnieć młodszemu pokoleniu, że Ameryka miała kiedyś doskonale prosperujący przemysł odzieżowy oraz ciężki i że ta praca przyciągała ludzi, którzy przybyli tu zza oceanu za chlebem.

John zadaje kolejne pytanie w tym rodzaju, Eden potakuje, a Jake mądrzy się i puszy jak paw, że aż robi się niedobrze. Spoglądam na stolik pełen sushi, a John kontynuuje:

– W nowym roku ma się ukazać twoja antologia. Dziesięć lat piosenek, które nie schodziły z pierwszych miejsc list przebojów, poczynając oczywiście od hitu *Losing* z twojego przełomowego albumu *Lake Stories*. *Rolling Stone*, po którym okrzyknięto cię tym, który „odbiera Ameryce niewinność".

Jake uśmiecha się i skromnie spuszcza wzrok.

Rzyg-rzyg.

– *Losing* – mówi dalej John – było największym hitem lat dziewięćdziesiątych, co wziąłeś pod uwagę, zamieszczając w antologii nie jedną, ale trzy wersje tej piosenki. Oczywiście wersję oryginalną, akustyczną oraz tę, którą wykonałeś z Bono i Michaelem Stipem w czasie Live 8.

– Tak, chciałem jeszcze zamieścić wersję karaoke oraz remiks z fletnią Pana, ale po prostu się nie zmieściły.

John wybucha śmiechem.

– Teraz chciałbym poruszyć temat niewierności, który po raz pierwszy pojawił się w tytułowej piosence z *Lake Stories*, a potem ciągle powracał w twoich piosenkach. – Zgadza się, ciągle.

– Masz rację.

– Skąd ta fascynacja tematem?

No właśnie, Jake, skąd ta fascynacja?

Następuje prawie niezauważalna przerwa. Eden śmieje się cicho. Jake odzywa się:

– Myślę, że w erze globalizacji wszyscy mamy mnóstwo możliwości. Coraz trudniej jest się przywiązać do jednego tylko miejsca, jednej osoby, jednego zajęcia. Jesteśmy emocjonalnymi kameleonami.

– Rozumiem. – John kiwa głową, podobnie jak Eden. – To bardzo interesujące. – Interesujący stek bzdur. – Jednak – ciągnie John – w tym zestawieniu znajdzie się jedna nowa piosenka, która nosi tytuł... – John sprawdza w swoich notatkach – *Katie*. – Zaraz, zaraz, co?!

– *Katie* – powtarza Jake, a przez mój organizm przechodzi potężna fala elektromagnetyczna.

– Nie dane mi było jeszcze usłyszeć tej piosenki, ale plotki głoszą, że jest to najbardziej naładowany erotyzmem utwór od czasów *Losing* i zapowiada się na wielki przebój. A zatem kim jest Katie?

Jake znów spuszcza wzrok.

– To po prostu imię. – TAK, MOJE, TY KRETYNIE!

– Czy Eden powinna być zazdrosna? – John uśmiecha się głupkowato, a Eden wybucha śmiechem.

– Skąd. – Jake pociera brodę.

– Naprawdę?

– To tylko chwyt poetycki.

Kable wypadają mi z ręki i upadają z łoskotem na parkiet. Mięśniak rzuca się z miejsca i zbiera je z podłogi.

– Co ty wyprawiasz?

– Nie mam pojęcia. – Spuszczam głowę i zaczynam się pchać do wyjścia, a potem toruję sobie drogę przez zatłoczoną kuchnię, wciąż tak samo sterylną, pozbawioną nawet wycinków z gazet dotyczących Jake'a.

– Przepraszam – warczę, gdy wychodząc przez tylne drzwi, napotykam wzrok Susan, która zaraz potem spokojnie wraca do nalewania swojego reserve.

12

Dziesiąta klasa

Zza drzwi dochodzi mnie uporczywe drapanie.

– Craig? Twój kot chce chyba, żeby go wpuścić do środka.

Cisza.

– Craig? – Odwracam głowę leżącą na jego ramieniu i widzę, że Craig, oparty o kanapę, śpi jak zabity. Białe strupki zaschniętej śliny zebrały mu się w kącikach otwartych ust i wygląda, jak gdyby był w śpiączce.

Wstaję więc, by otworzyć kotu. A co, jeśli faktycznie zapadł w śpiączkę? Przebiegam w myślach różne scenariusze, otwieram drzwi i zastanawiam się, co bym czuła... Szok? Ból osamotnienia? A może odczułabym ulgę? Czy będzie mi wolno wyjść za kogoś innego? Czy też może jego rodzice będą oczekiwać, że pozostanę wierna jego bezładnym członkom?

Boxer ociera mi się o nogi, wchodzi do środka i zamykam za nim drzwi akurat w momencie, gdy rozbrzmiewa muzyka i Mel Gibson z Michelle Pfeiffer oddają się dzikiej namiętności w piwniczce na wina. Spoglądam na padniętego Craiga, a potem na ciemną plamę, jaką na moich dżinsach zostawiła jego spocona dłoń. Ech.

Dochodząca z głośnika nad kanapą seria z broni palnej wyrywa go z drzemki i przez chwilę mruga oczami zdezorientowany, aż wreszcie dostrzega moją obecność.

– Przepraszam. – Z zakłopotaniem wyciera rękawem zwisającą mu z ust strużkę śliny. – Chodź do mnie.

Siadam z powrotem obok niego na skórzanej kanapie, ale nie przytulam się do niego, tylko pochylam się do przodu, opierając łokcie o kolana.

– Nic się nie stało.

Craig rzuca okiem na zielone cyfry błyszczące na odtwarzaczu.

– Twoja mama niedługo przyjedzie.

Craig wyciąga ręce, a potem całą siłą obejmuje mnie w pasie i nachyla się, by pocałować mnie w czoło. Nie odpycham go brutalnie, ale też nie zachęcam. W ogóle się nie ruszam.

– Wciąż się złościsz, że wypożyczyłem nie ten film, co chciałaś?

– Nie, przepraszam, po prostu miałam dziś ochotę na komedię, i tylc.

– Słyszałem, że na imprezie za zamkniętymi drzwiami w następny weekend mają wyświetlać dużo filmów, więc pójdziemy na same komedie, dobrze? – Podciąga mnie na kolana. Impreza za zamkniętymi drzwiami to doroczna zabawa organizowana przez rodziców i nauczycieli, którzy wymyślają nam różne zajęcia i konkursy, żebyśmy się ze sobą integrowali, a wszystko odbywa się w zamkniętej na ten czas szkole. Przeraża mnie myśl, że miałabym przez całą tę imprezę tkwić nieruchomo przed ekranem. – Myślisz, że nauczyciele będą łazić za nami i bawić się w przyzwoitki, czy też znajdziemy jakiś przytulny kącik, gdzie będziemy się mogli ukryć i... – Wkłada mi rękę pod spodnie i szybkim ruchem sięga pod majtki. Chwytam go za nadgarstek.

– I co? – pytam ostro.

– Czemu jesteś ostatnio taka nerwowa? – Podnosi ręce do góry zirytowany.

Odsuwam się od niego i staram się wstać.

– Wcale nie, tylko... jestem pewna, że do dziesiątej nauczyciele zasypią nas masą zajęć i... – Gdy wreszcie udaje mi się zejść z jego kolan, staję przed nim w rogu kanapy i zasłaniam telewizor, przez co nie widzę jego twarzy, tak jak i on mojej. – Wiesz, o co chodzi na takich imprezach. Żeby się integrować, spędzać czas w grupie, a nie...

– A nie bzykać się. – Opiera się ciężko o kanapę, zgarbiony. – Więc znów wracamy do tematu. Dobrze, Katie, jeśli tego nie chcesz, to w porządku, ale może chociaż...

– W ogóle nie chcę już z tobą chodzić.

Jego czarna sylwetka nagle nieruchomieje. W pokoju zapada martwa cisza.

Powiedziałam to, żeby go zranić, żeby poczuł się głupio, bo to wszystko zrobiło się już naprawdę nudne, chciałam pokazać mu, że mam go dość, dać mu do zrozumienia, jak bardzo jestem rozczarowana tym, że to nie jest Pierwsza Miłość, o jakiej marzyłam, i odegrać się za tę całą wojnę rozporkową.

Ale nagle robi mi się przykro. Nasze uszy znowu uderza seria z karabinu, więc Craig daje nura w poduszki w poszukiwaniu pilota. Wychyla się zza mnie, by ściszyć dźwięk, i gdy tak szuka odpowiedniego przycisku, w świetle bijącym od telewizora dostrzegam osłupienie malujące się na jego twarzy. Oczy utkwione w pilota zachodzą łzami.

– Craig. – Siadam obok niego i biorę go za rękę. Odsuwa się. Słyszę, jak pociąga nosem. – Craig, przepraszam. Tyle że chodzimy ze sobą od ponad roku i po prostu nie czuję...

Craig chrząka.

– Już mnie nie kochasz.

Ból przeszywa mi ciało. Tak, to prawda. Nie kocham.

– Kocham cię. Ale raczej... jak przyjaciela. – Craig wciąga ze świstem powietrze. – Przykro mi. – Znowu biorę go za

rękę, zwykle ciepłą i wilgotną, teraz natomiast zimną i suchą.
– Przepraszam, nie jestem w tym dobra...
– W czym? W dawaniu mi kosza? Świetnie ci idzie. Jak
zresztą we wszystkim. Rodzice byliby z ciebie dumni. – Wstaje, krzyżuje ręce na piersiach i milczy, a cisza ta jest nie do
zniesienia. Śnieg na ekranie rozsiewa po pokoju biały blask,
w którym wszystko wydaje się jednowymiarowe.
– Naprawdę myślałem, że będziesz tą pierwszą, Katie.
– Wiem. – Kiwam głową, a oczy zaczynają mnie piec.
– Ale już nie jest tak jak na początku. Mam wrażenie, jakbyśmy byli starym, dobrym małżeństwem, a przecież mam dopiero piętnaście lat. – Łzy zaczynają mi płynąć po policzkach,
bo wreszcie znajduje ujście całe to rozczarowanie, które gro-
madziło się we mnie pod płaszczykiem złości, pomieszane ze
strachem, że oto niszczę swoją promienną przyszłość, oraz ze
świadomością, że przy okazji rozdzieram Craigowi serce.
Craig wyłącza wreszcie telewizor, rzuca pilota na kanapę
i podchodzi do drzwi, a ja wycieram nos rękawem.
– Czy powiesz wszystkim, że mnie rzuciłaś? – pyta, stojąc
plecami do mnie.
– Nie! – podnoszę się z kanapy i podbiegam do niego.
– Wobec tego co? – Nie odwraca się.
– Nie wiem, Craig. Powiem, co tylko chcesz.
– Dobrze. – Ręce ma opuszczone. – Powiemy wszystkim,
że oboje tego chcieliśmy.
– Dobrze. Jak sobie życzysz. – Kiwam głową.
– A na matkę możesz poczekać przed domem – rzuca i wy-
chodzi z pokoju.

– Claire! – Tato woła Mamę do sypialni, bo właśnie swoim
szperaniem w jego szafie niefortunnie obudziłam go z sobot-
niej popołudniowej drzemki.

– Wołałeś mnie? – Widzę w lustrze na toaletce, jak Mama staje w drzwiach z białym koszem na pranie opartym o biodro.

– Claire, czy mogłabyś powiedzieć swojej córce, że nie może ciągle chodzić w moich marynarkach?

Przerywam na chwilę swoje eksperymenty z różnymi kombinacjami „marynarka – szeroki pas" i odwracam się w jego stronę.

– Simon, czy mógłbyś powiedzieć swojej żonie, żeby zabrała mnie do ośrodka Armii Zbawienia, tak jak ją prosiłam, żebym mogła kupić sobie jakieś wystarczająco duże ubrania?

Przez chwilę stoimy na wprost siebie: ja mierzę wzrokiem ich, a oni mnie i moje odjazdowe ciuchy. Tato podnosi się na łóżku i przeciera okulary rąbkiem koszuli, a Mama stara się zachować pokerową twarz.

– Wyglądasz kretyńsko – stwierdza wreszcie.

– W stu procentach – dodaje Tato i wstaje z łóżka.

Wściekła, łapię leżące na toaletce czasopismo „Sassy", które jest dla mnie źródłem inspiracji, ale od razu się uspokajam – w końcu to nie ja mam na sobie tę dziwaczną, luźną koszulę. Ja przynajmniej włożyłabym do czegoś takiego legginsy.

– Myślę, że jako osoby związane z edukacją młodzieży oboje zdajecie sobie sprawę, jak ważne dla niej jest, by nie odstawać od rówieśników. – To ich powinno przekonać. – No. – Wypuszczam z płuc powietrze, tak że grzywka podnosi mi się do góry, a następnie zdejmuję niebieską tweedową marynarkę.

– O nie.

– Mamo – zaczynam, ale teraz, kiedy zobaczyła, że mam na sobie jej czarny kaszmirowy sweter, który służył mi za warstwę bazową, wiem, że mam naprawdę przerąbane. Mama kręci głową, siada na brzegu łóżka i stawia kosz na poduszce obok.

– Nasze ubrania to nasze ubrania, Kathryn. Twoje to twoje. Masz całą szafę własnych ciuchów, a zapewne i połowę Laury. Skąd to w ogóle wytrzasnęłaś?

– Leżał na samym dnie w szafce z twoimi swetrami. Potrzebuję czegoś pod spód, ale nie mam nic oprócz golfów. A na nie jest za gorąco. – Na potwierdzenie moich słów przez otwarte okno wpada ciepły majowy wietrzyk, unosząc lniane zasłony. – To jest idealne. Naprawdę cienkie.

– Bo to naprawdę kaszmir. Idź na strych i znieś na dół swoje ubrania.

– Nie mam czasu. – Zerkam na wyświetlacz na radiu stojącym na szafce nocnej Taty. – Zamykają szkołę na trzydzieści minut przed imprezą czy coś w tym stylu, a ja jeszcze muszę wysuszyć włosy.

– Na trzydzieści minut czy c o ś w t y m s t y l u?

– Mamo. – Siadam na skraju łóżka i zanurzam twarz w jej dłoniach. – Proszę, błagam, bła-gam-cię. Będę uważać, obiecuję. Ten sweter leży na mnie idealnie. B ł a g a m. – Odwracam się i spoglądam na nią, a mój policzek wciąż przylega do jej ciepłej dłoni, która pachnie delikatnie płynem do płukania.

– Naprawdę miło cię widzieć w czymś, w czym nie wyglądasz jak Charlie Chaplin. – Tato odwiesza swoją marynarkę i zamyka szafę kategorycznym ruchem, po czym wchodzi do łazienki i krzyczy przez zamknięte drzwi: – Do której nauczyciele będą was dziś wieczorem niańczyć?

– Do dziesiątej. I o ile wiem, to nie niańczyć, a nadzorować – odkrzykuje Mama. – Żeby potem nie zrobili żadnej rozróby i żeby ulice Croton Falls nie spłynęły krwią.

– I żebyśmy nie obrabowali wypożyczalni kaset wideo – dodaję. – Ani nie podpalili sklepów.

– Kupiłam to za pierwszą wypłatę – odzywa się Mama i wskazuje głową na sweter, po czym wstaje i podnosi kosz z łóżka. – Może powinien jeszcze ujrzeć światło dzienne.

Zarzucam jej ręce na szyję.

– Dziękuję!

– Ale zaraz potem wraca do mojej szafy. I gdy jeszcze raz cię przyłapiemy, jak grzebiesz w naszych rzeczach, to nie ręczę za siebie. Zawsze najpierw prosi się o zgodę – mówi mi we włosy.

– Tak jest. – Wypuszczam ją z objęć i salutuję.

Unosi brew.

– I życzę sobie, żeby moja bluzka od Laury Ashley zawisła u mnie w szafie jeszcze przed twoim wyjściem.

– Oczywiście.

– I moja zamszowa spódnica. Zacznijmy może od niej.

Czekam, aż wyjdzie, a wtedy podkradam się znowu do szafy Taty i wyjmuję stamtąd jego uniwersytecką marynarkę, a potem chowam ją za plecami i ostrożnie przechodzę obok Mamy, która właśnie wkłada zawartość kosza do pralki.

Wbiegam po schodach prowadzących do wejścia do szkoły i podchodzę do Laury, która mierzy mnie wzrokiem.

– Czarny kolor to nie był najlepszy wybór – stwierdza. – Nie boisz się, że to tylko podsyci plotki o tym, że jesteś w rozpaczy?

– Nie jestem w rozpaczy. To właśnie chcę zakomunikować – oświadczam i zakładam wiszące koralikowe kolczyki Laury, ciężkie i tak duże, że aż sięgają mi ramion.

– A naszyjnik? – pyta. Wkładam rękę do kieszeni i wyciągam sznur turkusowych korali, które pasują do jej obcisłej mini. Zakłada je na szyję, poprawia kucyk i delikatnie kopie mnie w stopę. – Gotowa na dawkę rozrywki w starym dobrym stylu?

– Bez możliwości opuszczenia lokalu? Chyba tak – odpowiadam. Laura otwiera drzwi wejściowe, wchodzimy do środka i zaczynamy się przeciskać przez tłum pozostałych dziesiątoklasistów zgromadzonych wokół rozkładanego stołu, gdzie obwarowali się dorośli. Gdy kierujemy się w stronę pani Beazley, czujemy na sobie wścibskie spojrzenia i szepty.

– Witam, dziewczęta. Oto harmonogram zabaw i spis reguł, mapa, która pokazuje, co i gdzie się odbywa, oraz, oczywiście, wasz kontrakt. Złóżcie swój podpis tutaj. – Pani Beazley przewraca plik kremowych kartek, aż wreszcie znajduje właściwą, na której musimy podpisać oświadczenie, że nie opuścimy szkoły do dziesiątej i będziemy przestrzegać regulaminu imprezy.

– Więc powinnam pani oddać trawkę? – pyta Laura.

– Tak – odpowiada pani Beazley automatycznie, po czym wykrzywia czerwone usta. – Ależ skąd! W takim razie w ogóle nie powinnaś wchodzić. Nie wolno przecież wnosić narkotyków na teren szkoły. Czy zażywasz narkotyki, Lauro?

– Tylko żartowałam, proszę pani. Interesuje mnie... – Laura przebiega wzrokiem zieloną kartkę – Konkurs Jedzenia Cukierków Ślazowych. Gdzie to jest?

– Chwileczkę. – Pani Beazley zakłada okulary i patrzy na mapę. – Konkurs ten odbywa się w stołówce. Trzeba iść korytarzem do końca, a potem na lewo...

– Tak, znamy drogę. Dziękujemy za pomoc. Chodź, Katie, bo się spóźnimy! – Laura łapie mnie za rękę i czmychamy.

– Kto jak kto, ale ona się nie zna na żartach – upominam ją. Idąc korytarzem, mijamy po drodze klasy pełne kotłujących się na podłodze dzieciaków, które oglądają filmy lub bawią się w grupie, oraz nadzorujących ich nauczycieli, którzy siedzą dwójkami i znudzeni popijają kawę.

– To dziwne – stwierdza Laura, gdy przechodzimy obok szklanych drzwi wychodzących na ciemne podwórze. – Czuję się tak, jakby czekał nas jakiś koncert chóru lub coś w tym stylu. Przystaję i zakładam ręce na piersi.

– No to co robimy?

Laura kuca, rozkłada na podłodze kremowe kartki, po czym zaczyna je uważnie studiować.

– Nie wiem. Przy tym cukierkowym konkursie może być niezły ubaw.

– Albo raczej niezłe rzyganie. – Stukam ją palcem w czoło. – To ty idź tam, a ja sprawdzę, na co ciekawego można się jeszcze załapać.

– Basen gimnazjalny ma być dziś otwarty. Maggie i Michelle mówiły, że tam będą.

– Dobrze, to ja pójdę w tamtym kierunku i wybadam teren, a potem do ciebie wrócę.

Laura wstaje z podłogi.

– Katie, czy naprawdę chcesz zostać sama? Nie masz zamiaru targnąć się na swoje życie, prawda? Pamiętaj, on nie jest tego wart. – Robi dramatyczną i współczującą minę.

– Dobrze, Lauro, będę to mieć na uwadze, dziękuję ci za wsparcie.

– A ja chyba sprawdzę, czy gdzieś puszczają jakiś fajny film – stwierdza.

Obie podnosimy kciuki do góry i każda odchodzi w swoją stronę. Idę sobie korytarzem jak gdyby nigdy nic, zerkam od czasu do czasu na mapę i nagle słyszę:

– Cześć, Katie.

O, cholera. Niechętnie wracam do drzwi, które właśnie minęłam, za którymi Craig i spółka przygotowują stół do gry w air hockeya, czemu przewodzi Jeanine, jego nowa dziewczyna pocieszycielka, i jej głupia totumfacka Leslie.

– Cześć! – odpowiadam, mając nadzieję, że każda komórka mego ciała promienieje w tym momencie radością i energią.

– Dobrze się bawicie? – pytam. Jeanine spuszcza wzrok i wpatruje się w białe rękawy swojej skórzanej kurtki.

– Co tam u ciebie? – pyta Craig, a z jego oblicza bije troska o moje dobre samopoczucie. Jego towarzyszki stoją przy stoliku i spoglądają na mnie kątem oka.

– Wszystko w porządku, Craig. Naprawdę! – Tyle że gdybym wiedziała, że zrobisz ze mnie Annę Boleyn z Croton Falls, rzuciłabym cię w samo południe w stołówce na oczach wszystkich.

– Miło cię widzieć. – Wyciąga rękę z kieszeni spodni i ściska moją dłoń, jak gdybym była jego nobliwą babką leżącą na łożu śmierci.

– Przecież widziałeś mnie ostatnio na lekcjach, Craig. – Z trudem powstrzymuję się od wytarcia ręki po tym, jak ją wypuścił.

– No tak. Mam nadzieję, że będziesz się dziś dobrze bawić. – Klepie mnie w ramię.

– Już się dobrze bawię. Ty też baw się dobrze. Jeanine! Leslie! Wy też bawcie się dobrze! – Macham ręką. Jeanine patrzy na mnie spode łba.

– Tylko nie bądź smutna.

– Craig, nie jestem smutna – mruczę przez zęby i momentalnie robię się smutna.

– Tak, wiem. Wiem. – Podchodzi bliżej i moje nozdrza uderza zapach Drakkar Noir. Ech, Jeanine to szczęściara.

– Craig, nie jesteś w moim typie. Cieszę się, że już nie jesteśmy razem, dlatego właśnie to ja wyszłam z tą inicjatywą. Jest mi dobrze. Naprawdę. Gdybyś miał przy sobie Biblię, przysięgłabym na nią.

– Oczywiście, Katie. – Kładzie swoje łapsko na moim ramieniu.

– Craig! – skrzeczy Jeanine.

– Dobrze, wracam do nich. – Dziewczyny unoszą ręce do góry, Leslie zaczyna podskakiwać i w tej swojej zielonej bluzie od dresu wygląda jak żółw ninja, który zaraz pęknie.

– Hej, wszystko u mnie w porządku! Jeanine, wszystko u mnie w porządku! Poważnie, jeśli chcecie ze sobą chodzić, nie przeszkadza mi to. Przysięgam. Mówię szczerze. Właśnie zaproponowałam, że mogę to przysiąc na Biblię.

– To wspaniałomyślne z twojej strony, Katie – oświadcza Craig uroczyście i teraz naprawdę robi wrażenie czterdziestolatka, w dodatku już na emeryturze.

– Dzięki, Craig. Jeanine. Leslie. Moi drodzy. Pa. – Macham niemrawo, a potem odwracam się i ruszam szybko wyłożonym wykładziną korytarzem w stronę gimnazjum, ale nie na tyle szybko, by nie usłyszeć słów Jeanine:

– No nie wiem, Craig, jak dla mnie to ona jest p o t w o r-n i e zazdrosna.

Wzdycham, wbijam wzrok w swoje sandały i idę dalej po pustawych korytarzach łączących oba budynki, w stronę gimnazjalnego basenu. To w gruncie rzeczy niesamowite – szafki tutaj wydają się mniejsze niż kiedyś, tak samo jak kran z wodą pitną i tablica ogłoszeń.

Przechodzę przez drzwi, które prowadzą do pawilonu sportowego, i od razu witają mnie radosne, choć przytłumione wrzaski oraz niestety nieprzytłumiony smród chloru. Przemierzam hall, po czym przyciskam twarz do pokrytych siatką szyb i moim oczom ukazuje się coś, co przypomina letni obóz pływacki w stylu dowolnym przy czterdziestostopniowym upale.

– Katie – słyszę jego głos i rozglądam się po korytarzu. Nikogo, nikogusieńko.

– Katie – słyszę znowu. Odwracam głowę w prawo, w stronę schodów, które prowadzą na zaciemnioną galerię, i dostrze-

gam go: siedzi na półpiętrze w krótkich spodenkach do koszy-
kówki i ochlapanym wodą podkoszulku, głowę ma owiniętą mokrym ręcznikiem w paski. Nie zastanawiając się długo,
wspinam się do połowy schodów i staję na tym stopniu co on.

– Byłeś tam? – pytam, wskazując na kotłujący się basen.

– Tak. – Jake odchyla głowę do tyłu, ręcznik osuwa mu się
na ramiona, a jego ciemne potargane włosy sterczą rozkosznie na wszystkie strony. – To naprawdę szaleństwo. Chcesz
popływać?

– O, tak. – Śmieję się, dopóki jego niewzruszony wyraz
twarzy nie mówi mi, że tak właściwie nie powiedziałam nic
zabawnego. – Nie wzięłam ze sobą torby. – Jake patrzy na
mnie i milczy. – Nie mam stroju kąpielowego ani nic w tym
stylu. Więc nie, nie idę. – Co ja wygaduję? Opieram się z powrotem o poręcz i wlepiam oczy w kafelki na ścianach.

– Dobrze się dzisiaj bawisz? – Ciągle czuję na sobie jego wzrok.

– Tak, świetnie się bawię! Świetnie się czuję! Nie może
być lepiej! Boże, to przecież ja z nim zerwałam! Po prostu
nie chciałam mu sprawiać więcej przykrości i pozwoliłam mu
wyjść z tego wszystkiego z honorem, a teraz wyszło na to, że to
ja jestem żałosną porzuconą dziewczyną! Szlag mnie trafia!

– Ty i Craig nie jesteście już razem?

– Co? Przepraszam cię, myślałam, że... Jeanine rozpowia-
da wszystkim, że mnie rzucił. Nie słyszałeś?

Wzrusza ramionami i łapie ręcznik za oba końce.

– Nie. Po prostu byłem ciekaw, jak się bawisz. Ale dzięki za
informację. – Naciąga nogawki szortów na kolana.

– Nie ma za co.

– Niczego nie dusisz w sobie ani nie ukrywasz przed ludźmi, prawda?

– To zależy.

– A już na pewno nie przede mną. – Uśmiecha się szeroko, a jego zielone oczy błyszczą. Zaczyna sunąć klapkiem po stopniu w stronę mojego sandała i czubkiem palca dotyka mojego. – Skąd się to w tobie bierze, Katie Hollis?

Oddycham coraz szybciej.

– Nie wiem... Chyba po prostu uważam, że ludzie powinni mówić szczerze, co mają na myśli.

Odchyla się do tyłu i kładzie plecy na podeście. Jego twarz znika teraz w cieniu, a koszulka podjeżdża do góry, odsłaniając przede mną szlachetny zarys jego kości biodrowej, umięśniony brzuch oraz drobne włoski biegnące od pępka do szortów. Palce naszych stóp wciąż się dotykają.

– A ty? – pyta.

– Co ja?

– O czym myślisz?

– O co dokładnie pytasz?

– Czy myślisz o mnie i o tobie – rzuca w ciemność. Zastygam w bezruchu jak królik na widok myśliwego. Choć poręcz wbija mi się w plecy, boję się poruszyć, żeby go nie wytrącić z tego ciągu myśli.

– Aha... – odpowiadam niepewnie, nie wiedząc, dokąd zmierza.

– I ciągle coś robisz.

– Masz na myśli moje dobre uczynki?

– Właśnie, twoje dobre uczynki. – Uśmiecha się szeroko do sufitu. – I to, jak się angażujesz we wszystko, co się dzieje w szkole. Te wszystkie listy i apele, na przykład, albo jak ogłosiłaś zbiórkę pieniędzy na jakiś tam cel w Ameryce Południowej.

– Środkowej. W Ameryce Środkowej.

– To trochę dziwne. Przyznaję, czasami naprawdę mnie to wkurza. Ale czasami... – siada i kładzie ręcznik na kolanach.

– Ale czasami...? – ponaglam go.

– Co robisz dziś wieczorem? – Podnosi na mnie wzrok, tak że nasze oczy się spotykają.

– To, co widzisz. A ty?

– Śpię u Sama.

– Aha. A ja jadę z Laurą.

– Powinniśmy wszyscy wyjść razem lub coś w tym stylu.

Kiwam głową i czuję, że mogłabym tak zostać na wieki, nawet z tą wrzynającą mi się w kręgosłup metalową poręczą.

– Skoro milczysz, to chyba nie jesteś pewna. – Uderza mnie w gołą łydkę mokrym ręcznikiem.

– Nieprawda. – Pochylam się i łapię zimny materiał. Włosy opadają mi na twarz, a nasze usta oddziela teraz tylko cienka granica. – Brzmi ciekawie.

Wtedy Jake chwyta poręcz, podnosi się do góry i staje tuż obok mnie.

– Po prostu mam wrażenie, że naprawdę dobrze się tutaj bawisz. Nie chcę ci psuć wieczoru. – Wpatruję się we wgłębienie na jego szyi i czuję na sobie jego wzrok. – Powinniśmy zrobić coś razem. I zobaczyć, co z tego wyjdzie.

– Nie spotykamy się więc dziś wieczorem?

– Nie no, spotykamy się. Tylko myślałem jeszcze, żeby czasem pójść do kina albo coś w tym stylu.

Mam nadzieję, że nie widać, jak ważna jest dla mnie ta chwila, która zmazuje upokorzenie tej samej propozycji uczynionej przeze mnie ponad rok temu.

– Możemy pójść do kina, czemu nie.

– To może jutro? – Wplata mi palce we włosy i zakłada za ucho, jego skóra ociera się o moją. Jest tak blisko. Tuż obok. Tu. W oparach chloru.

Jake podchodzi jeszcze bliżej – rąbek jego wilgotnych szortów dotyka mojego uda i zastygam w przerażeniu, bo oto jego twarz znajduje się tuż przy mojej. Boję się, że zrobię coś nie tak, że go spłoszę. Pochyla się.

– Jake.

– Katie.

– Nie. Może jeszcze nie.

Odwraca się, a ja wbijam wzrok w ścianę. O Boże – wróć! Błagam, daj mi jeszcze jedną szansę. Ale Jake wskakuje na podest.

– Jake – odzywam się z desperacją w głosie. Nie pragnę niczego innego, jak tylko cofnąć czas do tamtej chwili. Jake właśnie sięga do jednego z ustawionych na podeście fikusów i wyplątuje z gałęzi coś niebieskiego. Potem wraca na mój stopień, by lepiej się temu przyjrzeć, a ja próbuję zachowywać się naturalnie. Jak gdyby to było zupełnie normalne, jak gdyby sytuacje, w których ja i Jake stoimy tuż obok siebie w półmroku, zdarzały się cały czas.

– Smerf.

– Zgadza się – odpowiadam pewnym głosem, by odzyskać grunt pod nogami.

– Ma okulary. Który to? Poeta?

– Nie, Poeta chyba trzymał długopis, gęsie pióro albo jakoś tak.

– Ty przecież wszystko wiesz.

– O co ci chodzi? Zapytałeś. Myślisz, że nic nie robię, tylko siedzę i rozmyślam o smerfach? Przecież od kiedy byliśmy dziećmi, minęło jakieś osiem lat....

– Ważniak!

– Słucham?

– Ten, który wszystko wiedział, nazywał się Ważniak. Zawsze brał wszystko poważnie. – Obraca figurkę, bierze moją dłoń i kładzie na niej smerfa. – To dla ciebie, Ważniaku.

– Czyli masz mnie za kujona, dzięki.

– He, he. A więc jak, Ważniaku? Spotkamy się? – Przez moment milczę i tylko wpatruję się w niego, a dopiero po chwili odpowiadam:

– Tak.

– No to chodź. – Zbiega lekko po schodach, a stukot jego klapek o metal rozlega się echem po hallu. Zmierza w stronę bocznych drzwi prowadzących na zewnątrz, a ja za nim.

– Czekaj, najpierw muszę...

Odwraca się.

– Ja też nie wziąłem torby.

– Dobrze, ale najpierw muszę porozmawiać z Laurą.

– A widzisz? – Uśmiecha się od ucha do ucha. Kręcę głową, nie rozumiem, ale przynajmniej potrafię się do tego przyznać. – Dowcip o torbie nie działa. Nie mam ze sobą rzeczy. Ręcznik pożyczyłem, a pływałem w szortach. Muszę teraz biec do domu i się przebrać, bo chyba śmierdzę.

– A! Rozumiem.

Jake delikatnie łapie mnie za rękę, ciągnie w swoją stronę i kładzie moją dłoń na drzwiach.

– Ale potem musisz mnie wpuścić, dobrze?

– Jasne. – Ze ściśniętym żołądkiem obserwuję, jak wychodzi na zewnątrz, i odprowadzam go wzrokiem. Gdy dochodzi do lampy, do miejsca gdzie zaczyna się murawa boiska, odwraca się, uśmiecha jak mały chłopczyk, a ja w odpowiedzi się rozpromieniam.

Jake znika w mroku, a ja dalej stoję w drzwiach radosna jak skowronek, delektując się ciemnością i delikatnym deszczem, którego kropelki tną krąg światła w miejscu, gdzie przed chwilą stał on.

JESTEM... JESTEŚMY... TO SIĘ DZIEJE NAPRAWDĘ! Chyba zaraz eksploduję ze szczęścia! O rany, muszę o tym powiedzieć Laurze! Wyliczam, że nawet jeśli Jake pobiegnie

sprintem, to mam co najmniej dwadzieścia minut do jego po-
wrotu, więc zostawiam drzwi i puszczam się pędem przez ko-
rytarze. Mijam basen, mijam głupiego Craiga i głupią Jeanine
i biegnę w stronę liceum.
– Laura? Laura? Laura? – Wsuwam głowę do każdej sali. – Laura?
– ZAMKNIJ SIĘ! – ucisza mnie zbity stos ciał leżących
przed ekranem, na którym Batman nurkuje z góry wprost na
Jokera.
– Przepraszam – mówię szeptem. – Laura? Jest tu Laura?
– Katie?
Sięgam ręką, łapię ją i wyciągam na korytarz żegnana
przez chór wrogich okrzyków.
– O co chodzi, do cholery? Chcesz mi przysporzyć nowych
przyjaciół?
Zatykam jej usta ręką.
– Cicho. Wpadłam na Jake'a Sharpe'a przy basenie. Do-
tknęliśmy się palcami u nóg i dał mi smerfa. Uważa, że we
wszystko się angażuję i mówię, co myślę, i był ciekaw, co my-
ślę o nim i o mnie. O nim i o mnie, kumasz?
Kręci głową.
– Nie.
– Wiem. Do mnie też to nie dociera. Ale czekaj, to jeszcze
nie wszystko. Dał mi smerfa – ale chyba już ci to mówiłam
– i chciał mnie pocałować, ale spytałam, po co ten pośpiech.
I jutro idziemy na film, i myślę, że chodzi mu o Chodzenie.
A jesteś mi potrzebna, bo Jake chce, żebyśmy się spotkali dziś
wieczorem z Samem Richardsonem, więc proszę, powiedz, że
się zgadzasz. – Teraz wreszcie puszczam jej usta.
– Z Samem Richardsonem?
– Laura, proszę cię tylko o jedno. Tylko o to. Po prostu
znieś dzisiaj towarzystwo Sama. Nie musisz go dotykać. Wy-

starczy, że porozmawiasz z nim o futbolu, a będę ci dozgonnie wdzięczna. Możesz ode mnie pożyczać biżuterię, moje ciuchy, ciuchy moich rodziców, będę odrabiać za ciebie zadania z fizyki i chemii i robić za ciebie pranie. – Wskazuję na turkusowy naszyjnik. – Możesz go zatrzymać na zawsze. Wszystko, tylko się zgódź, błagam!

Laura mruży oczy.

– Z Samem Richardsonem? – powtarza.

– Laura, błagam!

– Naszyjnik jest mój.

– Cudownie! Kocham cię! – I ruszam pędem w stronę gimnazjum.

– Gdzie lecisz? – krzyczy za mną.

– Jake pobiegł się przebrać do domu. Mam mu otworzyć drzwi przy basenie, żeby mógł się dostać do środka. Znajdę cię! – Zatrzymuję się przy końcu korytarza i odwracam, śmiejąc się jak wariatka. – Z n a j d z i e m y cię!

A kochana Laura pokazuje mi środkowy palec.

Leżę przy drzwiach. Mój wzrok już dawno przystosował się do błyszczącego słabo czerwonego znaku „wyjście". Pobliski basen powoli cichnie i nieruchomieje. Ściskam kurczowo smerfa i wyglądam na zewnątrz, gdzie teraz leje jak z cebra i utworzyły się kałuże. Laura delikatnie trąca mnie w ramię.

– Katie, już po wszystkim. Zamykają. Moja mama się wścieknie. Przykro mi, musimy iść. – Kręcę głową. – Przykro mi – powtarza. – Naprawdę.

Podciągam kolana pod brodę, chowam głowę w ramionach i całym moim ciałem wstrząsa potężny szloch.

13

23 grudnia 2005 roku

No więc – ramiączko sukienki od Tahariego, które pękło pierwszego dnia, gdy ją włożyłam... W liceum miałam trzy samochody... Mój odtwarzacz DVD można otworzyć tylko za pomocą nożyka do listów... A dwustronna taśma klejąca, którą przyczepiłam twarz Keanu Reevesa do sufitu nad łóżkiem w 1991 roku, wciąż mocno się trzyma. Rewelacja. Powinno się tu sprowadzić NASA do przeprowadzenia kompleksowych badań.

Nadymam policzki i wydycham z płuc strumień powietrza. W mojej sypialni temperatura spadła chyba poniżej zera. Boże, co jest nie tak z moimi rodzicami? Aż dziwne, że nie pada tu jeszcze śnieg. Nad moimi ustami, sinymi zapewne, unoszą się kłęby pary.

– Co tam, Keanu, nie ścigasz już żadnych byłych prezydentów? – Przystojny surfer nie reaguje i dalej patrzy na mnie spode łba. – Żadnych? Naprawdę?

Przewracam się na drugi bok. Znowu to samo. Flanelowa koszula nocna matki zaplątała mi się między nogi, więc staram się ruchami kończyn przywrócić ją do porządku. A potem przechylam głowę do tyłu i wpatruję się w stojące na półce nad łóżkiem oszronione nagrody za konkursy oratorskie.

Myślałam, że mogłam po prostu... no właśnie, co? Rozszerzyć świadomość Jake'a Sharpe'a podczas pogawędki przy stoliku sushi? Wrócić do jego dzieciństwa i podnieść jego matkę z podłogi? Sprawić, by ojciec pamiętał o jego siedemnastych urodzinach, dzięki czemu Jake mógłby w sobie wyrobić zdolność do tworzenia więzi, jak normalni ludzie, oraz poczucie odpowiedzialności za drugiego człowieka, zewnątrzsterowność i empatię...

Coś uderza o moje okno.

Grad?

I jeszcze raz.

Odwracam głowę.

I jeszcze raz.

Ciche, przytłumione stukanie.

Podnoszę się i staram się pamiętać, że mam trzydzieści lat, chociaż nic wokół mnie nie wskazuje na to, że jest 2005 rok. Wychodzę z łóżka, podchodzę do ciemnej szyby, gdzie mój wzrok przykuwa mały biało-niebieski kształt, i nagle mam wrażenie, jakby wszechświat zahamował z piskiem i starał się nawrócić na właściwe miejsce, jakby przecinał i kompresował czas, czuję, że coś wstrząsa moim ciałem jak choroba morska – bo oto podchodzę do okna w środku nocy, gdyż Jake Sharpe...

... rzuca w nie plastikowym smerfem.

Wyglądam na zewnątrz i przez chwilę wydaje mi się, że ujrzę włosy sięgające brody i tamtą czarno-białą kurtkę w kratę, a zamiast tego mam przed oczyma ten dziwaczny strój, który styliści lansują jako idealny na spotkania towarzyskie w górskich kurortach, a kompozycji dopełnia martwy bóbr na głowie.

– O, nie. Nie, nie, nie, nie, nie, nie, nie. – Kręcę głową w świętym oburzeniu, zbiegam na dół jak błyskawica, a potem narzucam płaszcz na nocną koszulę Mamy, wkładam nogi w pierwsze lepsze buty i otwieram z hukiem drzwi.

– Jestem CHWYTEM POETYCKIM???!!! CHWYTEM POETYCKIM???!!!

Milknę na chwilę, by dać mu czas i by mój gniew przeniknął przez tę kretyńską czapkę oraz grubą czaszkę i dostał się do tego nieprzeniknionego, megalomańskiego orzeszka, który mieni się jego mózgiem.

W sąsiednich domach zapalają się światła. Rozlega się szczekanie psa.

– Proszę cię, Elizabeth Kathryn, nie zachowuj się, jakbyś była sama w promieniu kilkudziesięciu metrów. – Mama wystawia głowę z sypialni i z pobladłą twarzą obejmuje wzrokiem całe to przedstawienie.

– Witam, pani Hollis – odzywa się Jake. – Jak się pani miewa?

– Nie wiem, jak możesz patrzeć na swoje odbicie w lustrze bez obrzydzenia. – Mama zamyka z trzaskiem okno.

Hm, chociaż raz zgadzamy się w opinii co do Jake'a. Kiwam ręką, by podszedł bliżej, i powtarzam, tym razem sycząc przez zęby:

– Chwyt poetycki?

– Wolałabyś, żebym oświadczył Johnowi Norrisowi, że Katie to tak naprawdę Elizabeth Kathryn Hollis, która mieszka w Charlestonie, w Karolinie Południowej, i pracuje jako konsultantka do spraw zrównoważonego rozwoju? A jeśli chce z nią porozmawiać, to właśnie przebywa z wizytą u rodziców przy Maple Lane pod numerem trzydzieści cztery?

Nie do wiary. Patrzę na niego z ukosa.

– Wiesz, czym się zajmuję?

– Śledzę cię. – Wzrusza ramionami i uśmiecha się.

– Śledzisz mnie? – Pochylam się.

– W Internecie.

– Zaraz! To nie tak miało być...

– O? A jak?

Rzucam mu zabójcze spojrzenie.

– Mieliśmy mówić o tobie. Że jesteś dupkiem. Kosmicznych rozmiarów, stuprocentowym megadupkiem, uosobieniem najgorszych cech swojego pokolenia.

Uśmiech znika z jego twarzy.

– Chyba na to zasługuję.

– Chyba?! C h y b a?! Ostatnią rzeczą, jaką od ciebie usłyszałam, było: „Do zobaczenia jutro!".

Jake wykrzywia usta, podnosi oczy do góry i wzrusza ramionami.

– No tak.

– I było to trzynaście lat temu!

– Dobrze, nie pamiętam dokładnie, co powiedziałem...

– Dziwne. Pamiętasz każdy cholerny szczegół z naszej znajomości, jak gdybyś miał wszystko wytatuowane na tyłku.

– Może i mam. Chcesz sprawdzić?

A wtedy uśmiecham się. Cholera.

Odzyskuję zimną krew, odwracam od niego wzrok, który pada na jego stary rower z przerzutkami oparty o klon.

– Przyjechałeś tu na rowerze?

– Wsiadłem na niego od razu, gdy tylko matka powiedziała mi, że widziała cię na pralce w naszej piwnicy.

– Nie ścigali cię jak na Tour de France?

Kręci tą wielką głupią czapką.

– Wymknąłem się przez tylne wyjście. Musiałem się wydostać z tego domu. – W jego oczach widać uśmiech, gdy obejmuje mnie wzrokiem. – Boże, wyglądasz przepięknie.

– Przestań. – Wyciągam palec ostrzegawczo.

Wkłada rękę do kieszeni dżinsów i kuli się.

– Przepraszam.

– Tak? – rzucam się. – Za co?

– Za nazwanie cię chwytem poetyckim.

– Och, to wspaniale. – Udaję, że otwieram wielgachną księgę, przerzucam mnóstwo, mnóstwo kartek, a potem wędruję palcem w dół kolumny. – Nazwanie mnie chwytem poetyckim... odfajkowane. Świetnie, to już mamy z głowy. – Zamykam „książkę". – Zostaje zatem kłamstwo w żywe oczy, zniknięcie bez słowa, zbudowanie na fundamencie mojej wczesnej młodości multimilionowego imperium, hm, a teraz najwyraźniej wykorzystanie mojego imienia.

– Nie musisz mi tego przypominać. Wiem, co się stało.

– No tak, wiesz, co się stało. Każdy prezenter listy przebojów też wie, co się stało. Ludzie śpiewający karaoke w Japonii też wiedzą, co się stało. „Wsunąłem się w nią, moje oczy wpatrzone są w górujące złote bóstwa" – jakby to była jakaś głęboka metafora. Gdyby tylko wiedzieli, jakie z ciebie beztalencie, jakie zero!

Odzywa się jego komórka. *You Shook Me All Night Long*. Zamykam oczy.

– Tak? – rzuca do telefonu, przyciskając go do czerwonego ucha i nie spuszczając ze mnie wzroku.

– Bocznymi drogami... wziąłem rower... nie, nikt mnie nie widział. Spokojnie. – Nagle jego uwagę przykuwają futrzane wyłogi jego butów. – Tak, nie, zaraz będę z powrotem. Nie, nie wysyłaj po mnie samochodu. Przecież nie będę jeździł po Croton Falls limuzyną, do cholery. Trudno, powiedz Rai Uno, żeby zaczekali chwilę. – Zamyka klapkę telefonu i znów skupia uwagę na mnie. – Przepraszam.

Znowu rzucam się na niego.

– Tak? A za co tym razem?

– Jestem im potrzebny. Ale wiem, gdzie cię znaleźć. – Wskazuje na kolonialne igloo za moimi plecami.

– Nie. Nie znajdziesz mnie tu. Jutro wyjeżdżam. Zaraz po tym, jak ogłosisz, że piosenka nosi tytuł *Tallulah* na cześć twojej dentystki. W przeciwnym razie, Jake, nie ręczę za siebie. Zaczyna się cofać po własnych śladach.

– Nie wyjeżdżaj. Wpadnę do ciebie jutro – bierze rower i przekłada przez niego nogę. – Chciałbym trochę więcej posłuchać o tym, jakim jestem zerem.

– W tej czapce wyglądasz jak kretyn – rzucam za nim teatralnym szeptem.

Zatrzymuje się pod uliczną lampą i odwraca.

– A gdybym zdjął tę czapkę, wyglądałbym jak...

– Kretyn *au naturel*.

– Tęskniłem za tobą. – Uśmiecha się tym swoim szerokim zawadiackim uśmiechem, który, dzięki Bogu, działa na mnie mniej od czasu, gdy naprawił sobie ząb, i zanurza się w mrok. Stoję w płaszczu, który zapomniałam nawet zapiąć, i patrzę, jak lampy odbijają się od światełek odblaskowych na kole, które zlewają się w jeden krąg, aż wreszcie Jake znika mi z oczu.

14

Jedenasta klasa

„And it's you who is the lovegod... and it's you who makes me die..." – mruczę pod nosem wraz z zespołem Soup Dragons. – Przepraszam. – Finkle przerywa mi śpiew i wskazuje ręką na leżącą na stole za moimi plecami miskę. Z pobrudzonych serem palców spadają zlepki białego proszku i tworzą ścieżkę na dywanie w salonie Michelle Walker. Pociągam z butelki łyk piwa i tanecznym krokiem oddalam się od stolika pełnego ciasteczek, paluszków i chipsów, a Finkle w bladym świetle lampki odwraca się plecami do całego towarzystwa i urządza sobie z miską popcornu małe *tête-à-tête*.

– O rrrany, tu jesssteśśś, szszszukałam cccię – bełkocze Laura, stojąc w drzwiach kuchni i rzucając mi promienny uśmiech. Podchodzi do mnie zygzakiem, wsuwa rękę w moją dłoń i wpatruje się we mnie błyszczącymi oczami, tak że jej euforia zaczyna mi się udzielać. Podczas gdy Soup Dragons dalej jęczą z głośników, Laura pochyla się nade mną i dotyka czołem mojego, a wiszący jej na szyi kryształ górski na rzemyku uderza mnie w pierś. – Uwielllbiam tttę piossssenkę. – Nie wypuszczając mojej ręki, zaczyna tańczyć, jej biodra i ręce kołyszą się w płynnych ruchach i w oparach chmielu uderza mnie, jaka jest piękna, jaką piękną uczynił ją Sam. Podciąga dół kwiecistej sukienki z lycry, nachyla się w moją stronę i oświadcza: – Chhhyba zosssttawiłam majtki w piwnicy.

– Gdzie znajdzie je ojczym Michelle i zacznie ich używać jako ściereczki? To miłe z twojej strony, że zostawiłaś mu prezent.

– Nie ssstraszszsz mnie. – Laura traci równowagę, opiera się o stolik i o mało nie przewraca na ukochaną miskę Finkle'a. Ten otacza popcorn troskliwie ramieniem i opuszcza nas wkurzony, a potem sadowi się między dwiema parami na kanapie.

– Dobra, skarbie. Siadaj tu. Znajdę twoją bieliznę. A gdzie jest Sam? Koneser wyżej wymienionej bielizny?

– Pakuje sssprzęt do furgonetki Jake'a. – I dodaje po chwili: – Sssam ma ogromny talent.

Pomagam jej usiąść na taborecie.

– Tak, tylko Slash dorównuje twojemu nowemu chłopakowi, tyle że nie jest taki zadbany.

– Uuuuwielbiam cccię, Katie. – Laura delikatnie łapie mnie za głowę.

– A kiedyś może ty będziesz szukać mojej bielizny. – Układam jej ręce na jej kolanach.

– I zzzrobię to dla ccciebie, Katie, wieszszsz, żżże zzzrobię.

Biorę z kanapy ozdobną poduszkę z frędzlami i kładę jej na spódnicy.

– Trzymaj kolana razem – mówię jej i Laura potakuje uroczyście. Odwracam się, po czym z łokciami przy ciele zaczynam się przepychać przez ścianę dymu i dziki tłum imprezowiczów. Robię uniki wśród niedobitków wałęsających się na obrzeżach i pcham się w stronę środka, gdzie kłębią się pary nudne, kłócące się albo obmacujące, prezentujące żałosne, prowincjonalne porno w wykonaniu nastolatków.

Wchodzę do kuchni z kafelkami ułożonymi w szachownicę i przyprawiającymi o ból głowy, toruję sobie przejście wśród worków na śmieci, z których wysypują się pety oraz puszki po piwie, i docieram do drzwi wiodących do piwnicy. Zbiegam po schodach wyłożonych korkiem, mijając w połowie drogi gospodynię imprezy.

Michelle wskazuje idealnie wypielęgnowanym paznokciem na przyciemniony pokój na dole.

– Drzwi do ogrodu mają być otwarte – oświadcza mi kategorycznym tonem, jak gdybym szła tam specjalnie po to, by je zamknąć.

– Nie ma sprawy – mówię.

– Co? – odwraca się, przytrzymując poręczy, by nie przewrócić się w szpilkach mamy.

– Rozumiem, otwarte drzwi.

– Ktoś palił trawkę, gdy chłopaki grały. Czuć.

Ktoś, czyli ty?

– Świetna impreza. – Uśmiecham się. A może widziałaś majtki Laury?

– Tylko nie zamykać mi tych cholernych drzwi. – Podąża chwiejnym krokiem w stronę kuchni. Czuję, że piwo powoli zupełnie wyparowuje mi z głowy. Gdy docieram do końca schodów, moim oczom ukazuje się kompletnie zadymiony pokój, oświetlony jedynie przez akwarium ojczyma Michelle, i w tym półmroku wpadam na worek pełen pustych butelek. Przewraca się i grozi rozlaniem swojej paskudnej zawartości na dywan, który wciąż nosi ślady stojącego na nim niedawno sprzętu muzycznego. Przesuwam śmieci na mniej uczęszczany teren, w stronę przesuwanych drzwi, które wedle rozkazu są otwarte na oścież, dzięki czemu rześki majowy wietrzyk rozwiewa gęste powietrze.

– Cześć – słyszę. Moje oczy wędrują w stronę Jake'a, który kuca przy barze i patrzy w moją stronę. W niebieskim blasku

bijącym z bulgoczącego akwarium zamyka futerał na gitarę.
– Lepiej nie dotykać tych drzwi.
– Tak, wiem – rzucam lekceważąco.
Układa nuty na podłodze.
– Dlaczego – chrząka – dlaczego przez cały rok tak mnie traktujesz?
Marszczę czoło w niedowierzaniu.
– Chyba nie mówisz poważnie.
Siada z powrotem na piętach i próbuje wyrównać stertę nut, uderzając nimi o kolana.
– Owszem.
– A tamta impreza w szkole? – przypominam mu i unoszę sarkastycznie brwi.
Ciszę zakłóca jedynie bulgotanie akwarium. Jake wbija wzrok w podłogę i pociera brodę w zamyśleniu:
– To było... tak, nie zachowałem się najlepiej.
– Zgadza się – potwierdzam, odwracam się i zaczynam badać ręką tapczan. Jednak w niebieskim półmroku na niewiele się to zdaje. Włączyć światło? Albo lepiej nie. Może on jest jak plama widoczna tylko w podczerwieni? Czy świetlówka sprawi, że zniknie?
– Mhm, moja mama... – zaczyna, gdy wkładam ręce pod poduszkę, pod którą znajduję tylko stary popcorn. – Gdy wróciłem wtedy do domu, jej samochód stał rozwalony o wiąz obok garażu.
– O Boże – odwracam się w jego stronę i otrzepuję z ręki resztki soli.
– Przód był pognieciony jak puszka po piwie.
– O Boże, nie wiedziałam. Przykro mi, Jake. Nic jej się nie stało?
– Leżała nieprzytomna w hallu, więc owszem – Jake śmieje się sucho – wszystko było w normie.

– O rany, naprawdę mi przykro – mówię z głębi serca.

– Mogłeś mi o tym powiedzieć. Dlaczego mi nie powiedziałeś?

– Właśnie ci mówię. – Spogląda w moją stronę i uśmiecha się. – Nikomu innemu nie powiedziałem. – Naprawdę? – Fajna sukienka – zmienia temat.

Gładzę rękami przód sukienki ze sztucznego jedwabiu od Betsey Johnson, którą znalazłam na wyprzedaży w Filene's, namacalny dowód ponad dwudziestu godzin spędzonych na pilnowaniu bliźniaczek Habermanów.

– Dzięki – mówię, po czym dodaję niby od niechcenia: – Kupiłam ją w Bostonie.

– Nieźle. Szukasz czegoś? – Wkłada nuty do plecaka. Do wciąż spoconego po koncercie czoła lepią mu się włosy.

– Twój kumpel Sam chyba pozbawił Laurę bielizny.

– Pozbawił. – Uśmiecha się do siebie, wkładając piórko od gitary do kieszeni. – Co za wyrafinowane słownictwo.

– Rzucam się znowu na podłogę, wkładam rękę pod tapczan, a sztuczny jedwab podnosi mi się na udzie. Czuję, że Jake patrzy na mnie.

– Dobrze się bawisz? – pyta.

Wyciągam połowę złamanego żetonu do gry w pokera.

– O tak, ostatni raz pozwoliłam sobie na takie szaleństwo w trakcie wielkanocnej bitwy na jajka.

Jake wybucha śmiechem. Szczerym śmiechem. A ta gumowa opaska, która kurczy się i rozluźnia pod wpływem elektrycznych hormonalnych impulsów, od tego dźwięku ładuje się na nowo.

– Byliście świetni – oświadczam, wkładając rękę pod fotel. Naprawdę świetni. Tak że aż Jennifer-Dwa krzyczała: „Weź mnie, Jake!". – Najbardziej podobała mi się ta nowa piosenka, ta akustyczna.

– Naprawdę? – Jake uśmiecha się. – Dzięki, ale tak właściwie... – Podaje mi rękę i pomaga mi się podnieść, a potem kuca, sięga do plecaka i wyjmuje z niego suchy podkoszulek. Zdejmuje ten z nadrukiem Dinozaur Jr., w którym grał, i rzuca go na dywan. – Pracujemy z nowym wzmacniaczem i chyba dlatego spieprzyliśmy wstawkę w trzeciej piosence, poza tym bębnienie Benjy'ego było trochę chaotyczne, ale...

ORANYSKĄDWYTRZASNĄŁEŚTOBOSKIECIAŁO?

– Tak – wydaję z siebie ciche piśnięcie, choć tak właściwie nie słyszałam, o czym mówił, zresztą jakie to ma znaczenie? Pożądanie podnosi mi ciśnienie tak, jak gdyby mój samochód wykonał obrót o sto osiemdziesiąt stopni na oblodzonej autostradzie. Cofam się w stronę schodów.

Jake wkłada podkoszulek i ruchem głowy otrzepuje włosy.

– Dobrze.

Dobrze.

Uderza mnie lekki podmuch wiatru. Patrzę na niego w milczeniu.

– No to do zobaczenia jakoś przy okazji. – Podnosi futerał na gitarę i zakłada plecak. Ale zamiast wyjść przez otwarte drzwi, rusza w stronę schodów i szykuję się na to, że zaraz mnie wyminie i zniknie z mojego życia – przynajmniej tego wieczoru. Ale Jake nie idzie na górę, tylko zmierza w moim kierunku.

Zatrzymuje się. Jego twarz zaledwie centymetry od mojej, jego biodra nawet o mniej niż sekundy od moich.

– Cześć – powtarza. Tak po prostu, w drodze na górę, do wyjścia.

– Cześć.

Nie porusza się. Jest tuż przy mnie. O centymetr. O sekundę. Wyciągam rękę, wkładam mu pod koszulkę i natrafiam na napięty brzuch. Jake wzdryga się, zamyka oczy, a potem znowu otwiera i spogląda na mnie. Łowię jego spojrzenie i trzymam na sobie jego wzrok, a w tym samym czasie delikatnie przejeżdżam kciukami po linii jego dżinsów i wyczuwam pod palcami pulsowanie jego ciała. Jęk. To lepsze niż śmiech. Dużo lepsze.

Podchodzę jeszcze bliżej, zostawiam jego biodra na chwilę w spokoju i wędruję do włosów, palcami badam kształt kości policzkowych, a potem stapiamy się ze sobą, jego język z moim – smakuje piwem, papierosami i Jakiem. Futerał upada, plecak ląduje na ziemi. Nigdy przedtem tego nie robiliśmy. Twoja skóra, twoje włosy, twój dotyk są nowe, takie nowe, takie nowe – nigdy nie robiliśmy niczego innego – zawsze było tak – twoja skóra, twoje włosy, twój dotyk.

– Ta piosenka – mówi mi prosto w usta, odpinając perłowe guziki mojej bluzki, jeden za drugim, aż jego palce odnajdują wreszcie moje piersi.

– Tak? – szepczę.

– Nosi tytuł *Katie*.

Przenigdy.

I zawsze.

I przenigdy.

Siedzę oparta o łóżko naprzeciw stojącego wiatraka, a różowa wykładzina drapie mnie w uda. Jeżdżę palcem po krawędzi czarnego haftowanego bikini i otaczam kółkiem symetryczne siniaki wielkości dziesięciocentówek na kościach biodrowych – ślady, które zostawiło na mnie siedem dni z rzędu harówki Jake'a. Spalają mnie jednocześnie pożądanie i niepewność, kładę ręce na brzuchu, opieram głowę o łóżko i skupiam się na wirowaniu wiatraka. Nagle podrywa mnie dźwięk telefonu i rzucam się do słuchawki.

– Słucham? – Zaciskam na niej rękę.

– Cześć. To ja – słyszę głos Laury. – O Boże, czy to aby nie za gorąco jak na początek czerwca? Nawet cień mi spływa z powiek. Ech.

– Cześć. – Wzdycham, nawet nie starając się ukryć rozczarowania.

– Nie zadzwonił.

Kręcę ze smutkiem głową do wiatraka i włosy uderzają mi w twarz.

– Katie?

– Nie – odpowiadam i zaczynam wyciągać z wykładziny różowe włókno.

– To impreza – próbuje mi tłumaczyć Laura. – Jestem pewna, że nie mógł zaprosić wszystkich, których chciał.

– Ale ciebie zaprosił!

– Nie mnie, tylko Sama – prostuje.

Wyrywam nitkę razem z kawałkiem kleju.

– Ale pewnie powiedział: „Oczywiście, Laura też jest zaproszona".

– Pewnie przyłożył telefon do tyłka i puścił bąka.

– A Sam...

– Zrozumiał to jako zaproszenie nas wszystkich. Pierdnięcie oznacza: weź, kogo chcesz.

– Laura – wyciągam nogi. – Nie mam ochoty na żarty.

– Katie! – Laura wyje bezsilnie. – Migdaliliście się przez cały tydzień!

Spoglądam na swoje siniaki – znak mojej hańby i upokorzenia.

– Dzięki.

– W ogóle się do ciebie nie odezwał? – pyta z niedowierzaniem w głosie.

Potrząsam kostkami lodu w szklance mrożonej herbaty.

– Mnie też nie chce się w to wszystko uwierzyć.

– M o i m z d a n i e m, jesteś jego dziewczyną – oświadcza Laura kategorycznie.

– Super. Równie dobrze możesz powiedzieć, że dostanę tysiąc czterysta punktów w próbnym teście SAT.

– A twoim zdaniem nie jesteś jego dziewczyną?

– Sama nie wiem! – Słyszę za drzwiami kroki któregoś z rodziców i zniżam głos. – Wiem tyle, że pisze o mnie piosenki, zaciąga mnie w przerwach w ustronne miejsca, a teraz urządza imprezę w domku nad jeziorem i dowiaduję się o tym od każdego, kto się o mnie n i e ocierał przez cały ten tydzień!

– To jakiś absurd. Katie, jest prawie czwarta, Sam przyjeżdża po mnie za pięć minut, a potem jedziemy po ciebie.

– Nie! – Protestuję całym ciałem, tak że aż niechcący przewracam wiatrak, który zgrzyta plastikowymi łopatkami o wykładzinę i wirowym ruchem oddala się ode mnie.

– Dlaczego? – jęczy Laura.

Pociągam za kabel i wyrywam wtyczkę z gniazdka.

– A co, jeśli tam pojadę i zastanę go siedzącego ze swoją prawdziwą dziewczyną?

– Z kim na przykład? – pyta Laura sucho.

– Nie wiem. – Stawiam wiatrak z powrotem, ubijając wcześniej wgłębienie w wykładzinie, żeby się nie przewrócił.

– Z kimś, o kim nie wiemy.

– No więc dobrze – próbuje Laura. – Załóżmy, że przyjeżdżasz na miejsce, a Jake siedzi z jakąś dziewczyną, którą jego rodzice trzymali od urodzenia zamkniętą w klatce w stodole. I co wtedy?

– A co, jeśli on na mój widok przewróci oczami i powie coś w stylu: „Co ty tutaj robisz”?

– Wtedy ty pokażesz mu siniaki.

Wycieram ręce o wilgotne żebra.

– Albo jeszcze gorzej: uda, że mnie nie zna?

– Wciąż optuję za siniakami.

– Ale przecież są jakieś zasady i jeśli po prostu zjawię się tam bez zaproszenia...

– Katie, zrozum, n i k t nie został zaproszony. Jake nie wysyłał zaproszeń na papierze czerpanym. Po prostu mruknął coś kilku osobom...

– Kathryn – Mama włącza się na drugiej linii.

– Już kończę.

– Jeśli nigdzie nie wychodzisz, to może skosisz trawnik? – proponuje.

– Mamo!

– To była tylko sugestia. – Kliknięcie.

– Uwielbiam sposób, w jaki mówi takie rzeczy. – Kiwam głową z niedowierzaniem. – Brzmi to tak, jakby pytała: „Co powiesz na kąpiel w jacuzzi?".

– Po prostu przyjdź, proszę. No, szybka decyzja. Muszę jeszcze opłukać twarz, zanim Sam przyjdzie. Znowu się spociłam.

– Dobrze, zatem... – Biorę głęboki oddech.

– Katie, idziesz na tę imprezę z resztą naszej klasy, i bez dyskusji. Zaczeszesz włosy do tyłu, wciśniesz się w swoje czarne bikini i zobaczysz, szczęka mu opadnie.

Gdy Sam wiezie nas polną drogą, jestem zupełnie roztrzęsiona, próbuję się więc uspokoić, skupiając się na fascynującej czynności: przyklejaniu spoconej skóry do skajowego siedzenia, a potem jej odrywaniu. Gdy dojeżdżamy na miejsce, gdzie stoi już mnóstwo samochodów, Laura sięga do tyłu ręką i ściska mnie za kolano.

– Zapowiada się nieźle. – Sam zatrzymuje samochód i wyłącza silnik, dzięki czemu słychać teraz wyraźnie brzęczenie cykad, które wznosi się i opada na tle śmiechów i dźwięków pluskającej wody. Wychodzę z samochodu i stawiam nogi na nieskoszonej trawie, która drapie mnie po kostkach, a potem zdejmuję gumkę z włosów i odrzucam je do tyłu. Doganiam Laurę i Sama, którzy wyszli już na pylistą drogę, i idę razem z nimi, z ręcznikiem na ramionach i żołądkiem w trampkach. Sam podłapuje odległą melodię, która unosi się nad drzewami, i zaczyna ją mruczeć, po czym bierze Laurę za rękę i wszyscy skręcamy na ocienione pobocze drogi.

Dochodzimy do miejsca, gdzie kończą się dęby, obchodzimy ostatni zaparkowany samochód i oto naszym oczom ukazuje się mały drewniany domek na szczycie pagórka schodzącego wprost do wody. Opuszczam głowę i sponad okularów przeciwsłonecznych spoglądam na twarze osób siedzących wokół beczki piwa trzymanej w cieniu wierzby, której gałęzie dotykają wody. Ani śladu Jake'a. Przebiegam wzrokiem gromadki rozsiane po trawie, ganku, na brzegu jeziora. Ani śladu Jake'a. Jest też miejsce, gdzie na ręcznikach opalają się Kristi i jej banda. Kristi o rozjaśnionych włosach kiwa głową w moim kierunku, a wtedy reszta dziewczyn podnosi się na łokciach i spogląda na mnie przez swoje lustrzane okulary. O Boże. Jest źle. Jest tragicznie. Nie mogę... to było... nie powinnam...

Nagle słyszę jego głos.

— Właśnie mieliśmy spuszczać łódkę na wodę — mówi, a jego dłonie obejmują mnie w pasie od tyłu. Jake przyciąga mnie do siebie i czuję na sobie dotyk jego chłodnej, wilgotnej skóry. — Dlaczego tak długo was nie było? Macie ochotę na narty wodne?

— Jasne. — Wzruszam ramionami i uśmiecham się przepraszająco do Laury.

Jake śpiewa, a ja siedzę oparta o niego, tak że wibracje przechodzą również przez moje ciało. Nasze ręce obejmują butelkę piwa usadowioną w fałdach wełnianego koca. W ognisku gałęzie ustawione w rusztowanie zapadają się i rozsiewają wokół bursztynowy blask, który oświetla opalone twarze i wysyła iskry w czyste nocne niebo, mijając po drodze czarne kontury drzew. Benjy z zamkniętymi oczami bębni palcami w puszkę piwa i porusza głową do rytmu. Obok niego na pniaku siedzi okrakiem Todd, pochyla się nad swoją gitarą, obejmuje ją i gra, a włosy opadają mu na oczy. Laura, szczęśliwa i uśmiechnięta, opiera się o Sama, ułożona wygodnie pod jego gitarą. Wyciąga do mnie rękę, a ja odwzajemniam jej gest i dotykamy się palcami, a potem chowamy je z powrotem. Kristi, Jeanine i cała reszta siedząca w kręgu wokół huczących płomieni ma oczy zwrócone na Jake'a, który zaczyna mruczeć początek następnej piosenki, a ja zamykam oczy i nagle wszystkie problemy stają się tak odległe, jak rozsiane po nocnym niebie gwiazdy.

Jake promienieje. Stoi na pierwszym stopniu schodów, które prowadzą na piętro, w tym do jego sypialni, i zdaje się świecić od środka. Oglądam się za siebie i widzę, że to popołudniowe słońce sączące się przez witraż nad wejściem do domu Sharpe'ów wywołało to złudzenie. Z zachwytem obserwuję, jak kolory igrają na błyszczących boazeriach i rozszczepiają się w tęczową aureolę. Nieświadomy, jaki rozsiewa wokół blask, Jake przechyla głowę i włosy opadają mu rozkosznie na twarz.

– To nie *fair*. – Zakładam ręce na piersi i staram się twardo trzymać powziętego wcześniej postanowienia, że będziemy się razem uczyć do egzaminów końcowych. – Wyznaczyłam w punktach, co mamy zrobić. Musimy się trzymać harmonogramu. – Zaciskam dłonie razem. Jake ostentacyjnie wzrusza ramionami, unosząc przy tym białą koszulę, którą moje zabłąkane palce wyjęły z jego spodni zaraz po tym, jak zatrzasnęły się za nami ciężkie drzwi frontowe jego domu. – Nie patrz na mnie jak na wariatkę.

– Przecież jesteś wariatką – oświadcza tak słodko, że w jego ustach określenie to brzmi jak komplement. Siada na schodach, przyciąga mnie do siebie i zaczyna wędrować rękami do góry po tyłach moich gołych nóg.

Niechętnie łapię je przez sukienkę.

– Jake, jeśli pójdziemy na górę, nie uda nam się niczego nauczyć, wiesz o tym równie dobrze jak ja.

– Masz rację. – Jake osuwa się całym ciałem na schody. Puszczam jego ręce i wbrew sobie wyplątuję się z jego objęć, po czym kieruję się w stronę wejścia, gdzie oboje zrzuciliśmy plecaki, po to żeby zabrać swój.

– No chodź. – Kiwam na niego palcem, kierując się w stronę kuchni. – Po prostu otwórzmy książkę. Jedną książkę. To przecież nie jest żaden ogromny wysiłek. I to gdzieś n a p a r t e r z e.

– Katie, wiesz przecież, że nie znoszę tu siedzieć. Chodźmy do mnie na górę albo do piwnicy, obiecuję, że będę grzeczny.

– Dobrze, niech będzie piwnica.

– To idź pierwsza, a ja wezmę jeszcze coś do jedzenia.

– Kieruję się w stronę tylnego korytarza, kręcąc ponętnie biodrami, a Jake daje mi na odchodnym klapsa w tyłek. Już mam wejść na schody wiodące do piwnicy, kiedy moją uwagę przykuwają uchylone drzwi sąsiedniego pokoju. Zaciekawiona, zaglądam do środka i moim oczom ukazuje się zasobna biblioteka: cztery ściany wspaniałych książek oprawionych w niebieską skórę. Właśnie czytam tytuły, gdy Jake wkłada głowę do środka, a w rękach ma dwie tubki chipsów.

– Śmietankowe czy zwykłe? – pyta.

– Zwykłe. Co to jest? – Wskazuję wzrokiem na małe kolorowe kostki ułożone między książkami.

– Hotelowe mydełka. Za każdym razem, gdy tata wraca z podróży, przywozi mi jedno. Pewnie w dzieciństwie bardzo lubiłem je rozpakowywać i potem przerodziło się to w tradycję, tak myślę. – Podążam za jego wzrokiem w kierunku półki nad drzwiami, gdzie stoją ułożone w piramidę małe paczuszki opakowane w jasny japoński papier *washi*.

– Pracuje dla Sandersona, tak? – Podnoszę szklany przycisk do papieru w kształcie żołędzia leżący wśród jemu podobnych na stoliku.

– Wciąż dają na święta każdemu pracownikowi po jednym. Ma ich już jakieś dwadzieścia. Jak dużo przycisków do papieru potrzebuje jeden człowiek? – Jake wywija tubką chipsów. – Chodź, Katic, idziemy stąd.

Podnoszę szklany żołądź w kierunku światła, tak że mieni się tęczowym blaskiem.

– Czym się zajmuje twój tata?

– Światłowodami. Sprawuje jakiś nadzór regionalny. – Kładzie chipsy na biurku. – To znaczy kiedyś była to firma o zasięgu regionalnym, teraz jest międzynarodowa.

– Więc teraz twój tata dużo podróżuje? – pytam, zastanawiając się, jak ktoś mógł zbudować tak niezwykłe sanktuarium i potem wcale w nim nie przebywać.

– Cały czas. Ale przecież to nie jego wina, prawda?

Nie mam pojęcia, jak odpowiedzieć na to pytanie.

Na szczęście w tym samym momencie jego ręka obejmuje mój kark i wszystkie pytania, wszystkie myśli dotyczące czegoś innego niż to, co dzieje się w tej chwili, odpływają daleko. Jak zwykle słowa zaplanowanej wcześniej mowy rozpraszają się, miękną i znikają, i zostaje tylko czyste pragnienie. Ręce Jake'a schodzą w dół, rozpinają mi bluzkę i jego dotyk staje się bardziej intensywny, gdy odkrywa, że mam na sobie przezroczystą koronkową koszulkę w kremowym kolorze, którą znalazłam wczoraj wieczorem w garderobie Mamy. Wpijam się w niego wargami i przejeżdżam językiem po wyszczerbionej krawędzi jego górnego zęba.

– Jak go sobie ułamałeś? – pytam, nie odrywając się od jego ust.

– Uderzyłem w samochodzie o deskę rozdzielczą, gdy miałem siedem lat.

Odchylam głowę do tyłu.

– Nie byłeś przypięty pasami?

Moja bluzka upada na ziemię, Jake chwyta mnie za nadgarstki i przytrzymuje je za moimi plecami. Gryzę jego wargę. Śmieje się głęboko, prowadzi mnie tyłem aż do wielkiego akwarium wbudowanego w ścianę. Odwracam się, by mu się lepiej przyjrzeć.

– Nie ma w nim rybek – mówi z żalem Jake, klęcząc przede mną, z policzkiem na moim udzie. – Zawsze zdychały i moja mama miała tego dość, a potem i ja się poddałem, więc teraz jest tu tylko dla ozdoby.

– Szkoda – stwierdzam wciąż wpatrzona w akwarium, jak gdyby z gipsowej rafy miało wypłynąć jakieś ocalałe stworzenie. – Żal mi wszystkich, którzy chcą mieć w domu zwierzęta, a nie mogą.

– No cóż, z pewnymi rzeczami trzeba się pogodzić. Ale tacie to się podoba. Gdy był w Hongkongu, powiedziano mu, że woda w przestrzeni, w której się pracuje, wpływa korzystnie na energię twórczą... – Przerywa mu hałas zagłuszający bulgotanie wody. Z frontowej części domu dobiega nas ostry, nieludzki krzyk. Spoglądam na kamienną twarz Jake'a, który zastygł w bezruchu.

– Jake? – szepczę.

Krzyki słychać coraz bliżej, najwyraźniej szukają celu. Można już wyróżnić poszczególne zdania: „Już rzygam tym wszystkim, na cholerę komu taki ojciec?!". Dotykam ramienia Jake'a, który otrząsa się i wstaje. „Gdzie jesteś, do cholery? Na dole?!" Wpada do środka, zziajana, cała czerwona na twarzy.

– Ile razy mam ci powtarzać, żebyś nie zostawiał tego pieprzonego plecaka w hallu, bo się o niego potykam, ty śmieciu... ty nędzny...

– Przepraszam, mamo – mówi Jake cicho i przepraszająco. – Jak się udał mecz?

Dopiero teraz wzrok pani Sharpe pada na mnie. Milknie na chwilę, wciąż ciężko dysząc, a gdy się odzywa, ton jej głosu jest już niższy o oktawę.

– Zaczęło padać. – Trzęsącą się ręką poprawia kucyk. – Barbara mnie podrzuciła. – Cofa się do wyjścia. W plisowanej sukience do tenisa i nieskazitelnie białych adidasach jej postać odznacza się wyraźnie na tle ciemnego perskiego dywanu. – Czy twój gość zostanie na kolację?

– Z przyjemnością, hm, dziękuję. – Jak Boga kocham, Wariatka. – Przepraszam, nie przedstawiłam się. Jestem Katie. – Macham do niej z odległości kilkunastu metrów, która dzieli ją i mnie, a jednocześnie moje ciało od koszuli, która powinna je zakrywać. – Bardzo miło panią poznać. – No, co się tak gapisz? To są moje sutki. Sutki, Wariatko.

– Kolację mamy o siódmej. Mam nadzieję, że lubisz łososia. Przypuszczam, że tak – odpowiada za mnie, oddech wciąż jej się rwie. – Zrobię kilka martini i się przebiorę. Jake, możesz nasłuchiwać, czy ktoś dzwoni do drzwi? Humboltowie mają wkrótce przyjechać, otwórz im, dobrze?

– Jasne.

Wychodząc, posyła w moją stronę wymuszony uśmiech.

Schylam się po bluzkę i zapinam ją pod szyję, aż do ostatniego guzika.

– O Boże, wszystko w porządku?

– Chodź. – Jake rusza w stronę piwnicy, a ja za nim, nie wiedząc, co powiedzieć. – Zamkniesz drzwi? – mówi niby od niechcenia. Na dole włącza światło, stereo i wzmacniacze i zaczyna stroić gitarę. Przestrzeń wypełnia się ciepłym, kojącym dźwiękiem. Pomagam mu, jak gdyby nic się nie stało, a potem wyciągam podręcznik do historii i otwieram go, ale tylko wpatruję się tępo w kartki, jakby były zapisane cyrylicą.

– Katie, podasz mi telefon? – odzywa się Jake po chwili, więc sięgam za plecy i wręczam mu głowę plastikowej kaczki.

Benjy spogląda na zegarek.

– Mam jutro egzamin z matmy, stary. Nie wiem, co my tu w ogóle robimy.

Wdzięczna, że ktoś inny wreszcie o tym wspomniał, wstaję i zaczynam zapinać plecak.

– Jake, naprawdę muszę iść się uczyć.

– No co wy, zostańcie! – błaga Jake. Sam, w koszulce mokrej od potu, odwraca się w naszą stronę.

– Dobra. – Pokonany Benjy podnosi pałkę, a ja siadam na podłodze. – Jeszcze raz. Ale na tym koniec. Muszę zdać ten egzamin.

– Sam?

– A co wy na to, żeby zagrać to tak? – Powtarza kawałek, który ćwiczyli przez ostatnie pół godziny, tyle że szybciej i z dodatkiem paru dźwięków w tonacji molowej.

– No, niezłe – mówi zasłuchany Jake. – Naprawdę niezłe, świetne.

– Jake? – Todd podnosi palec do góry i opuszcza go, gdy zdaje sobie sprawę, że wygląda jak kretyn.

– Todd, i ty przeciwko mnie?

– Nie. To znaczy sam nie wiem. – Czerwieni się zakłopotany. – Co mam zrobić?

– Co? – pyta Jake, wciąż zasłuchany w graną przez Sama melodię.

– Czy też powinienem coś zmienić? – pyta Todd lizusowskim tonem, który przyprawia mnie o mdłości.

– Nie, jest w porządku. Niczego nie zmieniaj.

Otrzymawszy odpowiedź, Todd uśmiecha się do gitary, a potem ze skupieniem wystawia na zewnątrz koniuszek języka.

– Dobra, chłopaki. No, to jeszcze raz. Jest dziś z nami moja muza, więc dajmy czadu i niech pieje z zachwytu. – Bo siedzę dalej. Bo nie mogę wyjść, ponieważ po tym, co dziś zobaczyłam, nie mogłabym go tak zostawić. Macham do niego radośnie znad książki do fizyki. A wtedy znów zaczynają grać, zespoleni w jednym rytmie i jednej melodii, która otacza Jake'a jak muzyczna aura.

15

23 grudnia 2005 roku

Wchodzę do kuchni, wciągając przez głowę najgrubszy norweski sweter Taty. Mama stoi przy zlewie z pochyloną głową, jej ręka z furią porusza się do przodu i do tyłu, a znad lejącej się z kranu wody unosi się strużka pary. Podchodzę prosto do ekspresu do kawy, wiedząc, co mnie czeka.

– Cześć – mówię.

Mama odwraca się, trzymając w żółtej rękawiczce niebieską drucianą myjkę, i podciąga policzkiem rękaw swetra.

– I co?

Biorę z suszarki blaszany kubek.

– Po pierwsze, Mamo, przepraszam cię za ostatnią noc. Ja go tu nie zapraszałam. To z pewnością nie było częścią mojego planu...

– Zarezerwowałam ci bilet na samolot, który odlatuje godzinę po naszym, z Burlington, dzisiaj po południu. Lecimy przez Atlantę, a ty przez Chicago, niestety, nic lepszego nie udało się załatwić. Zresztą i tak dobrze, że jest to.

– Co? O nie. – Podnoszę dzbanek z kawą. – Myślałam, że wyjeżdżacie jutro rano.

– Takie mieliśmy plany, ale na szczęście udało nam się jeszcze kupić bilety na dzisiaj.

– Rozumiem – mówię ostrożnie, nie chcąc się pogrążyć jakimś nierozważnym słowem, więc tylko kiwam głową i skupiam się na nalewaniu kawy, a potem podchodzę do stołu, gdzie czeka na mnie rozłożony „Croton Sentinel". Opieram się pokusie sprawdzenia, co tam napisano, bez słowa podnoszę gazetę z Jakiem na pierwszej stronie i rzucam ją na krzesło obok, rozbawiona zdjęciem Main Street i powitalnego transparentu kołyszącego się na wietrze.

– Czytaj. – Mama rzuca z brzękiem na suszarkę wyczyszczoną patelnię do naleśników.

– Mamo. – Wzdycham.

– Czytaj.

Podwijam nogi pod nocną koszulę, poprawiam się na twardym drewnianym krześle i przebiegam wzrokiem artykuł, który różni się od zwykłej papki tylko informacjami o zdobytych przez Jake'a sprawnościach skautowskich.

– Już – oświadczam i zaczynam składać gazetę.

– Czytaj dalej. – Mama stoi w rogu blatu, przytrzymując się rękami prostopadłych krawędzi.

– Może po prostu powiedz mi... – A wtedy mój wzrok pada na moje imię. Biorę stronę do rąk i pot zaczyna mi spływać po karku: okazuje się, że nowy singiel Jake'a, którego tytuł bynajmniej nie został zmieniony na *Tallulah*, wyszedł dzisiaj rano. – Cholera – klnę pod nosem i czuję, że nagle zaschło mi w ustach.

– Zrobię ci omlet, a potem możesz zacząć się pakować.

– Nie mam niczego do pakowania – mruczę i staram się wymyślić jakąś wymówkę.

Mama otwiera lodówkę, po czym wyciąga z niej karton jajek i porcelanową maselniczkę.

– Więc co tam masz do zrobienia. Wyjeżdżamy w południe.

– Ja nie... nie jestem gotowa... – Przejeżdżam palcami po głowie, a Mama w tym czasie rozbija jajko i w glinianej misce z furią ubija je na pianę. – Nie jadę dzisiaj.

– Katie, nie będę owijać w bawełnę. Nie życzę sobie, żeby jego noga postała w tym domu ani nawet na moim ganku czy trawniku.

– Rozumiem, ja też sobie tego nie życzę.

– Jakoś ci nie wierzę. – Uderza trzepaczką o brzegi miski i żółta maź skapuje z metalowej sprężyny. – Wiesz, że tylko dostarczasz mu nowego materiału. – Przejeżdżam dłońmi po twarzy. – Kate, to narcyz. – Mama wylewa kleistą miksturę na skwierczące masło. – Ten człowiek potrafi tylko brać. Ktoś, kto naraził nas na coś takiego, nie zasługuje na wybaczenie.

– Dobrze, ale to nie dotyczy ciebie. – Przecieram rękami oczy i oświadczam nieopatrznie: – Ty nie jesteś w to wszystko bezpośrednio zamieszana.

– Jake Sharpe nie oszczędza nikogo! – krzyczy Mama.

W tym samym momencie z mojej torebki leżącej na skórzanym taborecie przy drzwiach rozlega się wibrowanie i elektroniczna wersja uniwersyteckiego hymnu *Good Old Song* – dzwonek przypisany do Beth. Mama rzuca łopatkę na wpół surową papkę smażącą się na patelni, zwija fartuch w kulkę i ciska go na stół, po czym wychodzi z kuchni.

Przez powieki przechodzi mi nagły skurcz, wygrzebuję z torebki jednocześnie krople do oczu i telefon, stęskniona za tą normalnością, której symbolem są moi znajomi z Charlestonu.

– Gdzie jesteś, do jasnej cholery?! – drze się Beth w słuchawce.

– Wystawię telefon za okno, żebyś mogła usłyszeć ryczenie krów.

– A ja przystawię telefon do radia, żebyś mogła usłyszeć swoją serenadę.

– Skurwiel. – Odchylam głowę do tyłu, zakraplając oczy.

– Tak, o mało nie wpadłam w poślizg, gdy to usłyszałam. Kiedy on to napisał i czy to oznacza, że wychodzisz za niego za mąż?

– Co? O Boże, nie! – Mrugam oczami i wreszcie wszystko wokół staje się wyraźne. – To było w jedenastej klasie, kiedy nawet z nim nie rozmawiałam, co chyba o czymś świadczy, i nie, nie wychodzę za niego, no co ty?

– I dopiero teraz to wydał? Widziałaś się z nim?

Biorę do ręki fartuch z motywem truskawki, prostuję pomięty materiał i odwieszam go obok kuchenki. „Boże, wyglądasz przepięknie".

– Tak.

– I...?

– Wierz mi, chciałabym ci powiedzieć coś innego. – Wyciągam łopatkę, chwytam niebieską patelnię za rączkę i potrząsam nią nad ogniem. – Ale spotkaliśmy się i było tak, jakbyśmy się nie widzieli tylko kilka godzin.

– Spokojnie, to tylko chemia. Zaczekaj – mówi do mnie i słyszę w słuchawce: – Poproszę grzanki z masłem i czarną kawę.

– Pieprzyć chemię. – Na wzmiankę o grzankach sięgam ręką do drewnianego chlebaka i odrywam kawałek plecionego rogala. Oglądam się za siebie i na widok zakrzepniętych grudek z obrzydzeniem zakręcam czarny kurek. – Gdzie jesteś?

– W samochodzie, w drodze do taty. Właśnie kupuję śniadanie.

– Robert jest z tobą? – pytam z ustami pełnymi maślanej bułeczki.

– Dzisiaj musiał jeszcze pracować, więc dojedzie jutro z psem. Poza tym woli mieć swój samochód, żeby móc w razie czego zwiać w każdej chwili. – W telefonie rozlegają się jakieś trzaski.

– Beth? Słyszysz mnie?

Po chwili jej głos znów staje się wyraźny.

– ... ale to było dwa dni temu. A teraz powiedz, jak ci się udała tamta randka?

Odrywam kolejny kawałek bułki i próbuję wyczarować obraz swojego prawdziwego życia.

– Muszę przyznać, że fantastycznie: facet wybrał fajną, małą restauracyjkę. Jest inteligentny, dużo bardziej oczytany, niż się spodziewałam, i ma niezłe poczucie humoru. A do tego świetnie całuje.

– Mmm.

– I położył mi rękę na twarzy, wiesz jak. – Rumienię się na wspomnienie tamtej chwili.

– Uwielbiam to. – Wzdycha.

– I na chwilę wplótł mi ręce we włosy, wiesz jak – mówię z rozmarzeniem.

– Fantastycznie. – Beth wzdycha znowu. – Cudownie.

– Ale pamiętaj, że jestem Królową Pierwszej Randki. Pewnie skończy się tak, że pojedzie na święta do domu i albo natknie się na swoją byłą dziewczynę i zwiąże z nią na nowo, albo zginie w paskudnym wypadku podczas krojenia bożonarodzeniowego indyka.

– Albo wróci ze świąt, nie mogąc się doczekać, aż znowu cię zobaczy – oświadcza Beth ze swoim tradycyjnym optymizmem.

Wyciągam z kredensu słoik śliwkowych konfitur.

– To będzie moje noworoczne życzenie.

– Moje też. A poza tym co słychać?

Przecieram oczy.

– Wczoraj był najdłuższy dzień mojego życia, nie przesadzam. – Wrzucam patelnię oblepioną zaschniętymi jajkami do zlewu i polewam ją płynem do zmywania naczyń, który skwierczy w kontakcie z gorącym metalem.

– Jestem z ciebie dumna, Kate. Wreszcie coś z tym robisz.

– Możemy to tak nazwać. – Rozglądam się po w połowie zdemontowanej kuchni i pustych półkach, gdzie kiedyś leżały książki kucharskie. – A na domiar złego zaczęłam święta z rodzicami dwa dni wcześniej.

– I jak?

– I jest ta sama jazda co zwykle. – Podnoszę kawę ze stołu.

– Spędzamy wakacje na Florydzie. Chodzimy z Mamą na zakupy. Z Tatą smażymy ryby na grillu. Jest wspaniale. To samo, gdy odwiedzają mnie w Charlestonie. Ale tu... my...

– Powtórka z najlepszych urywków z przeszłości?

– Właśnie. – Biorę do ust łyk ciepławej kawy. – A mówiąc o tym, Mama wyszła w połowie seansu, więc...

– Będziesz mnie o wszystkim informować?

– Jasne. – Wycieram usta wierzchem dłoni, a mój wzrok znowu pada na ten kretyński transparent.

– Tylko nie daj się sprowokować. Dla niego nie warto padać ofiarą paparazzich.

– Wystarczy, że on sam jest ofiarą paparazzich.

– Wystarczy, że on w ogóle jest ofiarą.

Wybucham śmiechem.

– Uwielbiam cię, Beth. Bezpiecznej podróży.

– Tobie również, Kate. Tobie również.

Zamykam klapkę od telefonu i kończę kawę. Wrzucam ze stukotem kubek do zlewu i mój wzrok pada na leżące na stole bilety. Łapię je i wbiegam po dwa stopnie po schodach wiodących na strych. Chwytam koniec barierki, podnoszę dół nocnej koszuli, by wejść na górę, i krzyczę:

– Słuchaj, Mamo, jeśli chcecie jechać wcześniej, to rozumiem, ale ja przebukuję swój bilet...

– Dostała nowe? – Na mój widok Tato, który klęczał do tej pory pod okapem na drugim końcu strychu, podnosi się. Mój wzrok przyzwyczaja się do półmroku i zaczynam lawirować przez labirynt otwartych kartonów do miejsca, w którym stoi i prostuje plecy. – Mówiłem jej, żeby tego nie robiła.

– Przepraszam, myślałam, że jest tu Mama. – Kaszlę od kurzu, zaniepokojona tym, co widzę, bo wygląda to tak, jakby Tato wpadł w szał i zaczął odpakowywać wszystkie pudełka z powrotem. – Co tu się dzieje?

– Mama wyszła. Co ty jej, u licha, powiedziałaś? – Wyciera zabrudzone ręce o spodnie. – Była wściekła.

– Nic takiego.

– Nie znoszę, gdy jest w takim stanie – stwierdza, przecierając okulary rąbkiem swetra.

– A więc co tu się dzieje? – Wskazuję głową na bałagan na strychu.

– Po prostu chciałem sprawdzić, co tu jest, i wszystko uporządkować – wyjaśnia Tato. Wokół jego stóp piętrzy się unikalna kolekcja dzieł Henry'ego Thoreau w szmaragdowej oprawie. Ta, którą wtedy zabrał ze sobą.

– Nigdy nie odłożyłeś ich z powrotem na półkę? – pytam cicho.

– Nie. Gdy wróciłem... – Odwraca głowę i wskazuje wzrokiem na stos sięgający kolan. – Kładź wszystko tutaj. – Serce zaczyna mi szybciej bić na te słowa, ale Tato pogania mnie, wskazując drogę między stojakami z ubraniami wiodącą do stosu pudeł. – O, tutaj, pomóż mi.

Podchodzę do wskazanego miejsca, otwieram pudełko i moim oczom ukazują się upchane zwierzaki.

– To można spokojnie wyrzucić.

– Nawet Pana Sonia? – Tata staje obok mnie, sięga ręką do pudełka i wita się z pogniecionym futrem, po czym rozprostowuje jego zmięty tułów. Przysuwa zwierzaka do mojej twarzy i dotyka trąbą mojego nosa. Cofam się i znowu kaszlę. – Nie mogłaś wymówić „słoń". – Spogląda w jego pomarszczony pyszczek. – Jakieś dziecko na pewno go pokocha.

– Myślę, Tato, że to jest zbyt zakurzone na dary, tym bardziej że teraz tyle dzieci cierpi na astmę.

– Jasne, masz rację. – Wkłada słonia z powrotem do pudełka i zamyka je.

Rozglądam się wokół, obejmując wzrokiem zarówno kolorowy bałagan pamiątek z mojego dzieciństwa, jak i pudła pełne rzeczy Taty, które zabrał ze sobą w tamtym czasie, gdy dla każdego z nas o mało nie zaczęło się drugie życie.

– Można się tego pozbyć.

– Tego wszystkiego? Tak, racja, racja.

– Tato? – Dotykam jego ramienia. Otrząsa się i spogląda na mnie przez promienie słońca, które padają ukośnie nad krzesłami ustawionymi pod oknem. Oczy ma mokre od łez. Czuję, jak coś mnie ściska w dołku. – Tato? – powtarzam.

– Nic mi nie jest, Katie, to tylko kurz. Skoczysz na dół i przyniesiesz mi chusteczkę?

Kiwam głową i zaczynam kluczyć między pudłami w stronę jasnej dziury w podłodze.

– Katie?

– Tak? – odwracam się.

– Weź ją. – Podnosi z ostatniego pudła swoją starą uniwersytecką marynarkę, z naderwaną naszywką. – Możesz oddać ją do pralni, zreperować naszywkę i będzie prawie jak nowa.

– Jasne. Dzięki. Odłóż ją dla mnie, dobrze? – odpowiadam łagodnie, mając nadzieję, że zapomni, ponieważ wiem, że nie mogłabym jej wyrzucić, a nie chcę jej targać do domu.

– To może weź ją od razu na dół. – Podaje mi ją.

183

– Dobrze. Zaraz wrócę. – Podchodzę po skrzypiącej podłodze, by zabrać marynarkę, i pośpiesznie opuszczam strych.

Ostrożnie otwieram drzwi wiodące do ogrodu, tyłem, gdyż w obu rękach trzymam dymiące kubki gorącej czekolady. Staram się trzymać je prosto, stąpając twardo po pokrytych śniegiem stopniach. Zasypany ogród lśni w promieniach późnopopołudniowego słońca, które odbijają się od anteny satelitarnej Langdonów i padają na lodową pokrywę.

– Keith, uważaj, bo wybijesz bratu oko! – Laura siedzi przy suchym narożniku piknikowego stolika i nadzoruje budowę bałwana. – Dziękuję – mówi do mnie, biorąc ode mnie kubek. Przysiadam się do niej i zaczynam nasłuchiwać.

– Słyszysz coś?

– Na przykład?

– Dźwięk nadjeżdżającego samochodu albo skrzypienie roweru na śniegu. Albo kicanie królika z liścikiem przywiązanym do szyi. – Przez chwilę obie wyciągamy szyje, nadstawiając uszu jak dwa labradory. – Albo też wściekłą kobietę w hondzie.

– Katie! – rozlega się krzyk nad nami. Podrywam się i zadzieram głowę do góry, w stronę strychu, gdzie z okna wygląda Tato.

– Tak? – Osłaniam oczy ręką.

– A co z twoimi sankami? Jest na nich twoje imię.

– Od dzisiaj kolekcjonerzy zaczną na nie polować! – odkrzykuję i odwracam się w stronę Laury. – Chcesz sanki Katie, które ważą sto funtów?

– W sumie mam dwóch tragarzy do ciągnięcia ich pod górkę w drodze do domu – zastanawia się na głos Laura. – Więc jasne, czemu nie.

– Laura je weźmie, Tato! – krzyczę do góry.

Tato kiwa głową i zamyka okienko.

– Może powinnyśmy mu pomóc? – szepcze Laura sponad kubka.

– Nie, nie trzeba. Pomagałam mu przez chwilę przed południem. I nie bój się, nie usłyszy cię.

– A ona dalej nie włączyła telefonu?

– Mhm. Dlatego Tato jest w takim stanie. – Popijam czekoladę. – Ale pakowanie jest lepsze niż robienie domków dla ptaków.

– O, uwielbiałam jego domki dla ptaków – mówi Laura z nostalgią. – Pomijając nawet ich terapeutyczną właściwość, trzeba przyznać, że były naprawdę urocze. Wciąż mam ten mój. Wiewiórki go kochają.

– Naprawdę? A z naszych zrobiliśmy ognisko, gdy prozac wreszcie zaczął działać. – Zwieszam głowę.

– Och, Katie, wszystko będzie dobrze. – Klepie mnie pocieszająco po plecach. – Przecież takie zmiany nastroju są normalne, skoro odstawił... jak się to nazywa?

– Zoloft.

– To normalna reakcja, prawda? Keith, uważaj! – krzyczy tak ostro, że aż podskakuję, a potem kręci głową. – W zeszłe święta bawiłam się z nimi, rzucaliśmy śnieżkami, lepiliśmy bałwana, ale w tym roku... – Pociera swój wystający brzuch. – Nie zrozum mnie źle, cieszę się z tego dziecka, ale szczerze mówiąc, nie mam pojęcia, jak to będzie za miesiąc. Matka Sama mi pomoże, ale... to było zupełnie nieplanowane.

– Naprawdę?

– Tak... uważaj na oczy! – Gwałtownym ruchem wyciąga rękę do przodu i czekolada rozlewa się jej na rękaw. Klepię ją po ręce rękawiczką Mamy, żeby wchłonąć płyn.

– Dlaczego mi o tym nie powiedziałaś?

– Bo wstyd mi się było przyznać, że mam trzydzieści lat i nie potrafię się zabezpieczyć. – Wzrusza ramionami i mimo swojego brzucha wygląda jak zakłopotana dwunastolatka.

Odwracam się w jej stronę.

– Hej, hej – mówię delikatnie i trącam ją kolanem, aż wreszcie podnosi na mnie oczy. – Moja Mama urodziła mnie, gdy była jeszcze w klasie maturalnej. Zabierała mnie na wszystkie egzaminy końcowe w koszyku dla niemowląt. To tak mówiąc o rzeczach zupełnie nieplanowanych. I chyba skutki nie są najgorsze – stwierdzam z nadzieją, że podsumowanie to dotyczy również mojej obecnej sytuacji.

– Ale wciąż boisz się zamkniętych pomieszczeń.

– Owszem. I egzaminów również.

Uśmiecha się, wyciąga z kieszeni opakowanie sera i otwiera je.

– Dzięki za pocieszającą gadkę – mówi i wkłada trochę sera do ust.

– Nie ma sprawy, zawsze do usług. Mogę cię uraczyć pocieszającą gadką przy porodzie i później. Mogę cię również zalewać potokiem wspierających słów, gdy chłopcy będą kończyć szkoły.

– Ciii... – Laura podnosi palec i zastygamy w bezruchu, bo oto jakiś samochód zbliża się... mija nasz dom... i jedzie dalej. W stronę normalnych ludzi. – Czy on coś powiedział? – pyta, wkładając pusty papierek z powrotem do kieszeni i podnosząc zielony kubek do spierzchniętych warg.

– To znaczy?

– Coś na temat godziny. Czy powiedział coś, co jest związane z czasem, porą dnia i ruchem obrotowym Ziemi? – dmucha na gorącą czekoladę, a potem łyka ostrożnie.

– Powiedział tylko, że przyjdzie i mnie znajdzie. – Przejeżdża kolejny samochód. – Mam poprawić błyszczyk?

– A ja mam ci przyłożyć? – pyta. Nagle odzywa się moja komórka i obie nieruchomiejemy. Wyjmuję ją z kieszeni i na widok numeru kierunkowego Charlestonu emocje natychmiast z nas opadają.

– Słucham?

– Kate? – W telefonie odzywa się głos asystentki mojego szefa. – Przepraszam, że ci przeszkadzam.

– Cześć. Nie przeszkadzasz. Coś się stało? – Asystentka zaczyna wyjaśniać, o co jej chodzi, a ja rzucam bezgłośne „przepraszam" w kierunku Laury, która macha ręką na znak, że nie ma sprawy. Odchodzę od stolika w poszukiwaniu lepszego zasięgu, bo moje uszy dostają na przemian dawkę pilnych informacji oraz trzasków i chrzęstów, i dopiero przy śmietniku dźwięk staje się wyraźny. – Powiedz Lucasowi, że wszystko na temat Argentyny jest w czerwonym segregatorze w mojej szafce na dokumenty i że wysłałam już te dane Fundacji Gatesów i ONZ-owi.

– I ONZ-owi – powtarza asystentka w słuchawce i stuka w klawiaturę. – Dobrze, chyba wszystko już mam.

– Dzięki ci, Hannah. – Komórka wysuwa mi się z jednopalcowej rękawiczki.

– Słucham?

– Ogromne dzięki – powtarzam, łapiąc mocniej telefon. – Mam nadzieję, że wkrótce uda ci się wyjść do domu.

– Za kilka godzin powinnam się z tym uporać.

– Zatem: Wesołych Świąt.

– Nawzajem. I przekaż mamie życzenia szybkiego powrotu do zdrowia.

Aj.

– Dziękuję. Przekażę jej. Do zobaczenia w nowym roku! – Zamykam klapkę telefonu i wracam szybko do stołu, gdzie Laura wita mnie dziwnym wyrazem twarzy.

– O co chodzi? – pytam, chowając komórkę do kieszeni.

– Wysłałaś ONZ-owi. Kate – poprawia niebieską wełnianą czapkę, naciągając ją mocniej na uszy – Jake jest idiotą.

– Tak, wiem. Wiem. – Wciągam do płuc bijący z czekolady zapach cynamonu. – A paradoksalnie, im bardziej sobie uświadamiam, jaki z niego idiota, tym bardziej żenująca i bolesna staje się dla mnie cała ta historia. Chciałabym tylko wrócić do tego, co było dwa dni temu. Dwa dni temu było ze mną fantastycznie. Dostałam być-może-coś-w-rodzaju-awansu i zaczęłam się spotykać z być-może-kimś-w-rodzaju-chłopaka...

– Inżynier lądowy?

– Zaskakująco świetna pierwsza randka. – Przypominam sobie przez chwilę smak jego zachłannych ust.

– Fantastycznie. – Laura na chwilę zdejmuje wieczko z kubka, żeby ze środka uleciała para.

– Żyłam głównie w 2005 roku i było mi z tym dobrze. A teraz zachowuję się, jakbym uciekła z Wariatkowa.

– Bo w ł a ś n i e t a k i jest Jake. Sprawia, że normalni ludzie stają się maszynami napędzanymi zaciekłym gniewem. – Zaciska wolną rękę w pięść. – A potem moje dzieci dorosną i, mimo naszych usilnych starań, dowiedzą się, co Jake ukradł ich ojcu, bo w takim małym miasteczku niczego nie da się ukryć. A wtedy one staną się następnym pokoleniem ludzi przepełnionych zaciętym gniewem. To po prostu...

– Chyba że sprawimy, że się do tego przyzna. – Pochylamy się nad kubkami i obserwujemy przez chwilę w milczeniu, jak Keith i Mick przeszukują śnieg wokół stosu drewna w poszukiwaniu gałązek, by udekorować nimi swojego przyjaciela. Lub wsadzić bratu w oczodoły.

– Micky? – woła Laura, siląc się na obojętny ton. Chłopiec stojący po drugiej stronie trawnika odwraca się i odrzuca głowę do tyłu, by wyjrzeć spod kapturka. – Czy Keith jest zrobiony ze śniegu?

Zakapturzony Mick odwraca się w stronę brata.

– Co?

– Czy ma ręce i nogi?

Keith opuszcza czerwony kaptur i spogląda na swoje jednopalcowe rękawiczki.

– Mam ręce i nogi!

– Czy topnieje, gdy się go posadzi przy kominku?

– Nie topnieje! – Mick zaczyna chichotać.

– A zatem nie jest bałwankiem – podsumowuje Laura.

– Nie jestem bałwankiem! – krzyczy Keith.

– A to oznacza, że nie potrzeba mu ani nowych uszu, ani nowych oczu.

Obaj wpatrują się w nią z rozdziawionymi buziami i lśniącym noskami. Laura śpieszy z wyjaśnieniem:

– Te patyczki i kamyki nadają się do bałwanka, i t y l k o d o b a ł w a n k a – dodaje, po czym dzieciaki wracają do poszukiwania odpowiednich gałązek.

– A ja jakoś się nie martwię o przyszłość tego dziecka. – Uśmiecham się i klepię ją po brzuchu.

– Dziękuję – odpowiada, spogląda na mnie i stwierdza: – Masz czerwony nos.

– Ale to nie marchewka, więc chyba nie jestem bałwankiem?

Laura chichocze.

– Laura?

– Tak?

– Czy to jest normalne? – Zaciskam rękę na kubku i nie mam odwagi spojrzeć jej w oczy.

– Co?

– Czy mam prawo tak się zachowywać? – Przenoszę stopy na ośnieżoną ławkę. – W naszym wieku? Może Jeanine ma rację? Może zamiast zmieniać miejsce zamieszkania, powinnam raczej zmienić coś w swojej głowie?

– Moja droga, pomińmy nawet ten nie aż taki niepozorny fakt, że wykorzystał twoją rodzinną tragedię i wyśpiewał ją w takcie na cztery ósme. – Spogląda na mnie, jasny kucyk spada jej na plecy. – Przeleciał cię na wszystkie strony, napisał o tym piosenkę i zdobył Grammy. Moim zdaniem, masz wolną rękę.

– Dzięki – mówię, kładąc dłoń na jej pikowanym ramieniu, a potem wracam do nasłuchiwania dźwięków z ulicy.

– Może batata? – pyta Tato siedzący po drugiej stronie stołu. – Myślałem o trzech osobach, a obrałem dla trzydziestu. – A tak naprawdę siedzimy tu nie we troje, ale we dwoje. Każde z nas wyczekuje dźwięku samochodu przed domem, żadne z nas nie je. Wpatruję się w stos pokaźnych brukselek, ułożonych pięknie na talerzu, w swoim idealnie okrągłym, poukładanym świecie.

– Dzięki. – Nabieram łyżkę pieczonych batatów przyprawionych rozmarynem i właśnie wtedy dochodzi nas upragniony dźwięk, a po nim skrzypienie podnoszonych drzwi od garażu i mruczenie stacji radiowej z muzyką klasyczną. Tato wbija oczy w boczne wejście.

– Cześć wszystkim. – Mama wchodzi, stąpając ciężko w swoich zimowych butach, dokładnie wyciera je o wycieraczkę, po czym kładzie torebkę i płaszcz na drewnianym stołku. – A więc tak. Przemyślałam to wszystko. Kate, niezależnie od tego, co zrobił ten chłopak, powinnaś doprowadzić tę sprawę do końca. A my powinniśmy ci w tym pomóc. Żeby nareszcie zamknąć za sobą ten rozdział. – Wierzchem dłoni odgarnia włosy z czoła, podchodzi do nas w tych swoich znoszonych wełnianych skarpetach i spogląda to na Tatę, to na mnie, z wyczekującym wyrazem twarzy. Tato wydyma usta i uderza widelcem w stygnącą pierś kurczaka.

– Dzięki – odzywam się wreszcie po początkowym szoku, jaki wywołały jej słowa. – Miło mi to słyszeć. – Podnoszę się, by nalać jej wina. – Tato przygotował kurczaka, radzę spróbować.

– Dziękuję. – Wypija łyk wina i na tym kończy się dyskusja o jej odkryciu. Tato nie pyta, gdzie była i gdzie doznała takiego olśnienia. Mama zajmuje miejsce przy stole i zaczyna sobie nakładać jedzenie. – Simon, to wygląda przepysznie. – Tato odsuwa krzesło i z serwetką w ręce odchodzi od stołu. – Simon? – Ale on staje przy kredensie tyłem do nas i nie odpowiada. – Simon? – powtarza Mama.

– Straciłem ochotę na jedzenie – stwierdza, dalej ściskając w dłoni serwetkę, a po chwili odwraca się w naszą stronę z pudełkiem krakersów w ręce. – Ale ty, Kate, powinnaś coś zjeść.

– Gdybym była w Charlestonie, zapychałabym się teraz byle czym i nawet byście o tym nie wiedzieli – mówię lekko, starając się rozładować sytuację.

– Gdybyś była w Charlestonie, właśnie wyjeżdżalibyśmy na wycieczkę, za którą zapłaciliśmy. I to nawet dwa razy – mruczy do pudełka. Nieruchomieję.

– I pojedziesz na nią, Tato. Zobaczysz, załatwię całą tę sprawę z Jakiem do jutra rano i spokojnie sobie pojedziemy.

– Albo i nie. A wtedy spędzę resztę życia, modląc się o to, żebym go przeżyła i żeby było mi dane olać jego grób ciepłym moczem.

– Dobrze. – Mama kiwa głową, krojąc kurczaka. – A potem spędzimy spokojnie święta i równie spokojnie resztę naszego życia. Z Kate wszystko będzie dobrze...

– Ale z nią nie jest dobrze, Claire! – Tato rzuca pudełkiem, rozsypując krakersy. – Siedzi tutaj i czeka, aż Jake Sharpe zadzwoni, jak gdyby miała trzynaście lat!

– Tato – mówię powoli, starając się go uspokoić. – Nic mi nie jest. To znaczy przyznaję, nie podoba mi się to, że siedzę tu i czekam na Jake'a Sharpe'a. Nie chcę myśleć o Jake'u Sharpie, który myśli o mnie siedzącej tu i czekającej na niego. A już tym bardziej nie chcę, żebyście wy patrzyli na mnie, jak tu siedzę i myślę o Jake'u Sharpie, który myśli o mnie siedzącej tutaj i czekającej na niego. – Spoglądam na Mamę. – Po prostu chcę, żeby było już po wszystkim. Po-wszyst-kim. Więc proszę, dokończmy jedzenie, a ja wymyślę jakiś nowy plan działania, uwzględniający może skuter śnieżny i zimne ognie...

– Jak mogłaś po prostu wyjść bez słowa i nawet do nas nie zadzwonić, Claire? – Twarz Taty nagle robi się czerwona. – A potem dziesięć godzin później wchodzisz lekkim krokiem, jak gdyby nigdy nic, i darowujesz wszystkie świństwa, które ten gówniarz napisał o naszej córce? I o t o b i e? – Wstrzymuję oddech na wzmiankę o piosenkach Jake'a. Mama z kolei oblewa się rumieńcem i spuszcza oczy. – Możesz nawet urządzić dla niego paradę, i ty też, Kate, ale dla mnie to obrzydliwe. Ten człowiek nie zasługuje nawet na odrobinę zaufania. – Tato cały się trzęsie, czemu wtóruje dudnienie zbliżającego się trzy tysiące siedemset czterdziestego drugiego samochodu. Blask reflektorów zalewa kuchnię. Odwracam wzrok od ich skamieniałych twarzy i widzę w lustrze nad pustym krzesłem Taty, jak rozjaśnia się czarny prostokąt ponad zlewem.

Zardzewiały klakson wydaje z siebie niemrawe beczenie. Rzucam się do bocznych drzwi, na przenikliwie zimne powietrze, gotowa na wszystko.

– To jest twoja wersja jutra! – krzyczę w stronę starej corvetty, która oślepia mnie swoimi reflektorami. – Ty megalomański, narcystyczny dupku!

Szyba od strony pasażera ze skrzypieniem opuszcza się w dół.

– Cześć, Hollisówna.

– Sam? – pytam zdziwiona. – Cześć! – Podbiegam do niego, a Sam wyskakuje z samochodu, podnosi mnie w niedźwiedzim uścisku i jego ciepło przenika w głąb tej ziemi niczyjej, która starała się zachować rozsądek i dystans. Żeby się nie rozkleić, cofam się i przecieram oczy. – Widziałam się z chłopcami. Boże, są niesamowici. Coraz bardziej przypominają ciebie. – Pociągam nosem i mierzwię ręką jego gęstą blond czuprynę. – Boże, tak się cieszę, że cię znowu widzę.

– Wszystko w porządku? – Spogląda na mnie z zatroskaniem, które bije z jego piegowatego, osmaganego wiatrem oblicza.

Nachylam się do jego ucha.

– On tam jest?

– Spodoba ci się ten pomysł. – Sam klaszcze głucho w dłonie. – Chce nas wszystkich zabrać nad jezioro.

– Nad jezioro? – Kulę się z zimna. – On chyba żartuje.

– On cię słyszy. – Jake podnosi się i siada w otwartym oknie. Czapka z martwego bobra zniknęła, tak samo jak strój drwala, zastąpiony przez cienką czarną kurtkę. – Pomyślałem, że moglibyśmy wszyscy w piątkę pojeździć na łyżwach.

– Chyba żartujesz? – powtarzam. – Zjawiasz się po trzynastu latach i chcesz mnie zabrać nad jezioro?

– Chce pojeździć na łyżwach. – Sam grzebie obcasem w zaspie odgarniętego śniegu. – Z zespołem.

– Co jest złego w jeżdżeniu na łyżwach? Od tamtej pory nie miałem ku temu okazji. Pomyślałem, że może być fajnie.

– Może być fajnie – powtarza jak echo Sam, otacza mnie ciepłym ramieniem i pociera moje drżące ramiona.

– Chodźcie, będzie super! Spędziliśmy tam przecież kilka najlepszych chwil swojego życia.

– Kilka najlepszych chwil? – Uwalniam się z uścisku Sama. – Doprawdy, Jake?

– Sam się na to pisze, prawda, Sam?

Spoglądam Samowi prosto w oczy. Odwraca wzrok i patrzy na drugą stronę ulicy.

– Posłuchaj, rozumiem, wszyscy jesteście wkurzeni. Widziałem, że Keith i Mick ułożyli na śniegu napis z gałązek: „Jake to fiut".

– Tak, to była Laura.

– Dobra, przyznaję, w paru sprawach nie zachowałem się najlepiej. Ale teraz jestem tu, długo o tym myślałem i po prostu... chyba powinniśmy wszyscy... – Wzdycha ciężko, patrzy to na Sama, to na mnie. – Decyzja należy do ciebie. – Chowa głowę z powrotem do samochodu i zasuwa szybę.

– Laura pozwoliła ci z nim jechać? – pytam Sama z niedowierzaniem. W tym czasie rura wydechowa prycha i wyrzuca z siebie spaliny, które rozpraszają się nad chodnikiem.

– Jeśli zabawa w dwunastą klasę sprawi, że odda należną nam część tantiem, to jestem w stanie nawet zrobić się na czeskiego metala i zaśpiewać *Free Bird*.

– Dobra, rozumiem. – Wzdycham i wracam do domu po swój stary płaszcz.

Jake zatrzymuje się przed domem Todda, który najwyraźniej wydaje przedświąteczne przyjęcie, bo wokół roi się od samochodów.

– Pójdziesz po niego? – zwraca się do Sama.

– Ja? – protestuje Sam. – Szczerze mówiąc, nie jesteśmy w najlepszych stosunkach.

– Ja nie mogę. Tam jest teraz pełno ludzi. Moje pojawienie mogłoby wywołać zamieszki – stwierdza Jake znużonym głosem. – A wtedy nici ze wspólnego wypadu.

Boże, co za żenada.

– Dobrze. – Sam wychodzi z samochodu i idzie przez ozdobiony świątecznie trawnik w stronę przystrojonego gałązkami domu. Naciska dzwonek i po kilku chwilach otwiera mu Todd, a żyrandol w przedpokoju oświetla jego niemal łysą czaszkę.

– Nieźle – szepczę. Sam wskazuje ręką w naszą stronę. Todd wychodzi za próg i mruży oczy, a gdy dostrzega corvettę, jego twarz rozjaśnia się w uśmiechu.

– Myślałem, że to ci pochlebi – mamrocze Jake z przodu samochodu.

– Przepraszam? – pytam z niedowierzaniem.

– Pomyślałem, że ci to pochlebi – powtarza.

– Pomyślałeś, że mi to pochlebi? – Nachylam się w jego stronę, podczas gdy Todd zamyka drzwi, a Sam wraca do nas spokojnym krokiem. – Uważasz, że wicśniacy na stepach Mongolii czuli, że im się pochlebia?

– Co? – odwraca się do mnie.

– Gdy Czyngis-chan palił ich i rabował, myślisz, że im to pochlebiało?

Sam otwiera drzwi, przesuwa do przodu siedzenie pasażera i wciska się obok mnie.

– Powiedział, żeby zatrzymać się za rogiem.

– Do usług – mówi Jake i skręcamy w momencie, gdy Todd wybiega z domu przez boczne drzwi. Zgarbiony, na ugiętych nogach, z fruwającymi połami kurtki, przywołuje niefortunne skojarzenia z kaczką krzyżówką. Nurkuje na wolne siedzenie obok kierowcy z parą łyżew w rękach.

– Jedź! J e d ź!

Jake wybucha śmiechem, zmienia biegi i bierze ostry zakręt tak, że zarzuca nas na bok.

– Do cholery, stary, czy to ucieczka z Alcatraz? – Wyciąga rękę i klepie Todda po głowie.

– Katie, cześć! – Todd wychyla się zza oparcia fotela, że aż sprężyny trzeszczą, a ręka Jake'a wciąż spoczywa na jego lśniącej łysinie.

– Cześć. – Uśmiecham się krzywo, nie chcąc się zdradzić, że należę do stronnictwa Sama. – Co słychać?

– Michelle nie wie, że wyszedłem.

– Nie mogę uwierzyć, że upolowałeś Michelle Walker. – Jake chichocze i kładzie rękę z powrotem na kierownicy. Jedziemy właśnie wzdłuż rzeki.

– Upolowałem ją. Ożeniłem się z nią. Mam z nią dwójkę dzieci. – Głos Todda promienieje dumą. Sam i ja wymieniamy milczące spojrzenia na wspomnienie triumfu, jaki odniosła Michelle na balu maturalnym, dziesięć lat i sto kilo temu. Todd znów odwraca się w naszą stronę.

– Katie, wyglądasz fantastycznie.

– Dzięki. Ty też, Todd.

Jego naga czaszka robi się purpurowa.

– Michelle trzyma mnie na diecie Atkinsa.

Sam odwraca się do mnie.

– Razem z Laurą byliśmy na diecie South Beach, ale to zanim zaszła w ciążę. Lepiej nie mieć do czynienia z ciężarną kobietą na diecie niskowęglowodanowej.

– Moja dietetyczka robi mi koktajle z wodorostów – wtrąca Jake, gdy wchodzimy w ciasny zakręt w lewo tak ostro, że aż zarzuca mnie na Sama. – Zostały wprawdzie stworzone dla kobiet w ciąży, bo wspaniale wpływają na rozwój płodu...

– No to wszystko jasne – przerywam mu i Sam uśmiecha się od ucha do ucha.

– Śmierdzą jak skarpety – ciągnie Jake – ale są superodżywcze. Hej! Mogę ją poprosić, żeby przesłała Laurze kilka butelek.

– Dzięki, ale wydaje mi się, że jedyną rzeczą straszniejszą od ciężarnej żony na niskowęglowodanowej diecie jest ciężarna żona jedząca wodorosty. – Albo odpakowująca koszyk z prezentami od dietetyczki Jake'a Sharpe'a ze świadomością, że winien jej jest siedmiocyfrową sumkę za prawa autorskie.

Todd znowu odwraca się w moją stronę.

– Spotkaliśmy kiedyś twoich rodziców, mówili, że zajmujesz się ochroną środowiska, to prawda?

– Tak – kiwam głową. – Jestem konsultantką do spraw zrównoważonego rozwoju.

– Kim? – pyta Todd.

– Z grubsza chodzi o to, że przemysł na świecie więcej bierze z zasobów planety, niż jej oddaje – wyjaśniam. – Moja firma pokazuje przemysłowcom, jak być przyjaznym dla środowiska, czyli działać w zgodzie z zasadami zrównoważonego rozwoju.

– I przestrzegają tych zaleceń? – pyta Todd sceptycznie.

– Dzięki ulgom podatkowym.

Sam chrząka.

– No tak.

– Walka z rabunkową polityką wielkich korporacji będzie wielką wojną tego stulecia. – Jake wygłasza zdanie brzmiące jak żywcem wyjęte z telewizji. A zarazem w dziwny sposób przypomina ono treść ulotki, którą mu wręczyłam w dziesiątej klasie.

– Mówiłeś to na rozdaniu nagród MTV! – wykrzykuje Todd. – W zeszłym roku, gdy dostałeś tę nagrodę ekologiczną za promocję... co promowałeś?

– Recykling w szkołach średnich.

Todd zdejmuje płaszcz i ściąga norweski sweter.

– To niesamowite, Jake. – Nagrodę dla największego lizusa na przednim siedzeniu otrzymuje... – Hej, mógłbyś mi gdzieś złożyć autograf, żebym go powiesił w moim biurze?

– Pewnie musi to wszystko najpierw uzgodnić ze swoimi prawnikami – mruczy Sam, wyglądając na zewnątrz. Reflektory naszego samochodu oświetlają przechodzącą gromadę uzbrojonych w aparaty i komórki nastolatków, które mijają nas i w nieświadomości brną w przeciwnym kierunku, czyli w stronę domu Jake'a Sharpe'a.

– Nie, no stary, jasne. – Jake w bocznym lusterku rzuca okiem na Sama.

– Świetnie. I jeszcze coś dla mojej córy. Ma dziewięć lat. Będzie zachwycona. Opowiadam jej o naszym zespole, ale chyba mi nie wierzy. – Klepie się po brzuchu z tym samym pokornym wyrazem twarzy, który zawsze przybierał przy Jake'u.

– Co, nie rozpoznaje tego chudego chłopca na zdjęciach? – pyta Sam.

Todd udaje, że nie słyszał.

– Chociaż wystawiam moją starą gitarę basową w biurze. Stroję ją regularnie i w ogóle.

– To teraz do starych Benjy'ego, tak? – rzuca Jake i czeka na potwierdzenie.

Todd prostuje się.

– Tak, tylko że...

– Może lepiej jedźmy bez niego – stwierdza Sam.

Jake nie zwraca na nich uwagi i wchodzi w zakręt. Zatrzymujemy się przed zapuszczonym domem.

– Rany, jak dobrze znowu siedzieć za kierownicą.

– Wciąż tam mieszka? – Spoglądam na drugą stronę czarnego podwórza. Dom jest pozbawiony świątecznej dekoracji, a jedyny znak, że ktoś jest w środku, to słabe światło za zasłoną w oknie.

– Właśnie takie mnie doszły słuchy – mówi Jake.

Sam zerka na mnie.

– Serfuje po Internecie – żartuję.

– Moja mama ciągle mieszka w tym mieście – śpieszy Jake z wyjaśnieniem, żeby zmyć z siebie piętno outsidera.

– Jeśli mieszkaniem nazywamy zbieranie punktów karnych za jazdę po pijanemu – szepcze mi do ucha Sam.

– Sklep ojca Benjy'ego zbankrutował, gdy otworzono Home Depot – dodaje głośno Todd, żeby złośliwa, aczkolwiek trafna uwaga Sama nie doszła do uszu Jake'a.

Jake trąbi klaksonem, który rozlega się w ciszy zakłócanej jedynie przez warkot silnika. Obserwujemy dom w oczekiwaniu na jakąś reakcję. Wreszcie ktoś w środku odsuwa zasłonę o milimetr, a potem znowu ją opuszcza. I gasi światło.

– Podasz mi kurtkę? – Jake wystawia rękę do tyłu.

Sam wygrzebuje spomiędzy nas zamszową kurtkę narciarską i podaje ją Jake'owi, który najwyraźniej już się nie boi wywołania zamieszek. Wyłącza silnik i wysiada z samochodu.

Todd uderza ręką o deskę rozdzielczą.

– Nie mogę uwierzyć, że to pudło jest jeszcze na chodzie.

– Pierwszy samochód Jake'a Sharpe'a? – parska drwiąco Sam. – Jego matka pewnie chucha na niego i dmucha, i trzyma w ogrzewanym garażu. Byłaś już w ich posiadłości, Kate?

– Tylko przez chwilę – przyznaję. – Nic się tam nie zmieniło. Oprócz kamer i reflektorów, rzecz jasna.

Obserwujemy, jak Jake lekkim krokiem skacze po schodach wiodących do pochylonego ganku.

– Ja nie byłem – odpowiada Todd, uderzając ręką o brązowy skaj. – I to od czasu odejścia – czy jak to zwał – jego ojca, a to było chyba w dziewięćdziesiątym trzecim?

– Zaraz po skończeniu szkoły – odpowiada Sam.

– Właśnie. A parę lat później Susan zaczęła wykupywać wszystkie okoliczne domy. Z zewnątrz zostawiła wszystko po staremu, ale w środku wszystko pozmieniała i przekształciła te domy w stajnie, salę projekcyjną, kryty basen i tym podobne. Pewnie latem kursuje wózkiem golfowym od jednego budynku do drugiego.

– To wszystko jest popieprzone. – Sam kręci głową i wzdycha.

– A moim zdaniem to przygnębiające.

– Co? – Sam odwraca się w moją stronę.

– Susan nigdy nie chciała tu mieszkać. Ojciec Jake'a ściągnął ją tu z Bostonu z powodu pracy, a potem przez dziewięć miesięcy w roku podróżował i zostawiał ją zupełnie samą. A później się wyniósł i właściwie ją... uziemił. Nie wiem. Moim zdaniem, to po prostu przygnębiające.

– Bywaliśmy w tym domu tak samo jak ty, Katie, i widzieliśmy, co tam się działo. Ta kobieta to suka jakich mało.

– Ależ nie twierdzę, że była w porządku. Mówię tylko, że to przygnębiające.

Widzimy, że Jake przestaje pukać i kładzie palec na dzwonku.

– Natomiast to jest żenujące. – Wkładam ręce do rękawów. Sam podaje mi swoje rękawiczki i z wdzięcznością zanurzam w nich dłonie.

– Stoi tu osobiście, zamiast wysyłać kolejny list od swoich prawników. To już jest coś.

– A ty znowu swoje? – pyta Todd, wkładając sweter z powrotem.

– Tak – odpowiada Sam. – A my znowu swoje. Choć ty nie kiwnąłeś palcem, żeby nam pomóc, ty gnido.

– Prowadzę największą sieć salonów samochodowych w całym stanie – zaczyna się tłumaczyć Todd. – W całym stanie. Więc nie, nie zamierzam pozywać do sądu bohatera tego miasta.

– Tylko dlatego, że robisz więcej kasy na rozpowiadaniu wszystkim, że wciąż jesteś jego najlepszym kumplem. Domyślam się, że ta mała wycieczka zapewni ci niezłą emeryturę.

– Sam, nigdy z nim nie wygrasz – stwierdza Todd tonem doświadczonego biznesmena. – Jego prawnicy mają swoich prawników. Daj już sobie z tym spokój.

– To nie są tylko moje pieniądze, ale także pieniądze moich dzieci – warczy Sam.

– Benjy! – krzyczy Jake na ganku, a z jego ust unoszą się kłęby pary. – Rusz tyłek i wychodź! Jedziemy nad jezioro.

Wreszcie drzwi się otwierają i ukazuje się w nich wściekły Ben, w samych bokserkach i skarpetkach, z pudełkiem pizzy w jednej ręce i puszką piwa w drugiej. Ręka dzierżąca dawniej pałeczkę unosi się i...

– O co, do cholery...?! – Jake odskakuje do tyłu. Na jego obryzganej sosem twarzy maluje się wyraz absolutnego osłupienia. Ben przez chwilę robi wrażenie, jakby się zastanawiał nad jego pytaniem, a potem polewa go piwem i wyrzuca puszkę, która skacze po ganku, a resztki brązowego płynu rozlewają się po śniegu.

– O cholera – ja i Sam wyrzucamy z siebie jednocześnie z podziwem w głosie.

– Stary! – Jake prycha i cofa się po schodkach. Strzepuje z torsu ozdobione pianą spore ilości pepperoni i sera, a Ben w szale sięga po stos ulotek leżących u jego stóp. – Stary! Benjy, no co ty?!

Ale Ben, oszalały z wściekłości, schodzi po schodach i rzuca w Jake'a wszystkim, co ma pod ręką: wycieraczką, konewką, śmieciami.

– A może by tak zablokować drzwi? – proponuje radośnie Sam.

Jake wskakuje do samochodu w tej samej chwili, gdy worek pełen śmieci uderza o tylną szybę. Ruszamy z piskiem, a krzesło z ganku rozbija się o asfalt za nami. Jake zatrzymuje się przy pierwszym znaku „stop", z trudem łapiąc oddech.

– Chryste Panie. – Otrzepuje ręką kurtkę. – Ma ktoś chusteczkę? – Todd podaje mu całe opakowanie i ściąga kawałek sałaty z włosów Jake'a. – Dzięki. Ale o co mu, do cholery...
– Lepiej nie kończ tego pytania – ostrzegam go.
Jake krzywi się, ale posłusznie milknie i ponownie uruchamia samochód.

Corvetta, najwyraźniej tak samo sfrustrowana jak pasażerowie na tylnym siedzeniu, zaczyna odmawiać posłuszeństwa w momencie, gdy Jake skręca w stronę jeziora, i zaczyna zagłuszać bębnienie Todda złowieszczym pomrukiem. Półtora kilometra później trzęsący się samochód przystaje pod szkieletami wyniosłych dębów, Jake wyłącza silnik i otula nas głęboka cisza. Coś w środku mnie zaczyna się buntować i stwierdzam, że nie chcę wysiadać. Todd otwiera skrzypiące drzwi i powoli wysuwa z samochodu zdrętwiałe nogi. Sam gramoli się za nim, ja jednak dalej siedzę w miejscu.
– Cholera, jak tu zimno – dochodzi mnie mruczenie Sama. Jake bierze swoją kurtkę z siedzenia i otrzepuje ją. Wyciąga w moją stronę rękę z do połowy podwiniętym rękawem. Wiatr wpadający przez otwarte drzwi mierzwi mu włosy i nagle mam wrażenie, że wszyscy znowu mamy siedemnaście lat. Jakbyśmy się cofnęli w czasie.
– Chodź, Ważniaku, daj rękę.
Chrząkam, odsuwam się i wychodzę przez drzwi z drugiej strony.
– Ale zmarzłam. Zapomniałam, że kiedyś w samochodach nie było ogrzewania – oświadczam bezczelnie i stawiam ciężko nogi na ziemi.
– I że szyby były otwierane na korbkę – dodaje Sam.
– Mięczaki z was. – Jake uśmiecha się ciepło, nie zważając na krytykę. – Kilka chwil w spartańskich warunkach jeszcze nikomu nie zaszkodziło.

Sam się przeciąga, a Jake odwraca się i zaczyna przedzierać przez sięgający do kolan śnieg z sześciopakiem piwa pod pachą, po czym otwiera drzwi do domku.

– Hej, chłopaki! Przynieście trochę drewna. Niech ogień w palenisku huczy jak za starych dobrych czasów! – woła, stojąc w progu, i zapala latarnię na ganku.

– Już się robi! – krzyczy Todd i zmierza w stronę resztek drewna ułożonych pod okapem, a Sam dołącza do niego.

Opieram się o ciepłą maskę i spoglądam ze wzruszeniem na mały domek, pod którego dachem, przysypanym teraz śniegiem, szukałam niegdyś schronienia.

Samowi udaje się rozniecić z zamarzniętych kloców dymiący płomień, a potem siada obok Todda na niskim leżaku, przykrywa się zakurzonym wełnianym kocem i zaczynają popijać z butelki whisky Jim Beam. Rozkładam ze skrzypieniem swoje zardzewiałe krzesełko, dołączam do chłopaków i natychmiast przenika mnie lodowaty wiatr wiejący przez szpary w podłodze. Wyciągam rękę po brązową butelkę, a Jake próbuje sięgnąć do czegoś za moimi plecami i przewraca się.

– O rany.

Wstaje i próbuje jeszcze raz. Odwracam głowę i widzę, że stara się uruchomić pokryty pajęczyną magnetofon. Po paru próbach udaje mu się włączyć kasetę. Rozlega się trzask, a potem śpiew Def Leppard: *„I'm hot, sticky sweet, from my head"*...

– *„To my feeet!"* – wrzeszczy Jake i trzy głowy zaczynają się kołysać w tył i przód.

– *„Pour some sugggggrg"*... – magnetofon zgrzyta, głosy zniekształcają się i opadają w satanistyczne rejestry, aż wreszcie kaseta zatrzymuje się i wyłącza automatycznie.

Biorę od Todda butelkę i pociągam z niej ognisty łyk.

– No więc gdy opadł kurz i cement, zdałem sobie sprawę, że to spieprzyłem. – Wstawiony Sam wymachuje puszką piwa.

– A raczej rozpieprzyłem. Że w ścianie, tam gdzie powinno być okno, jest metrowa dziura.

– Nie mogę uwierzyć, że Laura nie pisnęła mi o tym ani słówkiem. – Kulę się pod drapiącym kocem naciągniętym szczelnie pod brodę.

– Przez pierwsze trzy miesiące bliźniaki spały pod ogromnym workiem na śmieci przyczepionym taśmą do ściany.

– Dzięki Bogu, że urodziły się w lipcu – śmieję się.

– Wiem. Wyobrażasz to sobie? Co rano musielibyśmy ich wygrzebywać spod śniegu jak samochód.

Teraz kolej na mnie.

– Gdy dostałam awans, postanowiłam zaszaleć i zamontować w łazience wannę. – Wznoszę oczy do góry na samo wspomnienie tamtej historii i wyciągam rękę spod koca po butelkę. Ogień trzaska na kominku. – No więc zostawiam hydraulików przy ich robocie i idę do pracy. Wracam, i co widzę? Mój sedes stoi na środku salonu. – Sam i Todd wybuchają śmiechem, bruzdy wokół ich oczu stają się jeszcze głębsze. – Więc pytam ich, o co chodzi, a oni na to, że muszla klozetowa już się nie zmieściła w łazience i że chyba w niczym mi to nie przeszkadza. Mogę korzystać z toalety tutaj, dopóki nie znajdą mniejszej. Pomyślałam sobie: no dobra, przynajmniej się w niej nie zatrzasnę.

– Nieźle. – Sam parska śmiechem. – I co zrobiłaś?

– Przez prawie miesiąc mieszkałam w biurze. I ograniczyłam przyjmowanie płynów.

– Gdy wyremontowano mi apartament w Los Angeles – odzywa się wreszcie Jake i słysząc pierwsze słowa wypowiedziane przez niego od godziny, kładę głowę na metalowej poręczy i spoglądam w jego stronę – projektant zamontował mi w studiu oczko wodne z rybkami koi, co podobno korzystnie wpływa na energię twórczą. – Po rozmowie o rosnących w tempie błyskawicznym ratach za ubezpieczenie samochodu, zbliżającym się obciążeniu finansowym, jakim będą starzejący się rodzice, i samodzielnych naprawach, nareszcie ma coś do powiedzenia. – Więc kończą remont, napełniają zbiornik wodą i wpuszczają do niego rybki – efekt jest świetny, odwiedzają mnie znajomi i wszystkim się to podoba, a potem wszyscy idziemy na kolację. Rozumiecie? – Kiwamy głowami. Tak, kolacja. Wiemy, co to jest. Też nam się to zdarza. – No więc wracam do domu o jakiejś czwartej nad ranem i nie wiem, czy był jakiś wyciek czy co, a może jakiś problem z kanalizacją, w każdym razie zbiornik jest prawie zupełnie pusty, a rybki trzepoczą płetwami i próbują złapać powietrze. – Rusza torsem, próbując udawać rybki koi w śmiertelnych konwulsjach. – Wyobraźcie sobie, jestem kompletnie zalany i latam po całym mieszkaniu, żeby znaleźć jakieś miski, ale nie wiem, gdzie tu się trzyma takie rzeczy. Więc biegam tam i z powrotem, i szukam, gdzie na parterze jest łazienka, z nadzieją, że w którejś jest wanna, ale nie mogę znaleźć. I wtedy kapituluję. Próbuję się dodzwonić do mojej asystentki, ale też nic z tego. Mam wrażenie, że wręcz słyszę, jak te ryby się duszą. Na półkach stoi rząd, sam nie wiem czego, tych takich antycznych pojemników wyglądających z azjatycka, zaczynam je więc wnosić do biura i próbuję złapać do nich ryby. Gdy kończyłem, stało ich na podłodze z pięćdziesiąt, a w środku te cholerne rybki koi, przepełnione taką wdzięcznością, jakiej chyba nigdy nie widziałem u żadnego stworzenia.

Ogień przygasa. Siedzimy prawie w ciemności. Wiatr się wzmaga, wciska w deski w ścianach i podłogach – to zima przypomina nam o swoim panowaniu.

– Stare japońskie termofory z brązu – podpowiada Todd.

– Co? – pyta Jake, wyciągając nogi i otrzepując dżinsy.

– Złapałeś rybki do dziewiętnastowiecznych termoforów z brązu – wyjaśnia Todd, odrywając etykietkę z whisky.
– Masz największą prywatną kolekcję w całych Stanach.
– Naprawdę?
– Czytałem o tym w „Architectural Digest". – Zwija klejący się papier ciasno między dłońmi.
Sam otwiera szeroko usta ze zdziwienia i gapi się na Todda z niedowierzaniem.
– Michelle to prenumeruje. – Wzrusza ramionami Todd.
– Pewnie Eden je kupiła. – Oświadcza Jake, otrząsnąwszy się ze zdumienia. – Zawsze kupuje jakieś cholerstwo i nic mi o tym nie mówi. Wiecie, jak to jest.
– Jasne, ja też dostaję szału, gdy wysyłam Laurę do Wal-Marta po parę drobiazgów, a ta wraca z bagażnikiem wyładowanym japońskimi termoforami z brązu. – Sam wylewa piwo na ostatnie anemiczne płomienie, które zaczynają teraz skwierczeć. Stropiony Jake gapi się w szary dym. Todd wtyka zrolowaną etykietę w szyjkę pustej butelki.
– Dobra, czas na łyżwy! – Jake nagle porywa z podłogi ostatnie piwo, otwiera zamaszyście drewniane drzwi, zbiega po schodach i biegnie przez śnieg. Powoli również i my ruszamy się z miejsc i, stojąc w progu, obserwujemy, jak Jake przedziera się przez zaspy, schodzi bokiem w dół do brzegu jeziora i krawędzi lodu, a potem siada na starym nabrzeżu, by zawiązać łyżwy. Wreszcie wyjeżdża na zamarzniętą powierzchnię, odpycha się nogami i oddala od nas. Nie przerywając jazdy, otwiera puszkę, z której wystrzela fontanna piwa i migocze na niebiesko w świetle księżyca. Jake zaczyna krzyczeć z radości, rozkłada ręce szeroko na boki i robi obrót, z twarzą skierowaną wprost w stronę czarnego nieba.
– To jest piękne! – woła do nas.

Todd nie daje się dwa razy prosić, idzie, szurając nogami, w stronę samochodu i bierze łyżwy z przedniego siedzenia, a potem zsuwa się w dół na brzeg jeziora. Sam wraca do domku i podchodzi do składowiska w kącie, ale po ciemku trafia najpierw na przebity ponton. Włączam do kontaktu lampkę nocną i światło pada na złamane wiosło oraz porzucone kostiumy kąpielowe. Sam podnosi jedną z wielu pogniecionych butelek kremu do opalania i potrząsa nią.

– Tutaj – mówię i wskazuję ręką na kąt, gdzie Jake zostawił otwartą klapę starego drewnianego kufra. Odsuwam pajęczynę, wyciągam ze środka parę męskich łyżew i wręczam ją Samowi.

– Czemu by nie, do cholery? Skoro kupiłem bilet, to mogę skorzystać ze wszystkich atrakcji – tłumaczy się przed sobą i wrzuca plastikową butelkę do kajaka. – Wszystko w porządku? – pyta, stojąc w drzwiach.

– Fantastycznie. A u ciebie? – Spoglądamy na siebie jak dwoje odległych krewnych, którzy spotykają się na rodzinnym pogrzebie i nie wiedzą, o czym ze sobą rozmawiać.

– Wobec tego zobaczymy się na jeziorze? – pyta. Kiwam głową, Sam uśmiecha się delikatnie i wychodzi.

Wracam do poszukiwań, wyciągam jeszcze jedne łyżwy, śniegowce i buty nieprzemakalne. A potem, na samym dnie, widzę kolejną parę, mniejszą i podpisaną na boku wyblakłym cienkim czerwonym pisakiem „KATIE".

Zakładam ją i po kilku minutach dołączam do reszty. Chłopcy już śmigają po zamarzniętym jeziorze, z puszkami w rękach – sport i alkohol budzą ich stłumioną męską tęsknotę, by po prostu dobrze się bawić, i pragnienie, żeby było tak jak kiedyś, kiedy wszystkim, co było nam potrzebne do szczęścia, była bliskość pozostałych.

Wychodzę ostrożnie na lód, przez chwilę mój krok jest chwiejny i niepewny, aż wreszcie znajduję równowagę. Zaczynam się ślizgać po srebrzystym lodzie i usilnie staram się przypomnieć sobie, jak się jeździ na łyżwach. A wtedy robi się ciemno, podnoszę głowę do góry i widzę, jak grube chmury zasłaniają księżyc. I potykam się – bo czyjeś ręce zaciskają się na moich biodrach.

16

Dwunasta klasa

— Sam, to się kładzie na kolanach — wyjaśnia Laura, wnosząc do jadalni wazę z zupą, tak jakby serwetki, które obie ułożyłyśmy starannie w lampkach do wina — zestawie, który moja Mama trzyma specjalnie dla gości — wymagały instrukcji obsługi. Sam, wzruszając ramionami, ściąga serwetkę z głowy i teatralnym gestem kładzie ją na kolanach. Jake wybucha śmiechem, a potem wyjmuje z lampki swoją, uderza Sama w nos i układa na spodniach.

— Chłopaki! — upomina ich Laura, stawia wazę na obrusie i, wygładziwszy swoją długą, falbaniastą spódnicę, zajmuje miejsce przy stole.

— Umieram z głodu — oświadcza Jake, spoglądając na ucztę, efekt całego dnia spędzonego w kuchni przez nas obie.

— Włączę jeszcze muzykę! — Odsuwam krzesło i biegnę do wieży w salonie. Wśród płyt Taty odnajduję Milesa Davisa i wyjmuję go zgrabnie z opakowania, po czym leniwe dźwięki zaczynają się sączyć z głośników i wypełniają dom. Na ten weekend — m ó j dom.

— Niezłe — mówi, kiwając głową, Jake, gdy wracam do stołu i przyciemniam po drodze światło. Każdą cząstką siebie jestem teraz wzorową panią domu.

– Dobre dla sześćdziesięciolatków – mruczy Sam i bierze bułkę z koszyka.

– Chciałabym wznieść toast – oświadcza Laura i unosi do góry kieliszek napełniony przelanym z butelki drinkiem Zima, a reszta idzie za jej przykładem. – Za naszą uroczą gospodynię. Za weekend jej rodziców w Anglii. Za ostatni rok w szkole. Za dostanie się na studia...

– Za nowe, wspaniałe życie. – Jake trąca lampką o nasze.

– Za stary, dobry seks – dołącza Sam.

– Sam – jęczy Laura, by przypomnieć mu, że tylko jedna para przy tym stole ma już ten etap za sobą. Czuję na sobie wzrok Jake'a i zarazem ucisk w żołądku.

– Niezła zupa – oświadcza Jake, kręcąc łyżką w kremie z kury.

Podnoszę swoją do ust.

– Tfu! Okropna.

– Poważnie? – Laura zanurza łyżkę w talerzu.

– Przesolona! – sięgam po drinka, by zabić ten wstrętny smak, ale nic to nie daje. Laura krzywi się.

– Miały być cztery łyżki? – upewnia się.

– Cztery szczypty! – Odsuwam swój talerz.

– Psiakrew – Laura upija łyk ze swojej lampki.

– Cztery łyżki psiej krwi? – pyta Sam. – Co to za przepis? Dam go mojej mamie. – Jake wybucha śmiechem.

– Za to kurczak zaraz będzie gotowy – oświadczam, choć wcale nie jestem głodna. Myśl o nadchodzącej nocy, kiedy to mamy pójść z Jakiem na całość, odbiera mi apetyt.

– Kurczak bez psiej krwi – dodaje Laura. Wszyscy wybuchamy śmiechem, a ja spoglądam na nią z zazdrością, bo dla niej nadchodzące godziny nie są już niewiadomą.

Wrzucam ostatni talerz do zmywarki i zamykam ją, przytrzymując się blatu. Przez chwilę kołyszę się w rytm swojej wewnętrznej muzyki, którą słyszę w pijanej głowie. Zamykam oczy, słyszę Laurę i Sama, jak śmieją się w ogrodzie, i stwierdzam, że ta chwila jest cudowna.

– Do czego się uśmiechasz? – Na dźwięk tego głosu otwieram oczy i w bladym świetle okapu kuchenki widzę postać w drzwiach do ogrodu. Jake uśmiecha się od ucha do ucha. – Przyszedłem spytać, czy może zapalisz z nami, ale wygląda na to, że czujesz się tu...

– Cudownie. – Podchodzę do niego chwiejnym krokiem, rozpinam jego kurtkę, przytulam się do niego i owijam ją wokół siebie. Jake kiwa głową, zwężając oczy w seksowne szparki.

– Ty jesteś cudowna.

Jak na umówione hasło splatam swoje palce z jego i – tak jak na każdym filmie – prowadzę przez hall, a potem po schodach na górę, do swojego pokoju, aby zdjęcia trzech pokoleń przodków nie zniszczyły nastroju tej chwili. Popycham drzwi i staję przed łóżkiem plecami do niego. Do pokoju przez otwarte drzwi wpada żółty trójkąt światła. Jestem rozgrzana od stóp do głów. Rozpalona na maksa. Jake staje za mną, dotyka brzegów mojej sukienki i podnosi ją całą do góry. Pomagam mu, unosząc ręce, i Jake zaczyna ją ze mnie ześlizgiwać – idzie mu doskonale, aż wreszcie ostatni kawałek bawełny muska moje paznokcie. Gdy Jake dostrzega, że mam na sobie tylko białe podwiązki, które starannie wybrałyśmy wczoraj z Laurą w Victoria's Secret, z jego piersi wydobywa się jęk.

Część mnie opuszcza teraz moje ciało i zbiega na dół, by powiedzieć Laurze, że są cudowne, że ja jestem cudowna i że wszystko idzie cudownie. A pozostała część odwraca się w stronę Jake'a, który cały jest ciepłem, dotykiem i uściskiem. A potem lądujemy na kołdrze i pieścimy się tak namiętnie, że omal nie ścieramy z siebie skóry. Odpinam mu pasek, potem rozporek i sięgam pod slipki, próbując się dostać do... Jake podnosi się na łóżku, wciąż ma na sobie kurtkę, i otwierając szeroko oczy, próbuje niezdarnie otworzyć kwadratową paczuszkę. Nad jego górną wargą perlą się kropelki potu. I jesteśmy tak blisko siebie, że już bliżej być nie można. A potem patrzymy sobie prosto w oczy i mówię miękko:

– Hej.

Jake przytula mnie do siebie i ponownie owija kurtką. Czuję, że otwiera usta nad moimi włosami, a tymczasem światła przejeżdżającego obok domu samochodu wędrują po suficie.

– Co? – Cofam głowę, by spojrzeć na jego twarz, na tę piękną twarz, poważną, jak gdyby miała mi coś wyznać, ale co? – No co? – powtarzam.

I wtedy ląduje na mnie fontanna rzygowin.

Stoję pod prysznicem i gapię się na zasłonkę – tak trzeźwa, że już bardziej chyba być nie mogę. Takiej sceny nigdy nie pokazują w filmach – świeżo pozbawiona dziewictwa Julia Roberts spiera rzygi ze swoich podwiązek. I co mam teraz zrobić, żeby znowu było cudownie? Czy mogę stąd wyjść i obudzić Laurę? Jakie są szanse, że Laura sama jest pokryta rzygami? Czy to jest część życia seksualnego, o której nigdy się nie mówi? Może lepiej zostanę tu i obmyślę, co mam mu powiedzieć. Na przykład: czy mógłbyś uprzejmie wstać z mojej pościeli, do jasnej cholery, żebym mogła z niej sprać zawartość twojego żołądka, zanim będę musiała w niej spać?

Wyciągam rękę po ręcznik i krzyczę przerażona, bo natrafiam na kurtkę Jake'a. Odsuwam zasłonkę i wyglądam zza niej.

– Przepraszam! Przepraszam. – Jake cofa się niepewnie, wciąż zupełnie ubrany.

– Stałeś tu przez cały czas?

Gapi się w sufit, jak gdyby chciał wyparować i myślał, że to mu pomoże.

– Miałem sobie pójść, ale nie wiem, czy... A potem pomyślałem, że powinienem zostać. A potem przyszedłem tu, żeby ci powiedzieć... sam nie wiem co.

– W porządku. – Kiwam głową ze zrozumieniem, a woda ścieka mi po twarzy.

– To...

– Chciałbyś zniknąć? – pytam, zlizując krople z okolic ust, gdyż obiema rękami trzymam przed sobą zasłonkę, spoza której wystaje tylko moja twarz.

– Tak, tak. – Kiwa głową dalej wpatrzony w sufit.

– Posłuchaj, to jeszcze nie jest koniec świata.

– To niby nie jest koniec świata? Kochaliśmy się, a potem puściłem na ciebie pawia.

– Kochaliśmy się? – powtarzam.

– Tak. – Wzdycha i kuli się. – I puściłem pawia.

– No i co? Puściłeś pawia, zdarza się. – Wzruszam ramionami.

– A ty siedzisz tu chyba od godziny.

– Nie wiedziałam, jak się mam dalej zachować – przyznaję szczerze.

– Ani ja – stwierdza i krzywi się. – Cholera, ciągle czuję ten smród.

– Masz trochę na koszuli. – Wskazuję przez zasłonkę na flanelę z zaschniętymi wymiocinami.

– Chcesz, żebym sobie poszedł i już nigdy nie zawracał ci głowy? – Wbija wzrok w ziemię.

– To znaczy, chcesz się zabić?

– Może to i dobry pomysł.

– Nie, Jake'u Sharpie, nie chcę, byś się zabił. – Jego napięta twarz rozjaśnia się wreszcie uśmiechem. – Chyba lepiej, żebyś tu wszedł i się umył, a ja postaram się obmyślić, jak się do tego zabrać.

– Hm, chcesz obmyślić, jak się do mnie zabrać? – Zdejmuje z siebie ubranie i rzuca je na stos w kącie.

– Od lat. – Cofam się pod prysznic.

– Masz jakiś pomysł? – Odciąga zasłonkę i wchodzi do środka, a potem zasuwa ją i stoi tam przede mną, smutny i zgarbiony, jak gdyby przegrał jakieś ważne zawody.

– Ciągle się zastanawiam. – Przywołuję go ręką, by wszedł pod wodę, i zamieniamy się miejscami. – Podać ci mydło?

– To dziwne – mówi, biorąc kostkę.

– Sam jesteś dziwny – odpowiadam, opierając się o chłodne kafelki.

– Cicho bądź! – śmieje się.

– Bo co? – chichoczę, wreszcie odprężona. – Obrzygasz mnie?

– O co chodzi z tymi domkami dla ptaków? – pyta Jake, wskazując na rząd stojących na ganku jasno pomalowanych budek wypełnionych nasionami.

– Tata zaczął je konstruować, gdy zamknięto centrum badawcze. Moja mama nazywa to produktywnym sposobem rozładowania napięcia. Masz, trzymaj – mówię do Jake'a, wręczając mu pęk listów i ulotek, po czym otwieram kluczami ganek. – Sprawdź, czy jest tu moje podanie z Dartmouth.

Przekłada katalogi i wydobywa spomiędzy nich kopertę.

– Nie ma, ale jest za to z University of Virginia – mówi Jake. Popycham frontowe drzwi i wchodzimy do środka, gdzie jest prawie tak samo zimno jak na zewnątrz. Z głębi domu dochodzi nas szczebiot sędziego Wapnera prowadzącego swój telewizyjny *show*. Otrzepujemy śnieg z butów, a ja kieruję się w stronę termostatu i podkręcam go do osiemnastu stopni.

– Założę się, że moja piwnica jest teraz naprawdę ciepła. I przytulna – dodaje.

– Cicho bądź! – śmieję się. – Jedno popołudnie spędzone tutaj chyba nas nie zabije. – Zdejmujemy buty i zostawiamy je na wycieraczce przy drzwiach. Jake idzie powiesić nasze kurtki na wieszaku, i jak zwykle nie może się oprzeć, by nie założyć na twarz mojej weneckiej maski z szóstej klasy.

– Upiór z opery jest tuuuu! – wyje. Gryzie mnie w szyję, a ja zaczynam piszczeć. Pacnąwszy go, odkładam pocztę na stolik w hallu, razem z kopertą z University of Virginia.

– Przyznaj, tęskniłeś za tą maską.

Jake w odpowiedzi otacza mnie ramieniem i przyciąga, by pocałować. Wyrywam mu się niechętnie, choć dalej trzymam za rękę.

– Powiedzmy szybkie „cześć", a potem pójdziemy na górę i zaczniemy się uczyć. – Unoszę brwi znacząco i wystawiam na zewnątrz koniuszek języka.

Jake wydaje z siebie niskie mruknięcie, po czym wchodzi za mną przez wahadłowe drzwi do pustej kuchni.

– Tato? – krzyczę. Wielki nierdzewny garnek na makaron chwieje się na kuchence, a jego spód czernieje od ognia. Wyłączam palnik, biorę ściereczkę, by podnieść pokrywkę, i kłęby pary oznajmiają mi, że woda się wygotowała. Z otwartego opakowania leżącego na blacie wysypują się lazanie, a obok kleiste czerwone kółko sosu znaczy miejsce, gdzie leżało wieczko puszki. Sięgam więc po gąbkę i ścieram przy okazji zielone płatki przypraw wysypane z otwartych buteleczek.

– Tato! – wołam znowu.

Jake dalej stoi w drzwiach ze złożonymi rękoma.

– Może w pokoju telewizyjnym?

Mijam go pędem i podążam za dźwiękiem telewizora. W pokoju widzę Tatę, który rozłożył się w fotelu bezwładnie, jak gdyby od ukończenia szkoły nie poruszał żadnym mięśniem.

– Tato?

Odwraca głowę w moim kierunku, oczy ma zaczerwienione i podkrążone.

Coś mnie ściska w dołku.

– Tato, woda się wygotowała.

– Co? – pyta tępo.

– Woda – powtarzam. Zastanawiam się, co do niego nie dociera, moje słowa czy moja obecność.

– Och. – Przez chwilę robi wrażenie zakłopotanego, a potem ściąga afgański koc z poręczy krzesła i kładzie go sobie na kolanach. Sięga po pilota i pogłaśnia dźwięk, ale gdy próbuje go odłożyć na miejsce, nie trafia na stolik i urządzenie spada z hukiem na podłogę. Plastikowa klapka odrywa się od tyłu, a baterie toczą się po drewnie w kierunku moich mokasynów. – Cholera – wzdycha.

Podnoszę baterie oraz rozwalonego pilota i staję przed telewizorem.

– Tato, Mama będzie w domu za jakieś dziesięć minut.

Tato zamyka oczy.

– Dobrze, to my z Jakiem... – Zostawiam go z wrzeszczącym telewizorem i wracam do kuchni, gdzie wita mnie swąd przypalonego garnka.

– Czy wszystko w porządku? – Jake dalej stoi niepewnie w progu.

– Nie wiem. Nie. – Podchodzę do okna nad zlewem i uchylam je. – Po prostu tego nie rozumiem. Jak ktoś, kto jeszcze niedawno był normalnym szczęśliwym człowiekiem, może nagle stać się... Wiesz, Jake, może lepiej idź do domu, dziś wieczorem naprawdę nie...

– Daj, pomogę ci. – Podbiega do okna przy schowku na szczotki i unosi je nieznacznie, robiąc tym samym niewielki przeciąg. – Wcale mi nie żal tej proszonej kolacji.

– Jak wolisz – mówię, nie chcąc, by mój ojciec był powodem, dla którego będzie jadł sam. – Łap. – Otwieram lodówkę i rzucam mu pomidora. Chwyta go jak piłkę do baseballu, a ja wyciągam składniki do sałatki.

– Co mam zrobić?

Zerkam na zegarek na kuchence, a potem podaję mu plastikową deskę i nóż.

– Pokrój to, byle jak.

W momencie gdy wrzucam spaghetti do durszlaka, słyszę, że otwierają się drzwi do garażu. Ciskam garnek z powrotem na kuchenkę, biegnę do pokoju telewizyjnego i wtykam głowę do środka.

– Tato.

Siedzi nieruchomo pod kocem i nic nie wskazuje na to, że słyszał mnie albo samochód. Podchodzę do telewizora i wyłączam go.

– Tato! Mama przyjechała – oświadczam.

– Cześć! – dobiega nas głos Mamy. – Ale coś fantastycznie pachnie.

Obracam się w drzwiach i widzę jej sylwetkę. Mama trzyma w ręce robioną na drutach czapkę i spogląda na Jake'a stojącego w fartuchu przy kuchence.

– Cześć, Jake. Gdzie jest Simon?

– Tu jestem – odpowiada Tato, stąpając ciężko w swoich skórzanych pantoflach i stając za moimi plecami.

Mama odpina płaszcz i widzę, jak jej oczy wędrują od jego kilkudniowego zarostu, przez rozchełstaną koszulkę, którą nosił też wczoraj, aż do plam po dżemie na spodniach. Jak gdyby nigdy nic, Tato podchodzi do stołu i siada na krześle.

– Już prawie gotowe, pani Hollis – mówi Jake z entuzjazmem, który sprawia, że chcę wyjść za niego za mąż, po czym przesuwa łyżką po brzegu niebieskiej metalowej patelni.

– Jak wyszło spotkanie w Amherst? – pyta Mama, wyciągając ze stojaka butelkę wina wraz z korkociągiem.

– No cóż – zaczynam. Mama podchodzi do stołu i stawia ciężko butelkę przed Tatą, a potem podaje mu korkociąg. – Szkoła robi świetne wrażenie, ale... – Tato nie reaguje. Spoglądam na Jake'a.

– Ale zanim przeprowadzająca rekrutację skończyła opisywanie szkoły – pomaga mi Jake – byliśmy już przekonani, że wszystkich dwunastu uczniów ma przychodzić do jej domu każdego wieczoru, by jadać kolację i oglądać teleturnieje.

– To mała szkoła. – Stawiam salaterkę z sałatką na stół i wyciągam z niej kawałek marchewki, po czym podaję go Mamie. Mama wkłada pomarańczowy plasterek do ust i uśmiecha się do mnie z wdzięcznością, otwierając butelkę chianti.

– Już! – stwierdza Jake. – Gotowe. – Polewa makaron sosem i wnosi go na stół.

Mama, siadając, wkłada palec do swojej miski i oblizuje.

– Mmm. Jake, twoja mama świetnie cię nauczyła gotować.

– Szczerze mówiąc, moja mama nie jest w tym dobra. – Jake wzrusza ramionami i odwiesza fartuch na oparcie krzesła. – Ale nasza sprzątaczka Jackie nauczyła mnie różnych rzeczy. – Siada na krześle i zaczynamy się zajadać, sięgając po sałatkę, chleb i ser. Tato wciąż się nie rusza, wzrok ma wbity przed siebie. Zdaję więc szybką i zabawną relację z egzaminu z biologii i odgrywam każde pytanie, na które nie znałam odpowiedzi. Jake, idąc za moim przykładem, próbuje nas rozśmieszyć, pokazując, jak Sam wysadził korki, gdy podpinał sprzęt przed występem na czyichś szesnastych urodzinach w miejscowym klubie.

– Jak spędziłeś dzień, Simon? – przerywa nam Mama.

– Dołożyłem na strychu kilka pułapek na myszy – odpowiada ze spojrzeniem wciąż nieobecnym i wyciera swoje czyste usta serwetką. – I nagle po lunchu zorientowałem się, że od lat nie oglądałem *Człowieka, który chciał być królem*, więc go wypożyczyłem.

– Och, bardzo chętnie bym to znowu zobaczyła. – Mama uśmiecha się blado i upija łyk wina. – Katie, gdy skończycie z Jakiem odrabiać lekcje, powinniście obejrzeć to z nami. To jest klasyka.

– Jasne, po lekcjach, oczywiście.

– Ja już go widziałem dziś po południu – odzywa się znowu Tato.

– Aha – mówi Mama, zasysając policzki.

– Wiecie – wtrącam szybko – regionalny konkurs oratorski odbywa się zaraz po przerwie świątecznej i zostałam już zakwalifikowana...

– Czy ktoś dzisiaj dzwonił? – Mama przcrywa mi, przyciskając palec do brzegu kieliszka.

Tato wstaje, skrzypiąc przy tym krzesłem, i powłócząc nogami, odchodzi od stołu.

– Simon?

– Nie – odpowiada, gdy przetrząsa kredens, z którego wyjmuje puszkę owsianych ciasteczek.

– Co z facetem, który kazał ci zadzwonić w tym tygodniu?

– Jest dopiero środa. – Tato opada ciężko na krzesło, po czym wyciąga z puszki okrągłe ciasteczko i metodycznie rozłamuje je na pół, a potem na ćwiartki. – Powiedział, żeby zadzwonić w połowie tygodnia. Nie chcę, by uznał mnie za desperata.

– Słyszałam dzisiaj, że po odejściu pana Disalva jest wolna posada w bibliotece. – Mama wciąż sili się na beztroskę. – Co o tym sądzisz?

Tato rozdrabnia jedną ćwiartkę na okruszki.

– Jestem szkolnym psychologiem. Może zatem powinienem wrócić do pracy w szkole. Nie jestem przecież bibliotekarzem.

– A więc – włączam się znowu do rozmowy – konkurs oratorski trwa dwa dni i mają tam być najlepsi uczniowie z północnowschodniej części kraju. To naprawdę stresujące. – Szukam w zakamarkach pamięci jakiejś historyjki, dowcipnej, a przy tym na tyle rozwlekłej, żeby starczyła na cały posiłek, do momentu kiedy będę mogła odejść od stołu. – Chyba nie opowiadałam wam, jak Denise i ja ćwiczyłyśmy... o rany, to jest naprawdę śmieszne, popłaczecie się ze śmiechu...

– Ile to kosztuje? – pyta Mama z oczyma wciąż utkwionymi w Tatę.

– Co? Nie wiem. Za pokój, benzynę, wstęp i posiłki, może jakieś sto dolarów?

– Dam ci znać po świętach. – Mama z nieszczęśliwą miną skubie widelcem sałatkę. – Nie jestem pewna, czy nas na to stać.

– Ale... – Zatyka mnie. – Jeśli uda nam się dojść do etapu krajowego, będzie mi łatwiej dostać się na studia! To przecież ostatnia klasa i ostatnia taka szansa!

– Ja mogę ci dać pieniądze – mówi Jake cicho, jak gdyby tylko do mnie.

– Widzisz, Simon? – Twarz Mamy staje się jeszcze bardziej zacięta. – Widzisz, co się dzieje?

– Jake tylko żartuje – wtrącam od razu. – O rany, Jake, nie ma sprawy. Moi drodzy, nie ma sprawy. Nie muszę jechać. Pogadamy o tym później, dobra? – mówię błagalnym tonem.

Przy stole zapada kłopotliwe milczenie. Tato zaczyna skrupulatnie wydłubywać okruszki z plecionej podkładki i przenosić je na serwetkę, jeden po drugim. Jake zerka na zegarek.

– Panie Hollis, za pięć minut zaczyna się mecz Boston Bruins. Może obejrzymy?

– Świetny pomysł – odpowiada Tato, ożywiając się nagle.

– Super, a ja przyniosę wam deser – dodaję. Jake podnosi się, a Tato bierze kraciastą puszkę i rusza w stronę pokoju telewizyjnego. – Miłego oglądania! – mówię na głos, a bezgłośnie w stronę Jake'a, który idzie za nim ze szklanką mleka: „Dzięki".

Kiedy oglądam się na Mamę, widzę, że dwie cienkie strużki łez ciekną jej po twarzy.

– Mamo?

– On musi coś z tym zrobić. – Mama bierze głęboki oddech i wyciera policzki chusteczką. – Biorąc pod uwagę czesne za twoje studia, które czeka nas w przyszłym roku... Po prostu nie wiem, Katie, po prostu nie wiem, w jaki sposób... – Opiera czoło na pięści, w której trzyma zwiniętą chusteczkę. Przesuwam krzesło i dotykam jej ramienia, a ona kładzie głowę na mojej ręce, tak że jej miękkie włosy opadają mi na nadgarstki.

– Pójdę jeszcze raz do pani Hotchkiss i powiem jej, że kwestia stypendium jest dla mnie najważniejsza.

Mama wydmuchuje nos.

– Chciałabym, żebyś mogła pójść do takiej szkoły, do jakiej naprawdę chcesz.

– A ja chciałabym być blondynką. – Silę się na uśmiech. – Nie możemy mieć wszystkiego, czego chcemy, prawda?

Mama zaczyna się śmiać, ale po chwili jej śmiech gaśnie. Za to gdy krążek ląduje w bramce, z pokoju telewizyjnego dochodzą dwa okrzyki radości.

Jestem tak padnięta, że gdyby tylko dane mi było położyć głowę na blacie, od razu zapadłabym w śpiączkę. Wychodzę z lekcji historii chwiejnym krokiem. Ten facet, mówiąc o ustawach zbożowych, tak przynudzał, że nie wiem, czy zapamiętałam z tego cokolwiek. Przekręcając kluczyk w szafce, wyliczam: czterdziestominutowa przerwa na samodzielną naukę daje mi trzydzieści minut na wpis do pamiętnika z całego tygodnia, trzy na dokończenie hiszpańskiego i całe siedem minut na to, by wymęczyć raport na laboratorium. Fantastycznie!

– W porządku. Nie musisz mówić mi cześć.

Odwracam się i widzę plecy oddalającej się Laury.

– Hej! – Próbuję ją dogonić, ale Laura idzie szybko dalej. – Umieram z wyczerpania.

– Zorganizuję ci stypę. – Laura przyśpiesza kroku, a jej kowbojskie buty do połowy łydki rysują linoleum.

– Hej, o co ci chodzi? – Łapię ją za rękę.

– O nic. – Laura wyrywa mi się.

– O nic?

– Nie chcę cię zanudzać.

– Skoro tu stoję i cię pytam, to znaczy, że mnie to interesuje. – Tłocząca się banda dzieciaków popycha nas ku sobie.

Laura ściąga włosy ze swetra, unikając ciągle mojego wzroku.

– Spóźnię się na wuef.

– Od kiedy martwi cię, że się spóźnisz na wuef?

– Od kiedy zauważyłaś.

– O co ci chodzi? – pytam znowu.

Wydyma usta.

– O nic. Pewnie niewiele cię to interesuje, ale właśnie wracam ze spotkania z panią Hotchkiss.

– I...?

– O, było fantastycznie! Uważa, że powinnam mieć b a r d z i e j   r e a l i s t y c z n e oczekiwania. – Pod ozdobionymi granatowym tuszem rzęsami gromadzą się łzy. Rozlega się dzwonek i jakiś urwis wskakuje między nas, po czym znika w klasie. – Cholera! – Laura podnosi ręce do góry.

Zostajemy same na korytarzu.

– Chodź. – Biorę ją za rękę. Laura zaczyna szlochać. – No chodź. – Ciągnę ją za sobą. Biegniemy przez puste korytarze, a zawartość naszych plecaków kołysze się ciężko z boku na bok. Pędzimy przez przejście łączące oba budynki do najbliższego odludnego miejsca na terenie szkoły – schodów na galerii gimnazjalnego basenu. Na podeście rzucam się na posadzkę i cofam do wnęki, ciągnąc Laurę za sobą. Siadamy i przez chwilę próbujemy złapać oddech, a potem Laura wybucha na nowo płaczem i kładzie mi głowę na ramieniu. Ściskam jej rękę.

– Już dobrze.

– Nie, Katie, nie jest dobrze. Ty i Jake jestcście dla siebie stworzeni, jesteście już prawie małżeństwem i pewnie dostaniecie się na jakąś świetną uczelnię, a jedyną rzeczą, o której potrafi mówić Sam, jest ta głupia kaseta z nagraniem ich zespołu, którą wysyłają wszędzie i która ma sprawić, że zostaną odkryci, bla, bla, bla. A ja, jak się okazuje, muszę być bardziej r e a l i s t y c z n a w swoich oczekiwaniach, bo moje wyniki były, cytuję, m i e r n e, a moja lista działalności pozalekcyjnej jest, cytuję, z u p e ł n i e mierna. Cześć! – Próbuje się uśmiechnąć przez łzy. – Jestem Laura Heller, zupełnie mierna kandydatka na waszą uczelnię! – Wyciera ręką zasmarkany nos.

– Laura, nie jesteś mierna! Dostaniesz się wszędzie! Świetnie wypadasz na rozmowach! A twoje oceny są naprawdę niczego sobie...

– Czytaj: mierne.

– W porównaniu z kim? Z Daną Dunkman? No co ty, nie pozwól, by Hotchkiss tak cię zgnoiła. Sprawia, że każdy czuje się jak śmieć. Oto jej tytuł: gówniany doradca. Ona i moja mama zmówiły się chyba, by wysłać mnie do Duke'a albo na University of Virginia, na którąś z tych głupich południowych...

– Miałaś już spotkanie z panią Hotchkiss? – Cofa swoją rękę.

– We wtorek. Niewiele z tego pamiętam z wyjątkiem gadki o Południu, bo wtedy wspięła się na szczyt szaleństwa.

Laura spogląda na półkole pokrytych kurzem fikusów.

– Dlaczego dopiero teraz się o tym dowiaduję?

– To znaczy? To nie jest żadna tajemnica.

– Założę się, że Jake wie o wszystkim. Założę się, że wiedział zaraz po spotkaniu.

Hm.

– Chyba...

– Co się z nami dzieje?

– Nic.

– Pieprz się. – Laura sięga po torbę.

Mam już tego wszystkiego po dziurki w nosie, nerwy mi puszczają i w przesączonym chlorem powietrzu rozlega się mój krzyk:

– Laura! Mam tyle na głowie, że już prawie nie wiem, jak się nazywam! Mam pełnoetatową pracę, która polega na powstrzymywaniu rodziców od wydrapania sobie nawzajem oczu, odrabiam lekcje przez tryliony godzin, mam konkurs, te wszystkie rozmowy, muszę wypełnić podania i próbować nadążyć za tym wszystkim, ale jakimś cudem udaje mi się to przetrwać, bo wreszcie mam Jake'a. Tylko że nagle ni z tego, ni z owego słyszę ze wszystkich stron, że powinnam jechać na studia i zacząć nowe, wspaniałe życie, i zapomnieć o...

– Ale tak jest, Katie. – Laura przerywa mi twardo.

– Wiem.

– I za rok o tej porze wszyscy będziemy...

– Wiem o tym. – Teraz ja przerywam jej.

– Ty i ja również.

– To coś innego.

Laura przekręca pierścionek, który Sam dał jej na urodziny.

– Nieprawda.

– Jesteśmy przyjaciółkami! Tak więc jeśli będziemy chodzić na randki z innymi ludźmi albo wyjdziemy za kogoś innego, to nic złego się nie stanie. Nic nie zmieni tego, że jesteś moją najlepszą przyjaciółką od czasu tamtego pamiętnego skakania na basenie, mrożącego tyłki i krew w żyłach.

– Na twarzy Laury pojawia się słaby uśmiech. – Cholera, jeśli chcesz, to na potwierdzenie tego rozbiorę się tu i teraz i przebiegnę pamiątkowe okrążenie.

– Nie, proszę.

– A zatem przestań, dobrze? – Laura kiwa głową. – Gdziekolwiek wylądujemy, zawsze będziemy przyjaciółkami. – Sięgam do plecaka i podaję jej chusteczkę.

Laura śmieje się i wydmuchuje nos.

– Rozumiem zatem, że nie powinnam życzyć Jake'owi, by dostał się do Ivy League. Zresztą jemu wystarczyłoby do szczęścia, gdyby przez resztę życia grał w jakiejś zawszonej knajpie.

– Tak samo jak i Samowi – odpowiadam, zaskoczona jej tonem.

– A my możemy w tej samej knajpie robić za drobne oszustki. – Widać, że humor jej powraca.

– Wtedy bylibyśmy razem prawie jak rodzina.

– A nasze dzieci mogłyby pracować za barem. – Laura wybucha śmiechem.

– Wchodzę w to. – Grzebię w plecaku i wyciągam następną chusteczkę. Laura wyciera twarz, a ja z powrotem opieram się o ścianę, marząc o tym, żeby wszystko było już wiadome.

– Tato – szepczę, kucając przy łóżku rodziców. – Tato!
– Tak? – Tato budzi się i mruczy: – Katie? Co tym razem?
– Kiedy dostałeś obywatelstwo? W którym roku? – Staram się przytrzymywać latarkę podbródkiem i jednocześnie pisać na podaniu.
– O Jezu – wzdycha.
– No dalej, Tato! Kiedy przestałeś być Brytyjczykiem?
– W sześćdziesiątym ósmym. – Z ciemnego kąta po drugiej stronie łóżka rozlega się głos Mamy. – Dlaczego robisz to za pięć dwunasta?
– Jest dopiero po dziesiątej. Dobrze, a teraz ty. Jakie masz wykształcenie?
– To była tylko przenośnia, Kathryn. A jestem magistrem nauk ścisłych – oświadcza.
Trzymam pióro w pełnej gotowości bojowej.
– Czego?
– Nauk ścisłych! Nauk ścisłych, Kathryn! O której musisz to wysłać?
– Ech – wzdycham i piszę: „magister nauk ścisłych". – Dziś wieczorem. No właśnie. Już miałam jechać, by to skopiować, i wtedy zobaczyłam tę masę pytań na odwrotnej stronie podania do Swarthmore College. Dobra, to w ilu językach mówi Tato?
Cisza. Wyjmuję latarkę spod podbródka i kieruję strumień światła na błyszczącą twarz Mamy, której ręce przylegają ciasno do żakardowej kołdry. Oba nieruchome ciała spoczywają na przeciwległych krańcach materaca.
– Mamo? Tato?! – Trącam Tatę kolanem. – Tato!
– Hm? Co?
– Ile znasz języków?
– Trzy, na litość boską.

– Super. Dzięki. Super. Super! – Przerzucam spięte kartki papieru. – ... I nie jesteśmy niewierzący. – Zaznaczam okienko. – ... A Mama nigdy nie służyła w wojsku. – Kolejne okienko. – Ale się zaciągnę, jeśli się nie zmieścisz w terminie.

Odwracam strony, chowam podanie do plecaka i wrzucam latarkę na wierzch, nie mając nawet czasu, żeby odłożyć ją na miejsce.

– Świetnie! Super! Dzięki. Zatem kolorowych snów. Wrócę, jak tylko wrzucę to do skrzynki. – Wybiegam.

– Ale wcześniej skopiuj!

– Wiem, Mamo!

– Nie robisz na mnie dobrego wrażenia! – krzyczy, gdy zbiegam po schodach.

– Dobrze, że nie jesteś w komisji rekrutacyjnej Swarthmore! – drę się w odpowiedzi, zamykając za sobą frontowe drzwi.

Z maksymalną prędkością i z piskiem opon wjeżdżam na parking i zatrzymuję się obok grupy samochodów przed Mail Boxes Etc. Jest dziesiąta pięćdziesiąt siedem. Luzik. Skopiuję całość trzy razy i po wszystkim. Przekręcam kluczyk w stacyjce, łapię plecak i zamykam biodrem drzwi, a moim oczom ukazuje się niemal cała klasa maturalna zgromadzona wokół dwóch kopiarek. Cholera.

Gapię się na ten tłum oświetlony fluorescencyjnym światłem. Szklane drzwi otwierają się i wychodzi z nich Jennifer-Dwa, nakładając na głowę czapkę.

– Czy jest tak źle, jak na to wygląda? – pytam, gdy zbliża się w moją stronę.

– Jest gorzej. – Kiwa głową ze zmęczeniem. – I na dodatek druga maszyna właśnie się popsuła. Miałam sporo szczęścia, że przyjechałam tu o dziewiątej.

– Jesteś tu od dziewiątej?

– Tak. Przyszłam tu zaraz po Jake'u. – Wyciąga z brzękiem kluczyki.

– Jake jest w środku?

– Nie, tam. – Jennifer wskazuje głową na jego corvettę, zaparkowaną z dala od innych, z wciąż włączonymi przednimi światłami. – No to pa. – Otwiera swoją hondę i siada za kierownicą. Gdy wycofuje samochód, z jej głośników ryczy Tone Loc. Schodzę jej z drogi i dostrzegam Jake'a siedzącego na chodniku przed swoim samochodem.

Ruszam w jego stronę, zapinając płaszcz.

– Jake?

Podchodzę bliżej i dostrzegam rozłożone na masce papiery, których nie niepokoi żaden powiew wiatru. Jake siedzi ze skrzyżowanymi nogami, z czapką naciągniętą głęboko na czoło i bębni palcami o chodnik.

– Jake. – Kucam obok niego, ale nie podnosi wzroku. – Co tu robisz?

Rusza głową do rytmu, który słyszy tylko on sam, i zdaje się zupełnie nieobecny.

– Nic.

– Siedzisz tu od dziewiątej?

Jake dalej kiwa głową w tym samym rytmie, twarz nie ożywia mu się nawet na moment. Podnoszę się i spoglądam na formularze, rozpoznając wszędzie ręczne pismo Susan.

– Twoja mama wypełniła je wszystkie? – Biorę jedną kartkę. – Więc teraz musisz tylko wrzucić je do skrzynki, tak? – Nie odpowiada. – A gdzie wypracowanie? – Przeglądam papiery, ale nie ma do nich dołączonych kopii. – Jake, podobno pracowałeś nad tym cały miesiąc? – Kurczę, zachowuję się teraz jak moja matka. Podciągam rękaw i spoglądam na zegarek. – Jake, powiedz coś. Mam jeszcze swoje podania na głowie.

— Nie byłem w stanie tego zrobić – oświadcza, wypuszczając z ust kłęby pary.

Pochylam się, by go lepiej słyszeć.

— Słucham?

— Nie byłem w stanie tego zrobić. – Podnosi na mnie oczy. – Nie chcę tego. Nie jestem w stanie.

— Muszę skopiować swoje materiały – mówię na głos i zastanawiam się, dlaczego mnie to spotyka.

— To idź – mówi.

— Ale Jake...

— Idź.

Otwieram plecak, w którym leżą podania. Oglądam się za siebie i patrzę na kolejkę. Cholera. Biorę papiery Jake'a, wyciągam swój notes na podkładce do pisania i odwracam na pustą stronę, jednocześnie próbując otworzyć drzwi samochodu od strony pasażera.

— Wsiadaj.

— Katie...

— Jake'u Sharpie, od tego, żeby mieć z głowy ten syf, tak jak i pozostali, dzieli cię pięćset słów. Mamy jeszcze pięćdziesiąt osiem minut, co daje jakieś dziesięć słów na minutę, więc ty mówisz, ja będę pisać, ale przysięgam, że cię przejadę, jeśli natychmiast nie wsiądziesz do samochodu, żeby mi palce nie zamarzły, do cholery. I to już! – Walę go w głowę notesem.

Jake podnosi się, wchodzi do środka i zajmuje miejsce za kierownicą. Wciskam się obok niego i zatrzaskuję drzwi, by do środka nie wpadły pierwsze płatki śniegu.

— Dobra. Zaczynamy. – Przeglądam podania i szukam tematu wypracowania. – Jaka osoba albo jakie doświadczenie miało największy wpływ na twoje życie? Odpowiedź uzasadnij.

Jake wyłącza światła i gapi się na kierownicę.

– Jake, no proszę. – Odsuwam pytania i uderzam długopisem o notes. – Jaka osoba albo jakie doświadczenie? – Jake otwiera usta i zaraz potem je zamyka. – Dobra, narty. Co powiesz na jazdę na nartach? Albo jaszczurki? Tamten wyjazd do Arizony? Albo zespół? Zespół to dobry pomysł. Opowiedz coś o tym...

– Ty – przerywa mi cicho.

– Co?

– Ty. – Odwraca się. – Jesteś osobą, która miała na mnie największy wpływ. I doświadczeniem. W całym moim życiu.

Zatyka mnie. Pochylam się, by ucałować jego dłoń, spoczywającą na dźwigni zmiany biegów.

– Dziękuję – szepczę, a potem zmuszam się, by wrócić do prozaicznej rzeczywistości. – Tylko, Jake, nie możesz tak napisać. Oni nie chcą czytać wypracowania na mój temat.

– Ale nie mogę napisać niczego innego. – Bierze z mojej ręki długopis i zaczyna bazgrać bezpośrednio na podaniu. Siedzę obok niego, choć powinnam wysiąść z samochodu i zająć miejsce w kolejce do ksero, by wreszcie zakończyć cały ten proces. – Ameryka Środkowa, dobrze mówię? – pyta, spoglądając na mnie niepewnie.

– Tak – odpowiadam z uśmiechem.

– Nauczyła mnie, że jeśli się w coś wierzy, trzeba to głosić odważnie, nawet jeśli trzeba w tym celu wejść na ławkę – kreśli z furią. – Katie? – Podnosi na mnie wzrok.

– Tak?

Pochyla się i dotyka wargami moich ust.

– Dziękuję.

Denise Dunkman zatrzymuje wreszcie swojego nissana przed naszym domem, więc sięgam do pasów.

– Dzięki! – mówię, odpinając je.

– Po prostu nie wiem, jak to się stało – oświadcza Denise po raz trzechsetny od chwili, kiedy to zajechałyśmy tego ranka na pusty parking Smithton High, na regionalny etap konkursu oratorskiego, tyle że o cały tydzień za wcześnie.

– Poważnie, Denise, nic się nie stało – powtarzam.

– Uwierz mi, jestem szczęśliwa, że nie muszę spać dzisiaj w tym obskurnym motelu.

– Ale przecież zapisałam to w kalendarzu, sprawdzałam wszystko dwa razy! – Denise nadal próbuje dociec, jak mogło dojść do tej pomyłki. Ostatnie trzy godziny spędzone na autostradzie najwyraźniej nie przyniosły jej satysfakcjonującej odpowiedzi.

– Wierzę ci.

– Po prostu nie wiem, jak to się stało.

– Potraktujmy to jako rozgrzewkę, dobrze? – Żegnam ją szybkim uściskiem i łapię za klamkę, pragnąc opuścić ten zaklęty krąg pachnący absurdem rodem z Becketta. Wychodzę na ośnieżony chodnik, a Denise dalej kręci głową. Cisza na naszej ulicy jest miłą odmianą po kilku godzinach spędzonych z kasetą Edie Brickell, muzyką, która jeszcze o siódmej rano całkiem mi odpowiadała. Wyciągam swoją torbę podróżną zza siedzenia i zarzucam na ramię, odrętwiałe – jak i całe ciało – po sześciogodzinnej przejażdżce w obie strony, po czym zamykam drzwi.

– Zapisałam to w kalendarzu! Sprawdzałam wszystko dwa razy! – krzyczy Denise ze środka zamkniętego pojazdu, na co uśmiecham się i kiwam głową. Macham jej na pożegnanie, przechodzę przed światłami przednimi cofającego się samochodu i widzę, że dalej kręci głową, co będzie robić jeszcze w poniedziałek, a pewnie i w przyszłym tygodniu, gdy ponownie wyruszymy w tę drogę. Ale pamiętaj, Katie: weź wtedy swoje kasety. Albo drewniany młotek.

Wlokę się w stronę ganku i widzę zaparkowany przed garażem samochód. Brr, goście. Adrenalina, która zalewała mnie przed konkursem i dodawała energii przez pierwszą połowę dnia, wyparowała już zupełnie i nie jestem w stanie wykrzesać z siebie ani odrobiny serdeczności.

Naciskam klamkę i popycham drzwi, ale nie ustępują. Tato pojechał w odwiedziny do wujka Daschle'a w Dorset. Czyżby Mama wyszła gdzieś z koleżanką i zamknęła drzwi? Cholera. Schodzę po schodkach, mając nadzieję, że zabrałam klucze, ale najpierw spoglądam na okno, żeby sprawdzić, czy na górze pali się światło. Owszem, pali się. Naciskam więc dzwonek i w tym samym momencie drzwi się otwierają, i staje w nich Mama ze zmierzwionymi włosami.

– Katie. – Spogląda na mnie z niedowierzaniem, kołnierzyk sukienki ma zawinięty pod spód.

– Cześć. – Rzucam swój ocieplany płaszcz z kapturem na ganek i przeciągam się. – Okazało się, że etap regionalny jest dopiero w przyszłym tygodniu. – Ale Mama nie odsuwa się, by wpuścić mnie do środka. Zauważam teraz, że jest zupełnie bosa, że nie ma na nogach nawet pantofli.

– Hm... – Wyglądam ponad jej ramieniem i widzę, że ktoś schodzi po schodach. Jakiś obcy facet. Zatyka mnie. Przecież nie powinno mnie tu być, nie powinnam tego widzieć ani wiedzieć.

– Katie – powtarza Mama, otrząsając się z pierwszego szoku, ale wciąż się nie rusza.

– Chciałam tylko zabrać samochód – mówię tak, jakbym potrzebowała wyjaśnienia, dlaczego zjawiłam się we własnym domu. Oboje gapią się na mnie, ona w drzwiach, on na schodach, z krawatem w ręce. Staram się nie patrzeć na niego, wyobrazić sobie, że to hydraulik, tępiciel szkodników, ktoś, kto miałby powód do bycia na górze inny niż... inny niż...

– To jest... – Mama najwyraźniej zamierza nas sobie przedstawić, ale przepycham się obok niej, a gdy sięga ręką, by mnie dotknąć, robię unik w bok.

– Biorę twoje klucze – oznajmiam, sięgam do stolika i po chwili czuję w dłoni chłód metalu.

– Katie – mówi Mama z udawanym spokojem – to jest Steve Kirchner. Uczy w naszym gimnazjum i właśnie przejeżdżał obok...

– Biorę klucze – powtarzam, ponieważ nie przychodzi mi na myśl nic innego, co nie wymaga jej zgody ani nawet potwierdzenia. Wybiegam przez kuchnię do garażu, z całej siły otwieram drzwi, które kołyszą się jeszcze przez chwilę, a potem wskakuję do samochodu, uruchamiam silnik i wrzucam wsteczny bieg. Ale na próżno. Nie mogę wyjechać, bo jego samochód stoi na środku podjazdu. Wrzucam na luz, zostawiam silnik na chodzie, otwieram boczne drzwi i wołam trzęsącym się głosem w stronę domu: – Czy mógłby pan przestawić swój samochód? – po czym drżącą ręką podnoszę plastikową pokrywę kosza na śmieci i zwracam do niego zawartość żołądka, uzupełnioną podczas lunchu w drodze powrotnej.

– Tak. Jasne. Oczywiście. – Szybko przechodzi obok mnie i zapach jego wody kolońskiej wypełnia mi nozdrza. Wycieram usta rękawem uniwersyteckiej marynarki Taty i kilka chwil później jego samochód już się wycofuje, a z rury wydechowej wydobywają się kłęby szarego dymu, widoczne w świetle lampy ulicznej, gdy stoi z włączonym silnikiem. Stoi i nie odjeżdża.

Wycofuję samochód, aż staje naprzeciw jego auta, po czym zmieniam biegi, żeby wyjechać. I dopiero wtedy Mama wychodzi na ganek, i woła mnie, a u jej bosych stóp leży porzucony domek dla ptaków. Nawet nie oglądam się za siebie, żeby sprawdzić, co dzieje się dalej z jego samochodem.

Walę pięścią w drzwi frontowe domu Sharpe'ów. Obserwuję, jak się uginają, podobne do tych nakręcanych zabawek, które wiesza się nad łóżeczkami dzieci, by się czymś zajęły. Puk, puk, puk. Wreszcie w drzwiach staje Jake i padam w jego ramiona, rzucając się na niego całym ciężarem. Kolana się pode mną uginają, gdy próbuję opowiedzieć o tym, co się stało – że wszystko, co było w moim życiu przed nim, będzie teraz życiem p r z e d t y m, a teraz są pierwsze minuty reszty mojego życia, Potem. Moje pierwsze wspomnienie z tego, co Potem, będzie dotyczyło tej chwili, pod żółtym wątłym blaskiem szklanych lampionów Susan Sharpe.

– Ciii, Katie – mruczy cicho Jake. Gdy osuwam się na podłogę, również się pochyla, nie wypuszczając mnie z objęć, po czym dźwiga mnie do góry i tuli ze wszystkich sił. Wciskam twarz w jego bluzę od dresu, próbuję przywrzeć do niego całą sobą, otwieram usta, by coś powiedzieć, ale tylko wzdycham.

– Już dobrze, Katie. Już dobrze.

Podnoszę głowę i spoglądam na niego, napotykając jego oczy pełne troski.

– Moja mama... – zaczynam. – Moja mama... – Jake tuli mnie do siebie, oparty o chłodny ceglany mur, a ja wzdycham i szlocham, nie mogąc znaleźć słów na określenie tego, co się stało.

Budzę się na piersi Jake'a, oboje jesteśmy owinięci wszystkimi kocami, jakie udało mu się znaleźć w tym domku. Moje piekące oczy spoglądają nad szorstką wełną na żarzące się resztki paleniska, a potem nagle, jak błysk, powraca wspomnienie Mamy stojącej nieruchomo w drzwiach. Z oczu znów zaczynają mi płynąć palące łzy, toczą się po policzkach i upadają na nagą skórę Jake'a, a potem ześlizgują mu się po żebrach. Jake bierze głęboki oddech i obejmuje mnie jeszcze mocniej.

– Hej – mruczy. – Nie śpisz już?

– Cześć – odpowiadam i przesuwam językiem wzdłuż mokrej linii łez otaczającej moje usta, a Jake mierzwi mi włosy. Podnoszę głowę i spoglądam na niego w blasku ognia; on również ma zapuchnięte od płaczu oczy. Dotykam słonych śladów na jego policzku. – Wszystko w porządku? – pytam.

– Tak – odpowiada, biorąc mnie za rękę. – Tylko to wszystko jest takie przygnębiające. – Głaszcze mnie.

– Nie mogę pojąć, jak do tego doszło. – Wpatruję się w sufit, mrugając oczami, a na wspomnienie, jak całowała Tatę w jego urodziny w sierpniu zeszłego roku, czuję ucisk w piersi. – Przez całe moje życie pieprzyła mi o męstwie i lojalności, i to wszystko, co mówiła, wszystko, co sobą reprezentowała, okazuje się gówno warte. Wystarczyło, że przez kilka miesięcy Tato miał problemy, a ona robi coś takiego!

– Ciii – mówi delikatnie Jake, chociaż i jego oczy błyszczą łzami. Dociera do mnie, że jest to również pogrzeb jego zastępczej rodziny, ale nie potrafię przestać się żalić.

– Jak mogę jeszcze wierzyć w cokolwiek? – Łzy napływają mi do oczu coraz szybciej. – Jak mogę wierzyć w c o k o l-w i e k, co robią lub mówią? Dlaczego do tego doszło, Jake?

– Nie wiem. – Głaszcze mnie po plecach. – A dlaczego moja mama jest taka, jaka jest? Dlaczego mój tata ciągle jeździ w te cholerne podróże? Nie wiem.

– Ja też nie. – Przewracam się na bok w jego stronę, opieram twarz na jego ramieniu, a on kładzie rękę na moim biodrze, po czym przyciąga bliżej i całuje w czoło.

– Bo to wszystko jest chore? – podpowiada.

– Tak. – Przez chwilę uśmiecham się, a potem przygryzam wargę. – Co zrobiłeś, kiedy twoja mama wjechała wtedy w to drzewo? Jak sobie z tym poradziłeś?

– Sam nie wiem... Po prostu siedziałem na podłodze przy jej łóżku przez całą noc i czułem się podle, a potem... To nie boli aż tak bardzo. Tylko na początku.

– Naprawdę? – pytam, jakby mógł mi to zagwarantować.

– Naprawdę. – Spogląda na mnie, a zraniona część jego duszy współgra ze zranioną częścią mojej. – Właśnie teraz siedzisz na podłodze przy jej łóżku, Ważniaku. A jutro i tak wstanie nowy dzień.

– Ale teraz to tak strasznie boli. – Otulam się rękoma. – Boli, wszędzie. – Jake delikatnie podnosi moje palce i schyla głowę. Czuję jego ciepłe usta na swoim boku, nad żebrami. Wędruje nimi po mojej skórze coraz wyżej, wzdłuż mojej szyi, a potem do moich ust.

– Nie musi boleć. Nie chcę, żeby bolało – mówi, spoglądając mi prosto w twarz. Całuje mnie w policzek, w nasadę nosa, a potem kojące ciepło jego pocałunków zalewa mi oczy. Zamykam je i wplatam palce w jego włosy.

Budzi mnie dźwięk gaszonego silnika i otwieram oczy – wnętrze domku wypełnione jest niebieskim brzaskiem. Czuję, że robi mi się niedobrze, gdy ściągam z siebie rękę Jake'a, a potem wstaję, przechodzę nad nim i wyglądam przez okno, na drogę, gdzie stoi zaparkowany samochód Taty. Przednie światła gasną. Drżąc na całym ciele, wkładam pomięte czarne spodnie od dresu i wsuwam stopy do mokasynów, po czym narzucam na gołą skórę marynarkę Taty przesiąkniętą dymem z paleniska i otwieram drzwi.

Na mój widok Mama wysiada z samochodu, a ja cichutko przesuwam rygiel na miejsce. Mama wciąż ma na sobie tylko sukienkę, otula się rękoma i na tle wyniosłych dębów robi wrażenie małej i kruchej. Schodzę po schodach, po białym puchu, ale nie chcę na nią patrzeć, nie chcę jej widzieć. Jej. Po Tym.

Atmosfera wokół nas jest niemal namacalnie gęsta.

– Katie. – Głos ma ochrypły, a twarz zapuchniętą i zbolałą. Pragnę, by zimno wypełniało mnie całą i przeniknęło do ostatniej komórki, żeby nie zostało już we mnie miejsca na jakiekolwiek uczucia. – Laura powiedziała mi o tej chatce. Nie mogłam znieść myśli, że jesteś poza domem i że być może jeździsz po okolicy, mając w głowie to wszystko... – Wybucha płaczem, a ja staram się nie dopuszczać tego do siebie. – Katie, on nie będzie ze mną rozmawiał, nie pozwoli sobie pomóc. Nie wiem, jak sprawić, by znalazł pracę. Nie wiem. Wysyłałam podania do Burlington, nawet do Bostonu, wszędzie gdzie tylko chciał, lecz on nie kiwnie nawet palcem. Przez ostatnie miesiące starałam się, nawet nie masz pojęcia, jak bardzo się starałam. – Ze wszystkich sił powstrzymuję się, by nie rzucić się jej w objęcia, bo wiem, że jej bliskość mogłaby wszystko załagodzić, a przecież nie może jej to ujść płazem. – Po tym wszystkim mieć kogoś, kto sprawia, że się uśmiecham, to po prostu...

Spoglądam jej prosto w oczy.

– Musisz mu powiedzieć.

Wyciąga rękę, ale robię krok do tyłu. Mruga oczami zakłopotana, jej wzrok wędruje ode mnie w stronę Jake'a, który stoi zgarbiony w drzwiach, owinięty kocem, a na jego twarzy maluje się troska.

– Nie wrócę, dopóki mu nie powiesz – oświadczam i kieruję się w stronę domku, wędrując po własnych śladach.

– Katie. – Jej głos tłumią łzy. – Katie!

Z trudem wchodzę po schodach i kryję się w ramionach Jake'a.

17

23 grudnia 2005 roku

Nagle zasłona chmur rozsuwa się i wiszący nisko księżyc ponownie oświetla nasze ślady na lodzie. Jego ręce opuszczają moje biodra. Zatrzymuję się na czubkach łyżew, snop lodowych iskier wznosi się łukiem i opada. Przychodzą mi na myśl słowa znanej wszystkim piosenki, której zawsze unikałam jak ognia, opisujące jej przyjazd tamtego ranka:

> W jego ciemnej marynarce,
> Na tle twojej białej skóry,
> Schodzisz dumnie w dół po schodach,
> Nie pozwolisz wejść na górę
> Tej, która cię stworzyła
> I zniszczyła...

– Stary, my już idziemy na górę! – krzyczy Sam, zdejmując łyżwy, po czym zaczyna się wspinać po białym zboczu.

– Chyba pora, żebym wrócił do domu! – dodaje Todd, kończąc wiązanie butów na drewnianej ławce, i podąża za Samem. Pochylam się lekko i kładę ręce na udach. Jake, na znak, że zrozumiał, wyciąga kciuki w stronę wzgórza, gdzie stoi dom, który dał mi niegdyś schronienie na parę dni, a teraz chyli się ku upadkowi, gdy tymczasem całe zdarzenie uwiecznione przez Jake'a zdaje się wiecznie żywe.

– Już? – Jake mija mnie i kieruje się w stronę brzegu. Sunąc po lodzie pod wiatr, przejeżdżam pod konarami otaczających jezioro drzew i na koniec robię pętlę, a z każdym posuwistym krokiem na nowo przenoszę swój gniew z bolesnego tematu tej piosenki na jego twórcę.

Zatrzymujemy się przed domem Todda, gdzie stoi jeszcze kilka samochodów. Ktoś ozdobił sztucznego bałwana wełnianą czapką.

– Katie, cudownie było znowu cię zobaczyć. – Todd odwraca się do tyłu i klepie mnie po kolanie.

– I nawzajem, Todd – odpowiadam.

– Sam. – Todd dziękuje mu za spotkanie ruchem głowy.

– Todd. – Zmęczony Sam odpowiada skinieniem.

– Moi ludzie wyślą wam te autografy – zapewnia Jake, gdy Todd obejmuje go w niedźwiedzim uścisku i klepie po plecach.

– Dzięki, stary. – Blask bijący z tablicy rozdzielczej oświetla profil uszczęśliwionego Todda, który otwiera drzwi samochodu i przesuwa do przodu siedzenie pasażera, żeby Sam mógł wrócić na swoje poprzednie miejsce. – Wesołych Świąt wam wszystkim!

Jake jedzie wzdłuż ośnieżonego krawężnika w stronę domu Sama. Światła są w nim pogaszone z wyjątkiem kuchennego okna, które rzuca słaby blask na garaż, a cienkie plastikowe ściany częściowo ukończonej przybudówki kołyszą się na wietrze. Jake ponownie gasi silnik.

– Dobra. – Sam otwiera drzwi. – To ja szybko lecę po papiery.

– Sam. – Jake łapie go za nadgarstek. – Stary, wiesz, że nie mogę. Chciałbym, ale nie mogę. Prawa do piosenek należą do wytwórni...

– Spieprzaj, Jake – prycha Sam, wyrywając rękę, a potem powoli wypuszcza z płuc powietrze. – Albo nie. To przecież nie twoja wina, że byłem taki głupi i myślałem, że udawanie starej paczki sprawi, że oddasz nam forsę.

– Ja nie udawałem.

– Powiedziałeś, że długo o tym myślałeś.

– Bo myślałem, i to przez lata! Tęskniłem za wami! Czuję się podle, że straciłem z wami kontakt. Nie mogę uwierzyć, że masz już właściwie troje dzieci, chłopcy są do ciebie tacy podobni! To niesamowite... ty i Laura... jesteście niesamowici.

– I... tylko tyle masz mi do powiedzenia? – pyta Sam przez zaciśnięte zęby.

Jake spuszcza wzrok.

– Tęskniłem za tobą, stary.

Sam odwraca się w moją stronę, na mojej twarzy maluje się identyczny wyraz osłupienia.

– Zatem przepraszam, Jake – mówi powoli, kiwając głową. – To musiało być dla ciebie ciężkie. – Kolejny głęboki oddech, uśmiech niedowierzania. – Ale ja nigdzie nie wyjechałem. Mam takie coś jak telefon. Wiem, jak dojechać na lotnisko. A więc... tak. – Wyciąga nogi z samochodu. – To musi być coś, Jake. Być tam, gdzie jesteś.

– Czyli gdzie dokładnie? – rzuca cicho Jake w jego kierunku.

– Tam, gdzie wolałeś nas nie brać ze sobą. – Sam trzaska drzwiami tak mocno, że aż szyby drżą. Gdy idzie w stronę domu, Jake gwałtownie rusza do tyłu, tak że aż uderzam o siedzenie, a pusta puszka po piwie przewraca się z łoskotem na podłogę. Zapieram się o dach, gdy przejeżdżamy obok znaku „stop".

– Jake! – krzyczę.

Jake zatrzymuje się z piskiem na skraju ulicy.

– Przesiądź się do przodu.

– Dzięki, z tyłu czuję się bezpieczniej.

– Cholera! – Uderza ręką o kierownicę. – To już nie jest takie proste. Ty przecież rozumiesz, że to nie takie proste, prawda?

Wciągam policzki, unoszę do góry brwi.

Jake odwraca się do mnie.

– Uznanie ich współautorstwa w tym momencie po prostu nie jest możliwe. Prawnicy wytwórni powiedzieli, że nie ma takiej możliwości, do cholery!

– Jake, przestań, błagam! – przerywam mu najeżona z wściekłości. – Jak możesz siedzieć tu z poczuciem, że nic im nie jesteś winien...

– Co? A niby co jestem im winien? – Unosi ręce do góry. – Gdyby nie mój głos, facet z wytwórni nie ruszyłby tyłka, żeby obejrzeć jakąś głupią garażową kapelę!

– Ta głupia garażowa kapela pomogła ci napisać kilka fantastycznych kawałków! – Tym razem wolę się powstrzymać od wyrażania własnej opinii na temat ich wartości, żeby osiągnąć zamierzony efekt.

– Nikt z was nie ma pojęcia, jak tam jest. Oni nigdy by sobie tam nie poradzili, spieprzyliby całe swoje życie!

Wytrzymuję jego spojrzenie.

– Och, to niezmiernie wielkoduszne z twojej strony, że ocaliłeś ich przed sławą, fortuną i własnymi zbiornikami z rybkami koi.

Jake zamyka na chwilę oczy.

– On ich nie chciał – mówi bezbarwnym głosem.

– Kto?

– Facet z wytwórni. Tylko mnie, samego. Albo nikogo. Nie wiedziałem, jak im to powiedzieć, więc po prostu...

– Wyjechałeś. Zabierając ze sobą ich riffy na gitarach i so-
lówki na perkusji.

– Cholera! – Znowu odwraca się przodem do szyby. –
Mam im to powiedzieć teraz? Więc wybaczcie chłopaki, ale
tak naprawdę nikt was nie chciał. Czy nie lepiej pozwolić im
żyć w błogiej nieświadomości? Pozwolić, bym to ja był złym
bohaterem całej historii, tym, który ich wykiwał? I o co ci tak
naprawdę chodzi, do cholery? Nie byłaś w tym zespole. Nie
zabrałem ci nic...

– Z w y j ą t k i e m   m o j e g o   ż y c i a!

– Co? – Spogląda na mnie w bocznym lusterku, na jego
twarzy maluje się wyraz autentycznego osłupienia.

– Mojego życia! M o j e g o   ż y c i a! – Ciskam w jego głowę puszką piwa.

Jake daje nura, by uniknąć ciosu.

– Nie zabrałem ci życia! – Uderza ręką w serce. – To są
m o j e wspomnienia!

– Dotyczące m n i e! – Walę nogą w jego siedzenie. – M o-
j e j matki! M o j e g o ciała! M o j e j sypialni! Pieprzyka na
m o j e j szyi!

Znowu odwraca się w moją stronę kompletnie zaskoczony.

– Chciałem, żebyś słysząc te piosenki, wiedziała, że nigdy
nie przestałem o tobie myśleć.

– Właśnie tak mam to rozumieć?

– A jest inaczej?

– O, tak. Gdy tylko dociera do mnie, że wszyscy moi współ-
towarzysze zakupów w Piggly Wiggly są właśnie informowani
szczegółowo, choć w literackiej formie, o moich umiejętnoś-
ciach w dziedzinie seksu oralnego, zwykle porzucam swój wózek na zakupy, wybiegam ze sklepu bez torebki, drąc się jak
opętana, i ciągle krąży mi po głowie: „och, on nigdy nie przestał o mnie myśleć!".

– Tej piosenki nie grają w Piggly Wiggly – stwierdza Jake.

– Masz rację. – Uśmiecham się szeroko. – Ale grają ją w wielu barach. – Spoglądam na niego, przekrzywiając głowę. – Tak cię cieszy współuczestnictwo we wszystkich moich randkach? O to chodzi, Jake?

Odwraca się do mnie i wzdycha:

– Gdy zaczynam śpiewać piosenkę, nieważne, jaki jest początek, i tak zawsze kończy się tym, że widzę... ciebie. Dzięki temu, sam nie wiem, jesteś jakoś bliżej.

– Nie jestem martwa, Jake! Nie ukrywałam się przez te lata! Mogłeś mnie w każdej chwili odnaleźć!

– Od ostatnich dziesięciu lat jestem w ciągłej podróży! – krzyczy Jake, unosząc twarz do sufitu, a potem odwraca się w moją stronę. – Tam nie ma miejsc, gdzie można zregenerować siły, nie ma spotkań z sąsiadami ani świątecznych festynów. – Spogląda uważnie w moją twarz z taką samą miną, jaką miał na schodach w swoim domu tamtego pierwszego popołudnia. – To nie jest życie. Niczego nie straciłaś.

Czuję, jak jakaś niewidzialna obręcz na mojej piersi zaciska się coraz mocniej.

– Oprócz widoku twojej twarzy o poranku. – Oczy zaczynają mnie piec. – Oprócz balu maturalnego. Oprócz chwili, gdy patrzysz mi prosto w oczy i oświadczasz, bydlaku, że wyjeżdżasz.

Wpatrujemy się w siebie nawzajem.

Nagle Jake odwraca się w stronę kierownicy i przekręca kluczyk w stacyjce.

– Co jak co, ale bal maturalny jest do nadrobienia.

18

Dwunasta klasa

W drodze do Georgetown sięgam do torby McDonalda usytuowanej między moim płaszczem a dźwignią zmiany biegów i wygrzebuję resztki frytek, po czym wkładam je do ust, wmawiając sobie, że są ciepłe. Wmawiając sobie, że jadę do Jake'a. Wmawiając sobie, że obok mnie śpi Laura. Podkręcam minimalnie dźwięk, żeby lepiej słyszeć piosenki z „Kasety Dla Katie Od Jake'a", tracę na chwilę panowanie nad kierownicą i samochód wjeżdża na pobocze.

– Przestań się bawić. – Mama otwiera jedno oko. – Błagam.

– Dobrze. Ale nic nie słyszę.

– Najlepiej włącz National Public Radio – mruczy, po czym znów zamyka oczy.

– Ale tu tego nie złapiesz. Jesteśmy w środku nocy w środku jakiejś dziury – mamroczę w odpowiedzi, spoglądając na czarne wzgórza ledwo widoczne na tle nieba.

– To radio znajdziesz wszędzie. Trzeba tylko chcieć. – Podnosi siedzenie wyżej, podkręca dźwięk i nagle ogłuszają nas The Pogues: *„I love your breasts, I love your thighs, yeah, yeah"*...

Mama wyłącza magnetofon, otwiera kieszeń i posyła kasetę ze stukotem na podłogę. Kręci głową z politowaniem i zaczyna powoli poruszać gałką, ale trafia głównie na trzaski.

– Mamo. – Wkładam rękę pod siedzenie, by odnaleźć porzuconą kasetę, mój ostatni łącznik z normalnością. Kierownica znów mi ucieka i samochód skręca na pobocze.

– Kathryn! Czy mogłabyś! Skupić się! Na jeździe?!

– Nie mogę skupić się na jeździe, gdy robisz coś takiego! – Z radia dochodzą trzaski przerywane okresami ciszy, aż wreszcie dobiega nas głos jakiegoś faceta.

– No. – Mama opiera się z powrotem o fotel i kładzie ręce na kolanach. Trzaski dalej akcentują każde słowo spikera.

– To nie ta stacja.

„A wówczas, jeśli będziecie postępowali według naszych zaleceń"...

– Nieważne, rozmowy ze słuchaczami mogą być zabawne – mówi Mama przez zaciśnięte zęby.

„Przyjdzie do was Jezus i zostaniecie przyjęci do grona sprawiedliwych. I w Królestwie Niebieskim nie będziecie się musieli troszczyć o pieczenie ciasteczek".

Mama wyłącza radio. Mijamy znak drogowy, światła samochodu omiatają jego zieloną tablicę.

– Dwie godziny do Littleton. Dasz sobie radę?

– Mhm. – Opieram policzek na wolnej ręce. Oczy mnie już bolą. Ale wolę to niż tkwić na siedzeniu pasażera, oddać jej stery i pozwolić, by niczym niezajęte myśli goniły od jednego mijanego w pędzie znaku drogowego do drugiego.

– Moim zdaniem, Mount Holyoke... – zaczyna zmęczonym głosem.

– Tak?

– Było trochę...

– Dziwne? – podpowiadam.

– Właśnie! – Odwraca się w moją stronę. – Nikt się nie uśmiechał. Nikt, żaden student, żaden nauczyciel. Nawet kobieta w sklepie z pamiątkami miała ponurą minę. Nie rozumiem, bo to taki uroczy kampus.

– Było naprawdę dziwacznie – podsumowuję. W myślach już wcześniej skreśliłam tę szkołę ze swojej listy sześciu uczelni walczących o moją duszę.

– Boże, umieram z głodu. Zostały jeszcze jakieś frytki?

– Niestety.

Mama sięga ręką pod siedzenie.

– W zeszłym tygodniu w drodze do pracy zostawiłam tu chyba karton soku. – Przeszukuje teren koło siebie. – O, za to jest twoja kaseta. – Podnosi ją do góry.

– To nie moja.

Na mojej była jaszczurka narysowana przez mojego chłopaka.

– Aha. – Mama przykłada kremową kasetę do tablicy rozdzielczej i oświetla ją zielony blask bijący z radia. – O Boże, *Chorus Line*. Pamiętasz, jak kiedyś to lubiłaś? – Nieruchomieję. Chociaż w ciągu tych trzech miesięcy przeszłyśmy długą drogę – Tato wyprowadził się, nie zostawiając mi innego wyjścia – wciąż nie potrafię rozmawiać z nią z rozrzewnieniem o przeszłości. Mama wkłada kasetę do środka, uśmiecha się i podkręcając dźwięk, zaczyna śpiewać razem z wykonawcą.

– „Naprawdę potrzebuję tej posady". – Jej głos wibruje. – Kupiłam ją, gdy starałam się o moją pierwszą pracę jako nauczycielka. Podtrzymywała mnie na duchu, gdy kończyłam studia. Burlington kazało mi czekać na odpowiedź trzy miesiące, opowiadałam ci o tym, prawda? – pyta, poprawiając szylkretowe grzebyczki we włosach.

– Nie.

– To były dla mnie ciężkie czasy. Ale ty siedziałaś na tylnym siedzeniu i śpiewałaś ze mną z całego swego malutkiego serduszka. – Widzę kątem oka, że się uśmiecha. – I to było w tym wszystkim cudowne. Ty byłaś cudowna.

– Dzięki.

– Naprawdę, Katie. Tak było. – Czuję, jak wpatruje się w moją twarz, w jej wilgotnych oczach odbija się blask z deski rozdzielczej, a potem Mama rozpiera się na siedzeniu. Przewracam kasetę na drugą stronę, słowa wracają do mnie echem, przywołują wspomnienia czasów, gdy jedyną rzeczą, o którą się troszczyłam, było śpiewanie na cały głos piosenek z musicali, a czasy te wydają się teraz bardziej odległe niż kiedykolwiek.

– Idziemy... i jeszcze trochę... – Posłusznie drepczemy dalej. Jest to trzecia uczelnia, którą odwiedzamy w ciągu ostatnich dni wraz z tłumem innych kandydatów i potencjalnych sponsorów tego wszystkiego, czyli rodziców, a towarzyszą nam przyjęci już starsi studenci. Trzecia blondynka, najwyraźniej cierpiąca na ADHD, kroczy pewnie tyłem przez trzeci rozległy zielony teren. – Zatrzymujemy się tutaj. – Przystajemy nagle i wpadamy na siebie nawzajem. – To jest główny budynek Rodin University. Znany także jako Harte Center od imienia Jamesa Harte'a, który był rektorem uczelni w latach 1817–1842. Często mówimy, że ten budynek jest sercem szkoły albo też *vena cava*. Główną arterią, rozumiecie? – Rodzice kandydatów starają się roześmiać, na wypadek gdyby podglądano ich z ukrycia i sekretnie oceniano na podstawie tego, czy rozumieją poczucie humoru przewodnika. Ale reszta mojej grupy, która, jak mniemam, nie wybiera się na medycynę, zachowuje kamienną twarz.

– Dobrze, idźmy więc dalej! – Stacey znów rusza tyłem, a my suniemy za nią jak ławica ryb. Mama przystaje z grymasem na twarzy i przyciska stopą tył nowego brązowego pantofla.

– Mogłyśmy po prostu obejrzeć to wszystko na wideo, siedząc wygodnie w fotelach – przypominam jej. – Gdybyś tylko kupiła nowy odtwarzacz po tym, jak Tato zabrał ten stary.

– Ale wtedy straciłabyś okazję poznania Stacey. – Mama uśmiecha się i rusza dalej, zapraszając mnie ruchem ręki do podążenia w jej ślady.

– No to co? Kupisz kiedyś nowy? – Wpatruję się w przewodniczkę. Obie z Mamą wiemy, że istotą mojego pytania nie jest przecież odtwarzacz.

– Chyba tak. Dlaczego nikogo nie ma na zewnątrz? – pyta beztrosko Mama, znów unikając tematu trzech istnień, które brutalnie rozdzieliła. – Dlaczego nikt w nic nie gra na tej trawie? To dziwne. Przecież jest piękny dzień. Gdzie są wszyscy?

– Przepraszam? – Jakaś matka podnosi rękę. Jej torebka, replika pręgowanego kota w skali jeden do jednego, kołysze się na boki, gdy próbuje dotrzymać kroku naszej przewodniczce.

– Tak? – Stacey zadziera głowę jeszcze bardziej.

– Moja córka Jessica czasami zapomina zażyć witaminy. Czy jest tu ktoś, kto mógłby jej o tym przypominać?

Spojrzenie moje i Mamy wędruje w tamtym kierunku – ciekawe jesteśmy, jakim cudem takie dziecko wpuszczono do tej szkoły. Ale oprócz tego, że ma na sobie buty od Bustera Browna, Jessica nie wygląda na osobę potrzebującą osobistego asystenta do spraw witamin.

– Doskonałe pytanie! W każdym akademiku pierwszego roku mieszka doradca i jestem pewna, że Jessica i jej opiekun wypracują jakieś wspólne rozwiązanie.

Na twarzy Mamy maluje się bezgraniczne zdumienie. Spogląda na mnie, a potem obie wlepiamy wzrok w matkę Jessiki i jej kocie akcesoria. Hm, czy ona zdaje sobie sprawę, że Jessica wyjeżdża z domu? Że może się zabawić z całą drużyną lacrosse i brak witaminy B_{12} będzie najmniejszym z jej zmartwień? Wyraz twarzy Mamy łagodnieje, gdy Pręgowany Kot odwraca się w naszym kierunku.

– A tu jest Pilgrim Building, gdzie odbywa się większość zajęć pierwszego roku.

– Niesamowite – szepcze Mama. – Okropny.

– Ten budynek był darem rocznika '73 – oznajmia Stacey.

– I nikt nie zatrzymał rachunku – zaczyna znowu Mama, ale śmiechem wybucha tylko stojąca za nami dwójka w składzie ojciec plus córka. Odpowiedzią Stacey jest kolejny promienny uśmiech.

– Wszyscy studenci pierwszego roku zobowiązani są do meldowania się tutaj na cotygodniowych spotkaniach, by podzielić się z nami swoimi u-czuciami i od-czuciami. A to stołówka naszych pierwszoroczniaków!

Zerkamy przez żółte okna do środka, gdzie kłębi się dziki tłum studentów. Elegancki wystrój sugeruje: jest świetnie, ale wyraz twarzy skubiących jedzenie mas mówi: to jest niejadalne.

– Mamy dwadzieścia rodzajów płatków śniadaniowych i podgrzewane strudle dostępne podczas trzech posiłków dziennie!

Matka Jessiki wzdryga się.

Spoglądam na studenta, który z obrzydzeniem wymalowanym na twarzy podnosi łyżkę wysoko ponad talerzem, a potem wylewa brązowe zlepki, które stanowią jej zawartość, z powrotem. Próbuję sobie wyobrazić siebie samą, jak stoję w długiej kolejce z tacą i konsumuję posiłek pod napisem „ŚWIADOMOŚĆ WAGINY" lub gdy okupuję równie długą kolejkę, by podgrzać swój strudel – i coś mnie łapie za gardło. Żadnej Laury. Spoglądam na tłuste twarze. Ani Jake'a. Żadnej bliskiej osoby.

– Dobrze! A teraz zabiorę was z powrotem do budynku przyjęć, gdzie część z was jest zapisana na trzecią na zbiorową rozmowę. Gratuluję tym, którzy już zostali przyjęci.

Pamiętajcie, mam na imię Stacey i moje drzwi są dla was zawsze szeroko otwarte!

Wleczemy się w milczeniu ciężkim krokiem wzdłuż szerokiego pasa zieleni, wiosenny wiatr przenika przez mój płaszcz. Patrzę na twarze osób, które czeka rozmowa o trzeciej, powieka jednej z nich wyraźnie drży z nerwów. Mijamy sale, w których siedzą studenci z szeroko otwartymi oczami, wpatrują się tępym wzrokiem w niewidocznych dla nas wykładowców i notują każde ich słowo. Do czego to wszystko prowadzi? Kolejne papiery, kolejne tytuły, kolejni nauczyciele, jakaś głupia praca, a potem co? Jeśli nawet Jake'owi i mnie uda się przetrwać to wszystko razem, to co wtedy? Będziemy mieć dzieci, które zaczną od nowa tę samą głupią wspinaczkę? I w tym czasie rozedrzemy ich serca wnioskiem o separację? To wszystko jest takie... takie...

– Ale twoje drzwi nie będą zawsze szeroko otwarte, prawda? To chyba nie jest zbyt bezpieczne.

– Mamo – upominam ją zniecierpliwiona.

Mama wchodzi do sklepu z pamiątkami. Sprzączka jej przeciwdeszczowego płaszcza uderza o szybę.

– Katie, musimy odbyć poważną rozmowę na temat tego, jak będziesz dbać o swoje bezpieczeństwo...

– Mamo! – Jej dobitna artykulacja świadczy o tym, że nie ma sensu poruszać tematu mojego bezpieczeństwa w szkole, w której w ogóle siebie nie widzę, tak samo jak nie widzę siebie gdziekolwiek, wliczając w to miejsce, które b y ł o moim domem, i chyba zaraz dostanę załamania nerwowego tutaj, pod ścianą pełną purpurowych dysków do gry we frisbee, pamiątkowych kubków, breloczków i czapeczek, więc proszę, po prostu daj spokój!

– W porządku. – Mama jak gdyby słyszała moje myśli. Bierze małego misia o mongoloidalnym wyglądzie i przyciska mi go do twarzy. Z trudem powstrzymuję się, by nie wyrwać go jej z ręki i nie rzucić przez zatłoczony sklep.

– Daj mi jakieś pięć minut.

– Żeby zadzwonić do Jake'a. – Sili się na obojętność.

– Nie. Chcę się po prostu przespacerować.

– Kathryn, musisz umieć rozpoznawać własne potrzeby bez ciągłego oglądania się na Jake'a. – Ściska mnie za rękę. – Jestem mu wdzięczna, że jest przy tobie przez te ostatnie kilka trudnych miesięcy, ale boję się, że stajesz się od niego zbyt zależna i zatracasz się w tym wszystkim.

– O Boże! Mamo! – wybucham. – Chcę się tylko przejść!

Mama wpatruje się uważnie w moją twarz.

– Naprawdę?

Pieprz. Się.

– Tak. – Robię krok do tyłu, by uniknąć jej spojrzenia. – Mówię, że m u s z ę pobyć chwilę s a m a. Nie w grupie świrniętych licealistów i ich rodziców, nie z tobą w samochodzie.

– W porządku. – Mama nieruchomieje.

– To dobrze. – Wychodzimy ze sklepu wprost do hallu budynku przyjęć i tam rozchodzimy się bez słowa. Mama wychodzi na parking, a ja zostaję w pawilonie. Sama. Biorę głęboki oddech, a potem wypuszczam powoli powietrze z płuc, zastanawiając się, co mam teraz robić. Nie chcę wracać na zewnątrz na tę bezkresną zieleń. Nie chcę się tu z nikim zaznajamiać. W drodze do toalety mijam aparaty telefoniczne, ale tak jak obiecałam, nie podchodzę do nich, dalej rozpoznając swoje potrzeby. Spoglądam na zegarek. Zresztą i tak Jake ma teraz próbę.

Wychodzę z kabiny i widzę Jessicę w nowym dresie z emblematem uniwersyteckim, jak pochyla się nad blatem umywalki, podtrzymując lewą ręką włosy, żeby nie spadały jej na twarz. Dostrzega w lustrze moje spojrzenie i prostuje się. W prawej ręce trzyma słomkę.

– Metka ci wystaje. – Wskazuję na jej kark, gdzie zwisa logo firmy Champion.

– Dzięki. – Uśmiecha się. Jej kolczyki w kształcie piesków migoczą w lustrzanym odbiciu. – To miejsce jest obłędne – stwierdza, przejeżdżając palcem po puderniczce, a potem po dziąsłach, żeby wykorzystać każdą cząsteczkę białego proszku.

Wychodzę z księgarni University of Virginia i mrużę oczy oślepiona silnym słońcem, żałując, że nie wzięłam okularów przeciwsłonecznych. Ale skąd mogłam wiedzieć, że będzie tu wiosna? I to prawdziwa wiosna – w pełnym rozkwicie, z pachnącym powietrzem, gdzie czuć już powiew lata, a nie żałosna i przygnębiająca, skropiona kwietniowym kapuśniaczkiem, która panuje u mnie w domu. Na dole schodów przystaję, zastanawiając się, gdzie się teraz udać – do biblioteki, stołówki czy innego z tych czarujących ceglanych budynków – i nagle opary dławiącego płuca bólu, które tkwią tam od lutego, podnoszą się na powierzchnię. Tutaj, pod zamglonym słońcem, wśród soczyście zielonej trawy i pachnącego kwiecia wspaniałych ogrodów, czuję ból w piersi, jak gdyby dopiero co zadano mi cios. Tyle że to nie jest „dopiero co". Bez Mamy, która próbuje swoją gadaniną zagłuszyć cierpienie, bez ciepłego Jake'a, który działa jak narkotyk i pozwala mi przy sobie zapomnieć o wszystkim, na nowo, dotkliwie odczuwam ból po utracie tego, co było moją rodziną, moim światem.

Schodzę ze ścieżki na szeroki pas zieleni prowadzący do Rotundy. Jest tu tak pięknie, że aż dech zapiera. Na trawniku przed budynkiem stoją w nieładzie fotele bujane. Ściągam buty i rzucam się na ten najbliższy, by ziemia ochłodziła mi stopy.

– Hej, nie wiesz, czy Treehouse jest dziś otwarty?

Mrużąc oczy, spoglądam na blondyna, który podbiega w moją stronę.

– Przykro mi, ja tu tylko zwiedzam.

– Nie wybierasz się na naszą uczelnię?

– Jeszcze się nie zdecydowałam. – Wskazuję ręką na torbę z księgarni.

– Muszę jednak przyznać, że wyglądasz jak właściwa osoba na właściwym miejscu. – Uśmiecha się zawadiacko. Nie nawykłam do tego, że uśmiecha się do mnie w ten sposób ktoś inny niż Jake. Chłopcy w szkole wiedzą, że mają nie zawracać mi głowy.

– Jak tu jest?

– Niczego sobie. – Figlarnie uderza mnie klapkiem w gołą łydkę.

– Jay! Przestań podrywać laski i spadamy! – Jay spogląda ponad moją głową, a ja zerkam przez oparcie fotela na grupę facetów, którzy stoją na ścieżce i przywołują go ruchem ręki.

– Przepraszam, Panno Niezdecydowana, muszę lecieć. Powodzenia. To znaczy, chyba powodzenia dla nas obojga.

– Dzięki! – odpowiadam. Biegnie w stronę kolegów, a ja odprowadzam go wzrokiem i łapię się na tym, że się uśmiecham. I że flirtowałam. I że, na krótką chwilę, udało mi się zapomnieć.

„Dodatkowy problem stanowi fakt – z telewizji w motelowym pokoju dochodzi głos z brytyjskim akcentem – że małe słoniątko nie jest zdolne do opuszczenia ciała matki, po tym jak już kłusownicy usuną jej kły. Będzie ono stało u jej boku i płakało, aż wreszcie umrze z głodu i pragnienia".

Mama, która siedzi na podwójnym łóżku, przeglądając plany lekcji dla nauczycieli na następny rok i pijąc freskę, spogląda na mnie pytająco sponad okularów. Nienawidzę jej. Nienawidzę jej spojrzenia. Nienawidzę nawet jej freski.

– Tak, Mamo, jeśli myśliwi zastrzelą cię dla twoich cennych srebrnych kolczyków, będę stać u twego boku i zawodzić, aż i ja umrę z głodu i pragnienia.

– Fantastycznie. – Wraca do segregatorów leżących na jej kolanach. Moje niezdecydowanie jest między nami tematem tabu. Podobnie jak to, że jej nienawidzę. Nienawidzę.

– „Kość słoniowa jest następnie przemycana przez granicę"... – Przenoszę wzrok z ekranu na swój wiszący na poręczy krzesła plecak, którego kieszonka wypełniona jest zapasem ćwierćdolarówek.

– O dziewiątej przełączamy na *Beverly Hills*, dobrze?

Mama zaczyna kreślić po kartce czerwonym długopisem.

– Chcę zobaczyć, jak to się skończy.

– Na świecie wymrą wszystkie słonie i będziemy je pamiętać tylko z kilku kreskówek o Babarze i książeczki *Słoń, który wysiedział jajko*.

Mama przerywa swoją krwawą pisaninę.

– To była fantastyczna książka. Czytaliśmy ci ją wtedy, gdy dostałaś Pana Sonia. – Uśmiecha się. – Nie mogłaś wymówić słowa „słoń".

Gromada mężczyzn otacza powalonego słonia z piłą do metalu.

– Mamo, naprawdę nie mam ochoty tego oglądać.

– To ma ci dać odpowiednią perspektywę.

– Więc gdy pewnego dnia skończę, ćpając z Jessicą, ubrana w idiotyczny sweterek z pieskiem, mam sobie pomyśleć: hm, to wszystko jest do kitu, ale przynajmniej nikt nie próbuje mnie zabić dla moich kłów?

– Właśnie. – Mama gryzmoli coś na ostatniej stronie i odkłada notatki, nie podnosząc na mnie wzroku. – Czy to znaczy, że ciągle jesteś niezdecydowana?

To znaczy, że muszę najpierw zadzwonić do swojego chłopaka, do cholery!

– Słyszałam, że Swarthmore ma wysoki wskaźnik kanibalizmu. Nie jest to dla mnie zaskoczeniem, biorąc pod uwagę aromat dochodzący ze stołówki – oświadcza, pociągając następny łyk freski.

– Czy fresca nie jest aby za ciepła? – pytam, odrzucając wyblakłą kwiecistą narzutę.

– Trochę. – Mama szerokim łukiem stawia ją na stole.

– Przyniosę lodu.

– O nie. – Zatrzymuje mnie ruchem długopisu, aż plecak zsuwa mi się z ramienia. – To jest kraina „i-nigdy-już-jej-nie-widziano".

– Chyba żartujesz?

– Przypuszczalnie jesteśmy jedynymi gośćmi tego przybytku – Mama robi długopisem kółko w powietrzu – którzy nie trzymają w bagażniku zakneblowanej nastolatki.

Biorę ze stołu przy oknie plastikowy pojemnik na lód i odpinam łańcuch w drzwiach.

– W przyszłym roku idę na studia.

– Dzięki za informację. Myślałam, że odbywamy właśnie wycieczkę krajoznawczą.

– Miałam na myśli, że teraz będę sama robić wiele rzeczy – odpowiadam jej ostro i wskazuję ręką na świat za zasuniętymi zasłonami.

– Sama? Czy z l o d e m, po który teraz chcesz iść? – Mama bezlitośnie układa palce w znak cytatu.

– Sama. – Chwytam za drzwi. – A ty straciłaś swoje prawo do troski o mnie – rany, ale jej dowaliłam – i w ogóle do wyrażania jakiejkolwiek opinii na mój temat. Więc daj spokój, dobra? Przestań udawać, że wciąż jesteś moją mamą, bo rzygać mi się chce od tego. – Wreszcie wypowiadam zdanie, które chodziło mi po głowie, od kiedy przyjechała samochodem pod domek Jake'a. – Rzygać mi się chce na twój widok.

Trzymany w ręku plecak uderza mnie o nogi, gdy biegnę najpierw korytarzem, a potem schodami w dół do hallu.

– Bła-gam-bła-gam-bła-gam – powtarzam jak mantrę wraz z każdym pokonywanym stopniem. Otwieram szklane drzwi, wchodzę do zagraconej sali i z ulgą stwierdzam, że automat telefoniczny nie jest zajęty.

– W czym mogę pomóc? – Kierownik motelu wystawia głowę ze swojego kantorka, skąd dobiega mnie dźwięk rozpoczynanej powtórki serialu *Three's Company*.

– Chciałam tylko skorzystać z telefonu.

– Dobrze, byle nie za długo. Ludzie również dzwonią na ten numer – mruczy i chowa się z powrotem.

Kładę plecak na wytartej kanapie w szkocką kratę i wyciągam z niego garść ćwierćdolarówek. Przykładam do ucha słuchawkę lepką od żelu do włosów i potu, po czym wykręcam uważnie numer, modląc się, by Jake był w domu.

Telefon dzwoni i dzwoni.

– Bła-gam-bła-gam-bła-gam.

I dzwoni. Czekam osiem, szesnaście, dwadzieścia cztery sygnały.

Wreszcie próba połączenia zostaje przerwana.

– Cholera.

Kierownik ponownie wychyla głowę.

– Przepraszam!

No co się tak gapisz?

– Hm – chrząka.

Ponownie wkładam do aparatu ćwierćdolarówkę i wykręcam numer. Po drugim sygnale ktoś podnosi słuchawkę.

– Słucham? – rozlega się w niej głos Susan.

– Dzień dobry! Mówi Katie. Czy zastałam Jake'a?

– Jake, jesteś w domu? – pyta drwiąco. – Już go daję – oświadcza bez entuzjazmu.

– Cześć. – Jeden niski dźwięk i godziny pełne napięcia, zwiedzanie, publiczna telewizja, fast foody i zagrzybione prysznice odchodzą w zapomnienie. – Zaczekaj, odbiorę w swoim pokoju, dobrze?

– Jasne – odpowiadam niepewnie, wyciągając kolejną garść drobnych. Bębnię palcami o szorstką ścianę ze sklejki i za każdym razem, gdy w słuchawce zaczyna piszczeć, wkładam do środka kolejne dwadzieścia pięć centów.

– Jesteś tam jeszcze? – Wreszcie słyszę jego niski i ochrypły głos.

– Tak – odpowiadam, odwracając się przodem do aparatu, jak gdyby telefon mógł mnie objąć ramieniem.

– Co słychać?

– Siedemdziesiąt dwie godziny w samochodzie sam na sam z moją mamą: trudno sobie wyobrazić coś przyjemniejszego.

– Ale już chyba po wszystkim? – pyta z nadzieją.

– Tak, będziemy z powrotem w sobotę późno w nocy.

– Przyjdę wtedy pod twoje okno i rzucę w nie Ważniakiem.

Uśmiecham się, ale gdy próbuję wyobrazić sobie miesiące bez widzenia się nawzajem, nasze wspólne życie toczące się głównie przy lepkich automatach telefonicznych, zbiera mi się na płacz.

– Cieszę się, że dzwonisz – mówi Jake.

Przełykam ślinę i próbuję się rozchmurzyć.

– Przez chwilę nie mogłam się połączyć.

– O, to byłaś ty? Kłóciłem się wtedy z matką.

– O co?

– O to co zawsze. Chociaż... niedokładnie. Przyjęli mnie na University of Vermont.

– Jake! – próbuję wykrzyknąć, ale z mojego zaciśniętego gardła wydobywa się tylko słaby jęk. – To wspaniale! Będziesz studiował razem z chłopakami.

– Tak, Sam już sprawdza, czy możemy mieszkać razem, a Laura próbuje skombinować wspólny samochód. – Śmieje się, ale w jego głosie jest nie więcej entuzjazmu niż w moim.

– To... wspaniale. Moje gratulacje. – Ostatnie słowo wydobywam z siebie z trudem, bo w gardle więzną mi łzy.

– Hej, Katie, nie smuć się.

– Tylko że muszę opuścić was wszystkich. – Próbuję zwalczyć łzy. – Wy będziecie studiować razem, będziecie mieć potem wspólne wspomnienia ze studiów, a ja... Jake, University of Virginia jest najpiękniejszym z miejsc, jakie odwiedziłam, mimo że to szesnaście godzin od domu. Ludzie wydają się mili i wyluzowani, ale bez przesady, tak w sam raz, uśmiechają się, ale nie są fanatykami. Nic nie wskazuje na to, że będą wciągać przez nos witaminki ubrani w kretyńskie koszulki z pieskiem...

– Co?

– Nic. – Sięgam do plecaka po chusteczki. – Nic, to super – powtarzam. – To naprawdę super. Cieszę się twoim szczęściem.

– Kocham cię, Katie.

Teraz moja kolej, by...

– Co? – pytam, wydmuchując nos.

– Kocham cię. I żadna odległość nigdy tego nie zmieni. Słyszysz mnie?

– Tak.

– Nie. Nie rozumiesz. Ko-cham-cię – artykułuje powoli i dobitnie, jak gdyby próbował wyryć we mnie te słowa. – I ż a d n a odległość tego nie zmieni. Będziesz o tym pamiętać? Obiecaj mi to.

– Ale... co mam teraz robić?

Telefon, po tym jak połknął moją ostatnią ćwierćdolarów-kę, zaczyna piszczeć.

Kierownik znowu wystawia głowę z kantorka i spogląda na mnie podejrzliwie.

– Katie? Katie? – słyszę w telefonie. – Obiecasz mi to?

– Jake?!

Otulona ciasno ramionami i wciśnięta w fotel pasażera, staram się za wszelką cenę nie otwierać oczu. W ustach od-czuwam suchość po przepłakanej nocy, ale wolę udawać, że śpię, niż przyznać się, że jest inaczej i narażać się na kolejną kłótnię. Samochód co jakiś czas podskakuje, więc unoszę po-wiekę i stwierdzam, że przejeżdżamy po moście. Słońce odbi-ja się delikatnie w wodzie. Pieprzyć to. Otwieram oczy, uda-jąc, że właśnie się obudziłam. Mama zaciska ręce na kierow-nicy, a na jej bladej twarzy maluje się napięcie.

– Nie próbuję zrobić z ciebie osoby doskonałej – odzywa się cicho ochrypłym głosem. Wyglądam przez okno na mlecze nakrapiające pobocze drogi pod znakiem informującym mnie, że ten odcinek drogi jest utrzymywany przez Bette Midler. – Nie zmuszam cię do bycia idealną i nigdy do tego nie dąży-łam. Twój ojciec też nie.

Jej słowa wywołują u mnie tylko zgrzytanie zębów.

– Wiem o tym, Mamo.

– Wzięłam tydzień wolnego, żeby z tobą pojechać...

– Bo Tato właśnie zaczął pracę w bibliotece.

– Ponieważ chciałam, żebyś zobaczyła na własne oczy, ja-kie stoją przed tobą możliwości i jak wielki jest świat. Twier-dzisz, że nie mam już prawa dawać ci jakichkolwiek rad, Ka-tie, ale powinnaś zobaczyć, jak niesamowite może być twoje życie – mówiąc to, Mama wymachuje ręką.

– Wiem. Ale nie martw się, nie chcę skończyć jako kelnerka i wynajmować mieszkania nad sklepikiem w Burlington.

– Powiedziałam to tylko dlatego, że jeśli jesteś taka pewna, że chcesz całe swoje życie oprzeć na Jake'u Sharpie, to wolelibyśmy już, żebyś przez semestr nie chodziła do szkoły i n a p r a w d ę zobaczyła, jak to jest, gdy Jake stoi na pierwszym miejscu w twoim życiu.

– W o l e l i b y ś m y? – Przygryzam wargę. – Dobrze, przyznaję, nie jestem a ż t a k a pewna. – Rozkładam ręce. – Niczego, żadnej z tych rzeczy! Jak mogę być pewna? Wiem, że masz większe ode mnie doświadczenie życiowe, wiem, ale ty nie jesteś mną, ty to ty. – Biorę głęboki, choć urywany oddech, czując, że to był dobry argument. – I nie miałaś Jake'a.

– Nie, w wieku siedemnastu lat nie miałam.

– Więc nie masz pojęcia, o czym mówię. – Rozglądam się w poszukiwaniu chusteczek, ale na próżno, przejeżdżam więc swetrem po twarzy. – To wkurzające, że jedyną rzeczą, której jestem teraz pewna, i to naprawdę j e d y n ą r z e c z ą, jest to, że go kocham i że on kocha mnie, i to jest naprawdę cudowne uczucie. I mam to teraz zostawić, jak pudełko starych zabawek, tylko dlatego, że muszę zacząć wspinać się po tej drabinie, która to wspinaczka p r z y p a d k i e m zaczyna się we wrześniu? To wydaje się tak bardzo... l e k k o m y ś l n e. L e k k o m y ś l n e, Mamo. Oboje z Tatą zawsze powtarzaliście mi, że najważniejszy jest drugi człowiek, i oto gdy mam podjąć taką decyzję, podważacie moje priorytety, a ja... ja... – Moją piersią wstrząsa szloch. Czuję jej ciepłą rękę na swojej głowie, co tylko wzmaga mój płacz. – Cholera, Mamo, dlaczego nie pozwoliłaś mi złożyć papierów na University of Vermont?

Nie słysząc odpowiedzi, podnoszę wzrok i widzę, że łzy cieknąją jej po twarzy. Zatrzymuje się na poboczu autostrady, pochyla się nad kierownicą i przeciera pięściami oczy.

– Mamo? – Odwraca twarz w drugą stronę, ale widzę, że cała się trzęsie od płaczu. Samochody przejeżdżają obok, trąbiąc na nas głośno. – Mamo, może by tak włączyć światła awaryjne?

Mama podnosi głowę do góry i naciska guzik, przecierając ręką nos.

– Cholera, nie mamy już chusteczek?

Znowu rzucam się na ich poszukiwanie, bezskutecznie.

– Cholera, nie mamy już chusteczek – potwierdzam.

– Dobra, Kathryn. Przyznaję, nie wiem, co dalej. Tato też nie. I tęsknię za nim. I wiem, że to ja wszystko spieprzyłam. Ale wciąż jestem twoją matką. I nic tego nie zmieni. – Wzrok ma skierowany przed siebie, a łzy spływają jej po twarzy.

– W porządku – mówię. Wydawałoby się, że po takim oświadczeniu poczuję się lepiej, ale zamiast tego to jej pozornie głębokie przyznanie się do pomyłki wywołuje u mnie tylko jeszcze większe mdłości.

– Chcieliśmy po rozdaniu dyplomów wydać w ogrodzie ogromne przyjęcie na twoją cześć, chcieliśmy, żebyś przeżyła jakąś fantastyczną przygodę w nowym, cudownym miejscu i żebyś rozpoczęła samodzielne życie, a zamiast tego każda dyskusja na temat twojej przyszłości kończy się refrenem „Jake-Jake-Jake". On nie może być głównym kryterium twoich życiowych decyzji, Kathryn. Wiem, że jest dla ciebie fantastycznym przyjacielem, zwłaszcza w tym... trudnym czasie, ale mężczyzna nie może być podwaliną twoich życiowych planów.

Kolejny cios i nowa fala bólu.

– Mówisz, jakbym była skończona.

– Nie. Nie jesteś skończona. – Opuszcza wyraz „jeszcze". – Jesteś wspaniała.

– I znowu to samo – mówię, a ona uśmiecha się, liżąc łzy pod nosem. – Mamo, podejmuję tę decyzję dla siebie, nie dla ciebie ani Jake'a, ani pani Hotchkiss.

– Właśnie to chciałam wiedzieć.

– Naprawdę? Tylko o to chodziło? – pytam sarkastycznie.

– Bo mam wrażenie, że gdy wrócimy do domu, będziesz spać w moim pokoju i śledzić mnie na każdym kroku.

– I będę! – mówi, wyłączając światła awaryjne, i zerka do tyłu, żeby wycofać samochód. – Tak powinno być. Potrafisz nieźle czarować, a potem wyżerasz na śniadanie całe chipsy śmietankowo-cebulowe.

– Okazałaś dzisiaj niezwykłą powściągliwość.

– Widzisz, na ile ci pozwalam? Boże, musimy kupić chusteczki – pociąga nosem.

– I coś do jedzenia. – Opuszczam szybę, by pęd powietrza osuszył mi twarz.

– I sukienkę na bal! – Mama włącza światła sygnalizujące skręt, wskazuje głową na billboard reklamujący galerię handlową, po czym wjeżdża na jej teren. – Myślisz, że u Jessiki McClintock mają psychologa rodzinnego?

19

23 grudnia 2005 roku

Jake kieruje się w stronę Croton Falls Country Club, wjeżdża na pusty parking i zmierza na tyły budynku, skąd wyłania się ostatnia grupka kuchennego personelu i brnie pod wiatr w kierunku swoich samochodów.

– Chodź. – Jake wyskakuje z corvetty i podchodzi do drzwi z mojej strony. Otwiera je i wyciąga do mnie dłoń.

Siedzę nieruchomo z rękami założonymi na piersiach i gapię się w podniszczone przebieralnie.

– Jake, tu jest zamknięte.

– No chodź. – Uśmiecha się błagalnie. – Proszę.

Spoglądam na zegarek.

– A nie możemy po prostu usiąść w ogrzewanym barze i porozmawiać jak normalni ludzie w środku nocy?

– Jeśli chcesz, by obejrzeli to widzowie w trzydziestu dwóch krajach, to nie ma sprawy.

– Ale dlaczego tu? – wskazuję na ciemny ceglany budynek.

– Sami sobie urządzimy bal maturalny. O ile wyjdziesz wreszcie z tego samochodu.

Przewracam oczami, ale mimo to wysiadam i podążam jego śladami po niedawno odśnieżonym betonie. Gdy ostatnie dwie osoby znikają nam z oczu, Jake pokazuje, że drzwi dla personelu wciąż są podparte cegłą.

– Widzisz? Chyba można to uznać za zaproszenie.

Spoglądam na niego, tłumiąc uśmiech.

– No chodź – mówi po raz kolejny, więc kiwam głową i rozglądając się na boki, idę za nim przez kuchnię w stronę ciemnego korytarza, w którym rozchodzi się woń filetu z łososia i sosu tatarskiego. – Tędy.

– Skąd wiesz? – szepczę.

– Graliśmy tu chyba setki razy.

– No tak, rzeczywiście. – Biegniemy w ciemnościach.

– Wasze *Feelings* zawsze kończyło się owacją na stojąco.

– To jest dopiero niedoceniona piosenka.

– Naprawdę?

– Żartowałem.

Popycha obrotowe drzwi wiodące do sali jadalnej i stajemy w jej progu. Surowość okrągłych stołów, które bez krochmalonych obrusów wydają się zupełnie nagie, zmiękcza księżyc odbijający się od pokrytego śniegiem pola golfowego i wypełniający pomieszczenie mlecznym światłem.

Chociaż od klasy maturalnej nie urosłam ani o centymetr, sala robi wrażenie nieco eterycznej, mniejszej i dużo mniej szykownej – na ścianach wiszą sztuczne świąteczne stroiki, a na scenie stoi mała przystrojona świecidełkami choinka. Jake idzie tyłem przez parkiet, z szeroko rozłożonymi ramionami.

– A więc? Jak to było?

– Jak było? – powtarzam jak echo.

Jake staje na środku parkietu.

– Tak. Spróbuj mi to opisać.

– Hm... – Rozglądam się wokół, moja pamięć przywołuje satynowe sukienki wyszywane koralikami i wypożyczone smokingi, entuzjastyczne pary i osoby samotne, postawione włosy i wystawione dziewczyny, jawne rozczarowania i ukryte butelki. – Ale pamiętaj, że to wszystko było widziane przez grubą zasłonę łez.

Jake kiwa głową skruszony, więc zaczynam opowiadać.

– Impreza była pod hasłem „Sięgnij gwiazd", więc salę aż do sufitu udekorowano błyszczącymi balonami w różnych kosmicznych kształtach. – Wskazuję ręką na wyłożone kafelkami ściany. – Może brzmi to koszmarnie, ale moim zdaniem wyglądało to jak teledysk do *Modern Love* i nawet mi się podobało. – Jake unosi brwi. – W każdym razie wystrój był dosyć nietypowy, wszystko było srebrne i migotało. Michelle i jej banda były w swoim żywiole i... bal jak bal. – Wzruszam ramionami. – Stoły z napojami były ustawione tutaj, chyba... i tutaj. – Jake śledzi ruchy moich rąk i podąża za nimi wzrokiem, jak gdyby rzeczy, o których mówię, ukazywały się przed jego oczyma. Uśmiecha się do mnie promiennie. – Sam, Todd i Benjy grali, a Sam dodatkowo śpiewał.

– I ja też tam jestem. W tej wersji.

Wskakuje lekko na scenę i staje przy odłączonym od prądu mikrofonie.

– Co miałaś na sobie?

– Różową sukienkę bombkę z satyny od Jessiki McClintock – gestami pokazuję jej opływowe kształty.

– Brzmi seksownie.

– Donna Martin miała podobną.

Jake uśmiecha się i zaczyna śpiewać: *„Is it getting better, or do you feel the same?"* – jego głos wypełnia salę słowami i melodią *One*, którą to piosenkę zawsze mi dedykował. Proroczo.

– A wtedy kończymy nasz program, didżej przejmuje pałeczkę i wszyscy prosimy do tańca nasze dziewczyny. – Schodzi ze sceny. – Zatańczysz?

– Wolałabym... – protestuję, ale Jake nuci dalej, splata palce z moimi, podnosi moje dłonie i kładzie na swojej ciepłej szyi. Jego ręce spoczywają na moich biodrach i powoli zaczynamy tańczyć. Kołysząc się do muzyki, która płynęła w świat ponad dziesięć lat temu, odczuwam błogość w całym ciele. Biorę głęboki oddech i wyczuwam pod wodą kolońską znajomy zapach jego skóry, który zawsze przypominał mi świeżą kukurydzę.

Jake szepcze mi do ucha.

– Bal maturalny... załatwiony. Co teraz?

Nagle przypominam sobie, po co tu jestem. Zbieram siły, by poskromić fantazję, cofam się i spoglądam mu w oczy.

– Chcę, żebyś ze mną zerwał. – Jake spuszcza wzrok. – Muszę to usłyszeć.

– Dobrze. – Unosi rzęsy i patrzy mi prosto w oczy. – Hm, chyba powiedziałbym ci...

– Nie. – Kręcę głową. – Nie: „chyba powiedziałbym".

Jake potakuje, zaczyna do niego docierać, o co go proszę.

– Katie?

– Tak?

– Muszę ci o czymś powiedzieć... choć sam nie wiem jak. Wiesz, że przyjechał do nas facet z wytwórni, zobaczył, jak gramy, i... hm, chce, żebym pojechał z nim do Los Angeles. Twierdzi, że może mi załatwić kontrakt płytowy. – Pociera brodę i wygląda znów jak siedemnastolatek.

– Rany, to niesamowite – mówię i nieoczekiwanie czuję w sobie iskrę prawdziwego entuzjazmu.

– No i zastanawiałem się nad tym, czy prosić cię, żebyś ze mną pojechała, naprawdę długo się nad tym zastanawiałem, ale...

– Ale? – Spoglądam na niego ponaglająco, pragnąc wreszcie usłyszeć te słowa.

– Ty masz studia, a ja nie mam pojęcia, jak tam będzie, i...
i... wszystko w twoim życiu jest teraz takie niepewne. – Przejeżdża mi ręką po włosach i obejmuje moją głowę, a na jego twarzy maluje się cierpienie. – Gdybym cię ściągnął za sobą, a sprawa by nie wypaliła, nie mógłbym sobie tego darować.
Ale i tak wiem, że będę za tobą tęsknił tak bardzo, że nieraz
będzie mi ciężko oddychać. Wiem, że będę się budził każdego dnia... k a ż d e g o d n i a i zastanawiał, czy nie popełni-
łem największego błędu w swoim życiu... ale muszę jechać.
Po prostu muszę, Katie.

– Rozumiem – odpowiadam, wreszcie zdolna dać błogo-
sławieństwo stłumionym uczuciom.

– Rozumiesz?

– Tak, rozumiem. Wiesz, że zawsze życzyłam ci wszystkiego, co najlepsze.

– Przepraszam.

– Tak? – Znowu wzbiera we mnie złość. – A za co?

– Za to, że cię w ogóle opuściłem. – Nachyla się w moją
stronę. Nasze usta stykają się i zanurzamy się jedno w drugim,
a ręce wślizgują się pod ubrania i docierają do skóry. Smakuje tak samo. Smakuje dokładnie tak samo.

– Smakujesz tak samo – mruczę mu we włosy, a Jake całuje mnie w szyję. Klęczymy na porysowanym parkiecie ob-
jęci, a nasze ręce zaczynają wędrować po dawno przetartych
szlakach. A wtedy Jake odpina pasek i wyjmuje z kieszeni pre-
zerwatywę.

– Nie, nie. O Boże, nie, przestań. – Odsuwam się. – Nie
możemy tego zrobić. – Opuszczam bluzkę.

– Jasne, że możemy. – Sięga mi do paska.

– No tak, fizycznie jesteśmy do tego zdolni. Ale ty masz
narzeczoną. Tutaj. Teraz. W 2005 roku. I trzech przyjaciół,

którym jesteś winien, tak, Jake, j e s t e ś w i n i e n tantiemy i prawa autorskie. I m u s i s z to naprawić.

– Ale zmarnowaliśmy... – Rzucam mu zabójcze spojrzenie.

– Przepraszam: z m a r n o w a ł e m tyle czasu. – Znowu kładzie mi ręce na biodrach.

– Jake. – Wyplątuję się z jego objęć. – To jest... sama nie wiem, co to jest. Jakaś pętla czasu, a może resztki buzujących hormonów. – Biorę się w garść i wstaję, zapinając stanik.

– No co ty, przecież robiliśmy to już przedtem, więc tak naprawdę jeden raz więcej się nie liczy.

– To najbardziej pokrętny argument, jaki kiedykolwiek słyszałam.

Jake leży na plecach, podpierając się na łokciach.

– Chciałem tylko powiedzieć, że lista naszych grzechów nie stanie się od tego dłuższa. No chodź.

Patrzę na niego z góry. Jake podnosi się, podchodzi bliżej i znów stoimy twarzą w twarz.

– Jezu, Katie, nie mów, że tego nie czujesz?

Mrużę oczy i staram się opanować, przywołując w pamięci każdą minutę z ostatnich dziesięciu lat mojego życia spędzoną na rzucaniu obelg pod jego adresem, gdy stałam na parkingu przed jakąś imprezą spieprzoną przez jego płytę, gdy przysięgałam sobie, że gdybym tylko miała okazję... Przypominam sobie słowa z nieomal zapomnianych przemówień, które niegdyś układałam w głowie podczas długich porannych biegów.

– Mówię ci, że na to nie zasługujesz. Owszem, to był bal maturalny, który kiedyś spieprzyłeś. Owszem, jest między nami chemia. N i e s a m o w i t a chemia. Multiplatynowa. Owszem, straciłeś te wszystkie lata. Ale to ty wyjechałeś, Jake. Zostawiłeś mnie. I stworzyłam sobie całe życie, które nie ma z tobą nic wspólnego. Które, żeby nie było wątpliwości, nie jest ci dostępne jako materiał twórczy. Tak samo jak życie bliskich mi osób, nieważne, jak poetyckie wydają ci się ich działania. I chociaż jestem ci wdzięczna za przeprosiny, byłabym wdzięczna jeszcze bardziej, gdybyś mnie zabrał do domu, żebym mogła wreszcie uznać całą sprawę za zakończoną.

20

Studia

Opuszczam chłodne, klimatyzowane Cabell Hall i wychodzę na popołudniowe słońce. Zrzucam plecak na stopnie budynku, zdejmuję ażurowy bawełniany sweter i wkładam go do środka.

– Do zobaczenia we wtorek!

Podnoszę głowę.

– Aha! – odpowiadam uśmiechem Słodkiemu Facetowi w Koszulce Lacrosse. – Miłego seansu.

– Ach, rzeczywiście. – Uderza się ręką w czoło. – A zatem do zobaczenia przy bibliotece. – Idzie przez chwilę tyłem, macha mi na pożegnanie, a potem skręca za rogiem, gdzie ginie w morzu radosnych, opalonych twarzy.

Zakładam plecak na gołe ramię i uśmiecham się promiennie do nieba upstrzonego cumulusami. Cholera, jak ja uwielbiam Charlottesville, jak ja uwielbiam Wirginię! Nie mogę się nacieszyć, że moja Lista Obowiązkowych Rzeczy do Zrobienia nie uwzględnia Pójścia do Beznadziejnej Wakacyjnej Pracy i Szlochania w Fartuch Wytwórni Lodów Ben & Jerry. Nie mogę się nacieszyć, że jest tu pełno ludzi, którzy nie mają zielonego pojęcia o wyżej wymienionym szlochaniu. Nie mogę się nacieszyć, że gdziekolwiek pójdę, o jakiejkolwiek porze dnia, napotkam przynajmniej jedną osobę biegającą w pogoni za zdrowiem, wyprostowaną, ze wzrokiem skierowanym pewnie w dal. Jestem demonstracyjnym przykładem miłości do tego miejsca, UWIELBIAM JE, uwielbiam, nieziemsko. Wkładam okulary przeciwsłoneczne i zeskakuję lekko po ceglanych stopniach. Przyglądam się uważnie seksownemu facetowi z piłką. Przyglądam się uważnie seksownemu facetowi idącemu z grupą innych seksownych facetów. Uśmiecham się, gdy jakiś seksowny facet przechodzi obok mnie. Wiem, że gdzieś w tym oceanie granatowych i pomarańczowych ubrań czeka na mnie Jay w klapkach. Którego muszę odnaleźć i zakochać się w nim, nawet jeśli będę musiała się umawiać na randki z każdym seksownym facetem, by to osiągnąć.

— Nienawidzę jej — oznajmia mi Beth, moja współlokatorka, odwracając się w moją stronę. Jest właśnie koszmarnie skacowany niedzielny poranek, a my dreptamy w kolejce do stołówki O'Hill. Na twarzy Beth maluje się zdziwienie — najwyraźniej sama nie wie, skąd w niej tyle jadu.

— Kogo? — Rozglądam się wokół w poszukiwaniu wroga.

— Tej tutaj — porusza ustami Beth, wskazując głową na stojącą przed nami blondynkę ubraną w ekologiczne ciuchy.

— Za co?

— Sama nie wiem — szepcze z niepokojem w głosie i zażenowaniem wymalowanym na twarzy. — Nie znam jej. Ale jej zapach, jej głos... Mam wrażenie, że mogłabym jej rozwalić łeb tą tacką. — Zaciska mocno swoje drobne dłonie na pomarańczowym plastiku.

Spoglądam na jej nierozważną gnębicielkę, która chichocze z przyjaciółmi i nakłada na talerz pieczone ziemniaki, nieświadoma, jak okrutny los czeka ją z rąk niziutkiej rudowłosej, cierpiącej z niewyspania i odwodnienia studentki pierwszego roku, która stoi za jej plecami.

– Kiedy odstawiłaś tabletki? – pytam, sięgając po zestaw parujących, mokrych sztućców.

– Hm, jakieś trzy tygodnie temu, zaraz po tym jak zerwałam z Mikiem, a co?

– PMS – stwierdzam. – Prawdziwy PMS. Naturalny haj.

– Nie żartuj. – Beth jest autentycznie przerażona.

– Witaj w domu! – uderzam swoim widelcem o jej.

– Myślałam, że to wina deszczu. – Beth kręci głową, bierze do rąk miękkiego gofra i zanurza w nim zęby. – Lub że ktoś podobny obraził mnie w dzieciństwie i że wyparłam tamto wspomnienie.

– Deszcz też robi swoje. – Wzdycham, wyglądając przez zaparowane okna. Mija nas okropny facet w ubłoconych spodniach od dresu. Inny okropny facet siorbie mleko ze swoimi okropnymi przyjaciółmi, a gdy wylewa je na siebie, reszta wybucha okropnym śmiechem. Wyjątkowo okropny facet przechodzi obok nas, bekając „cześć" do całej kolejki. Wszędzie wokół morze bladych, niezdrowych, tłustych i śmierdzących piwem okropnych kolesi o oczach nabiegłych krwią.

Pół roku na University of Virginia i ani śladu Jaya. Ani śladu seksownych facetów. Jak gdyby zimno na północy konserwowało ich słodycz, która tutaj odpada płatami i odsłania ich okropne prawdziwe ja.

– Cholera, jak ja nienawidzę Charlottesville, jak ja nienawidzę Wirginii!

– Gdzie? – Oczy Beth zapalają się.

– Co: gdzie?

– Aaa. – Entuzjazm z niej opada. – Myślałam, że zobaczyłaś taki napis na czyjejś koszulce. Powinni takie produkować. Rozchodziłyby się jak świeże bułeczki.

Podkładam kubek pod automat z kawą, obserwuję, jak pienista woda się podnosi, i przez chwilę pozwalam sobie na wspomnienia, wyobrażając sobie dotyk flanelowej koszuli Jake'a na moim obojczyku.

– Spodziewałam się czegoś zupełnie innego – oświadcza Beth, siedząc nad plastikowym kubkiem piwa, prawie tak dużym jak jej twarz.

– To znaczy? – pytam, patrząc na Laurę, która rozmawia z gromadką dziewczyn z żeńskiej organizacji studenckiej i wreszcie, po raz pierwszy, od kiedy wysiadła z autobusu tego popołudnia, na jej twarzy malują się uśmiech i odprężenie.

– Po tym jak twoja przyjaciółka mówiła, jak tu będzie zabawnie, owszem, nastawiałam się na coś niestandardowego, ale jak to możliwe, że tu d o s ł o w n i e stoi facet ubrany w togę i sapie coś do lejka udającego megafon?

– Może przeniesiemy się tam. – Wskazuję ręką, a Beth nachyla się, by stuknąć się ze mną piwem, i pienisty bursztynowy napój spływa mi po nadgarstku, mocząc rękaw mojego pożyczonego *body*. Patrzę na Laurę, która stoi w kręgu dziewczyn otaczających beczkę z piwem i ze znawstwem bierze do ust kapiący kurek. Gdy ktoś podnosi ją do góry, Beth i ja przerywamy picie piwa i spoglądamy w tamtą stronę z nadzieją, że wreszcie tego wieczoru wydarzy się tutaj coś ciekawego.

– Słyszysz? – Gdy do moich uszu dochodzą początkowe dźwięki *Freedom'90* George'a Michaela, łapię za rękę odzianą w panterkę Beth. Otwiera oczy szeroko, odwzajemnia mój uścisk i zaczynamy się przeciskać w kierunku parkietu, a raczej pokrytej trocinami podłogi między stołem do ping-ponga a tapczanem. Nagle Laura wykrzykuje mi prosto w twarz słowa piosenki, bierze moją rękę i podnosi do góry. A wtedy zaczynam śpiewać razem z nią, ponieważ, niezależnie od tego, że w sercu mam dziurę wielkości Jake'a, muszę się bawić. Gdziekolwiek, z kimkolwiek. Zamykam oczy i kręcę biodrami, a potem odwracam się do tyłu i uśmiecham na widok wianuszka pląsających w tym samym cudownym rytmie dziewczyn, do których natychmiast dołącza Laura.

Jest czwarta rano, a ja nie mogę usnąć, bo ten ból w piersi znowu się wzmaga, więc przyglądam się badawczo stiukowemu sufitowi. Laura bierze chrapliwy oddech.
– Laura – szepczę. Odpowiada mi kolejne chrapnięcie. – Laura. – Próbuję znowu, spoglądając z góry na jej ciało rozłożone na dywanie między łóżkiem moim a Beth. Prawa ręka Laury obejmuje plastikowy kosz na śmieci. Podnoszę się na łóżku i wyciągam stopę w stronę jej bezwładnego ciała, żeby ją wreszcie obudzić. – Laura!
Laura przez chwilę mruga oczami zdezorientowana, a potem jej wzrok pada na mnie.
– Czego?
– Hej.
– No hej. – Przez chwilę mruga powiekami, a potem znów zamyka oczy, jej oddech zwalnia i przechodzi w głośne sapanie. Podnoszę kolana do brody i naciągam na nie podkoszulek, wpatrzona w jasny fragment pokoju pod parapetem. Ból w mojej piersi rozchodzi się aż do kończyn, ogarniają mnie chłód i odrętwienie, podsuwam więc kołdrę do ramion.
– Gdzie on jest?
– Hę? – Laura wkłada lewą rękę pod poduszkę.
– Gdzie on jest? Gdzie on jest, Laura? – Wychylam się przez krawędź łóżka. – Dokąd wyjechał?
– No nie – wzdycha Laura. Głos ma niski i zachrypnięty od śpiewania piosenek na całe gardło, palenia i rzygania. – Idź spać. – Przewraca się na drugi bok, tyłem do mnie.

– Nie mogę.

Laura mruczy coś pod nosem, szuka po omacku drugiej poduszki i zakrywa nią głowę.

– Tę pieprzoną pocztówkę, którą dostał Sam...

– Co?! – Próbuję sięgnąć po poduszkę na jej głowie, przez co wypadam z łóżka na dywan, a kołdra zsuwa się ze mnie. – Jaką pocztówkę?

– Nie mówiłam ci o niej, bo jest...

– Jaka? Jaka jest?

Laura podnosi się na łokciach i bierze głęboki oddech, a jej spojrzenie odzyskuje jasność.

– Wielkie nic. „Cześć, co słychać? Mam nadzieję, że dobrze się bawisz na studiach. Brakuje mi cię, stary". Jedno. Wielkie. Nic. – Kończy zdegustowana.

– Skąd?

– Z Los Angeles, tu tyle, co wiemy. – Znowu opada na posłanie. – Nie żeby Sam nie próbował zdjąć odcisków palców.

– Ciągle ją ma? Mogę ją zobaczyć?

– O Boże! Nie po to męczyłam się w autobusie przez trzynaście godzin, żeby rozmawiać o Jake'u Sharpie, skoro mogłam to robić we własnym łóżku! – Nagle podnosi się, klęka nad plastikowym koszem i zaczyna wymiotować, więc wyciągam rękę, żeby odgarnąć jej włosy z twarzy. Gdy jej przechodzi, kładzie mokre czoło na dłoni opartej o brzeg plastikowego kosza. – Osiem miesięcy czy osiem lat, on zawsze będzie kompletnym dupkiem. – Jej głos rozchodzi się echem po koszu. – Otrzymałaś najnowsze wieści z Vermontu, więc może chodźmy wreszcie spać? – Kiwam głową i podaję jej szklankę wody, a Laura wyciera usta. „Cześć, co słychać? Mam nadzieję, że dobrze się bawisz na studiach. Brakuje mi cię, stary". Ale mnie mu nie brakuje.

– Chyba dam sobie z tym siana – mówię do Beth, gdy zmierzamy brukowaną ścieżką w stronę budynku Delta Zeta, żeńskiej organizacji studenckiej.

– A ja nie wiem. – Beth unika jednoznacznej odpowiedzi. – Po dwóch latach zdążyłam się już przyzwyczaić. – Rząd śpiewających *a cappella* członkiń organizacji odzianych w ciuchy od Laury Ashley próbuje zachęcić studentki pierwszego roku idące Chancellor Street do wstąpienia w swoje szeregi. – Nie twierdzę, że nie jest to odrobinę bezrefleksyjne.

– Odrobinę. – Kiwam głową. – Chociaż perspektywa tych wszystkich darmowych lodów jest bardzo kusząca. O, a może wybierzesz się na to. Grają *Szczęki* na dużym ekranie, a Lindsay przygotowała skecz.

Żegnamy się szybkim uściskiem, po czym wchodzę na teren za rzędem domów przy Rugby Road, gdzie organizacje męskie przeprowadzają o wiele subtelniejszą rekrutację: chłopcy rozstawili na trawnikach dymiące grille i kanapy, a między nimi bryluje Dave Matthews. Idę chodnikiem wpatrzona w słońce, które powoli kończy swoją wędrówkę po niebie i zaczyna się chować za dachami domów noszących nikłe ślady swojej dawnej świetności.

Nagle u moich stóp ląduje dysk do gry we frisbee.

– Hej, dziewczyno w różowej spódnicy! – Spoglądam na trawnik, skąd dobiega głos, i pytająco wskazuję palcem na siebie. Wysoki blondyn uśmiecha się od ucha do ucha. – Możesz mi podać? – Podnoszę pomarańczowy dysk i fachowo odrzucam go z powrotem, z trudem powstrzymując się od podmuchania w pięść i wytarcia jej o podkoszulek. – Nieźle – podsumowuje, ocierając błyszczący pot z klatki piersiowej podkoszulkiem zatkniętym za pas swoich szortów. Wzruszam ramionami i idę dalej, modląc się żarliwie, by...

– Hej!

Odwracam się – cały czas patrzy na mnie, uderzając dyskiem o wnętrze dłoni.

– Tak?

– Może hot doga? – krzyczy, odrzucając frisbee z powrotem do gry. – Robimy grilla. Masz ochotę?

– Czemu nie – wzruszam ramionami.

– Super. – Macha mi ręką, bym szła za nim, i prowadzi mnie przez trawę w kierunku małego grilla, nad którym poci się duży facet. – Nałóż jej, Cord – rzuca polecenie. Cord, popijając piwo z puszki, bierze jedną z kiełbasek ściśniętych na grillu nad piramidą rozżarzonych węgielków i wkłada do bułki, po czym polewa ją sosami i podaje mi.

– Dzięki, Cord. – Biorę od niego papierowy talerz, Cord kiwa głową i ociera wierzchem swojej pulchnej dłoni pot z czoła. Wkładam hot doga do ust i twarz wykrzywia mi grymas.

– Stój, kobieto, to jest gorące! – Blondyn rzuca się w kierunku pogiętego kosza na śmieci stojącego na schodach i wyciąga z niego piwo, a ja w tym czasie dyszę jak pies, by ochłodzić język. Chłopak otwiera mi puszkę i wlewam spienione piwo do ust, odczuwając głęboką ulgę, że nie muszę wypluwać hot doga.

– Dzięki.

– Do usług, różowa spódniczko.

– Jestem Katie – przedstawiam się, wycierając usta wierzchem dłoni.

– A ja Drew. – Krzyżuje umięśnione ręce na boskiej klacie. Za naszymi plecami kłębi się dym z prowizorycznego grilla.

– Przepyszne. – Biorę do ust kolejny kęs.

– Kłamczucha – Drew uśmiecha się zawadiacko.

– Nie, mówię poważnie! – Na moich oczach Cord podrzuca parówkę i próbuje ją złapać do bułki, którą trzyma za plecami. Spoglądam na rosnący stos pechowych kiełbasek u jego stóp.

– Nie mogłem wymyślić innego sposobu, żeby cię tu zaciągnąć – oświadcza Drew i czuję, jak robi mi się gorąco, nie
tylko w ustach. – Musiałem coś wymyślić na poczekaniu.
Spoglądam w dół na jego sandały. Znajdują się w nich całkiem sympatyczne stopy.
– No tak, hot dogi to świetny sposób na podryw.
– Tak, przy uwodzeniu trzeba się spieszyć. Zaczynamy od
pieczonego mięsa, a potem zaraz przechodzimy na alkohol.
– Niesamowite. Toż to prawdziwa sztuka. Jestem pod wrażeniem. – Hm, chyba właśnie z nim flirtuję. Wypijam łyk piwa i uśmiecham się do pary rozciągniętej na krzesłach za na-
mi, która śpiewa coś z Dave'em.
– A więc, Katie? – Drew nagle odwraca się w lewo, by zła-
pać nadlatujące frisbee. – Jesteś na pierwszym roku?
Popijam piwo i kręcę głową.
– Na drugim? – pyta, wyciągając znowu podkoszulek zza
spodni i zawieszając na szyi jak ręcznik.
– Bingo. – Pociągam kolejny łyk. – A ty?
– Jedziemy na tym samym wózku. – Uśmiechamy się do
siebie. Drew, gdzie byłeś przez ten czas, do cholery?! – Brałaś
już udział w biegach na golasa? – pyta.
Och.
– Nie mogę powiedzieć, że tak.
– Kilku facetów dziś wieczorem zalicza tutaj swój bieg.
– Dym akurat zmienia kierunek i leci w naszą stronę, więc
Drew bierze mnie pod rękę i opuszczamy ścieżkę wyłożoną
zwęglonymi parówkami. – Powinniśmy to zobaczyć.
– Czy ty też...
– Nie! Nie! – Cały oblewa się rumieńcem. Jest zdenerwo-
wany. Hm, ten chłopak jest zdenerwowany z mojego powodu.
– To co, spotkamy się przy barze, około dziesiątej, wybierzemy
się na kilka drinków, a potem pójdziemy pooglądać golasów?

– Brzmi zachęcająco – odpowiadam. Drew w tym czasie wyciąga jedną rękę po puszkę, a drugą po zużytą serwetkę. – Co za fachowa obsługa – mówię z uznaniem. Uśmiecha się ponownie.

– Więc o dziesiątej przy barze?

– Mhm.

– Będę czekał.

Ale nie czeka. Za to ja tak. Znowu. Zawsze. Na wieki. Napis na moim nagrobku powinien brzmieć: Katie Hollis, Wiecznie Czekająca. Wypuszczam z płuc dym z ostatniego wyżebranego papierosa i gaszę go o ceglany murek. Pieprzyć to. Pieprzyć go, nigdy więcej, przenigdy, za żadne skarby świata. Po prostu kupię sobie loda w polewie i spotkam się z dziewczynami. Zrzucam z nóg pożyczone sandały z koralikami i skręcam w stronę baru.

– Różowa spódniczko! Hej, Katie, zaczekaj! – słyszę za plecami, odwracam się i widzę, jak zgina się wpół i łapie za kolana. Podnosi głowę do góry i próbując się uśmiechać, wyrzuca z siebie zziajany: – Biegłem całą drogę. Prysznic się zapchał, a chciałem się umyć i przebrać, no i trochę posprzątać w pokoju. – Tętno przyspiesza mi na myśl o tym, co kryje się za jego wysiłkami, i na widok kropel potu spływających mu po brodzie w kierunku niedoprasowanej koszulki polo, poniżej której znajdują się spodnie w kolorze khaki.

– W porządku – mówię, stojąc bez ruchu.

Podnosi się i przejeżdża ręką po czole.

– Cholera. Jesteś wkurzona.

– Po prostu czekanie nie należy do moich ulubionych czynności.

– Spróbuj oczyścić kratkę ściekową w mieszkaniu, w którym mieszka pięciu chłopaków – uśmiecha się z nadzieją.

Pozwalam sobie odpowiedzieć uśmiechem, próbując stłumić swój gniew na Bogu ducha winnego chłopaka. – Te buty mają być tylko eleganckim dodatkiem? – wskazuje głową na sandały, które ściskam kurczowo pod pachami.

Teraz z kolei ja się rumienię.

– Nie, chciałam tylko...

– Mają wyglądać jak te małe torebki, które trzyma się pod pachą?

– Jesteś nieźle zaznajomiony z babską modą, jak na członka męskiej organizacji studenckiej.

– Mam dwie starsze siostry – oświadcza wesoło, po czym upada na kolana i wyciąga ręce po sandały. Podaję mu je, a on kładzie je na chodniku tuż przed moimi nogami.

– Nieźle cię wyszkoliły – mruczę, wkładając do nich stopy.

Kilka godzin później stoję przy kolumnie na skraju trawnika, a w głowie szumi mi porządnie od wielu dżinów z tonikiem i cudownego, pełnego iskry flirtowania. W tle widać czarne sylwetki chłopaków goniących się po pijanemu w cieniach Rotundy. Drew uśmiecha się i krzyczy coś do nich, aż po moim ciele przechodzą wibracje – bo oto trzyma beztrosko rękę na moim udzie, jakbyśmy chodzili ze sobą od lat. Zaczynają mnie zalewać wspomnienia, ale staram się nie dopuszczać ich do siebie, wpatruję się tylko w czarne kontury fotela bujanego na środku trawnika. Księżyc odbija się od lakieru, którym jest pokryty, i czuję, że uśmiecham się od ucha do ucha. Nareszcie.

– O, cholera! – Drew nagle podskakuje. Cord leży na ziemi, a dwaj pozostali biegacze przewracają się o niego, a potem wstają i pomagają mu się podnieść. Cord stoi przez chwilę zdezorientowany, a potem wyrzuca ręce do góry. Drew zwija się ze śmiechu.

– To mu nie ujdzie płazem.

Stoję i patrzę na niego, a tymczasem chłopcy nikną w oddali i jeszcze przez chwilę dobiega nas ich śmiech.

– Chodźmy. – Drew patrzy na mnie szeroko otwartymi oczami, a potem chwyta mnie za rękę. Drugą bierze moje sandały i ruszamy przez wypełnione cykaniem świerszczy ogrody, wzdłuż starego ceglanego muru, od którego odbijają się czerwone światła samochodu tutejszej ochrony. Prowadzi mnie przez trawnik w kierunku 14th Street, a ja idę podekscytowana, czując emocje, których nie było we mnie od tak dawna, że ich pojawieniu się towarzyszy ból mięśni. Gdy otwiera drzwi do swojego pokoju, stoję za jego plecami i czuję ciepło bijące przez jego koszulę.

Wchodzi do środka i włącza lampkę na biurku.

– Chata wolna.

Rozglądam się po ogarniętym pokoju i dostrzegam brudne ubrania wepchnięte pod łóżko, a potem mój wzrok ląduje na przyklejonym taśmą nad biurkiem zdjęciu przedstawiającym czworo blondwłosych dzieciaków przy basenie. Dwie dziewczyny, dwóch chłopaków, a jeden z nich...

– Czy to Jay?

– Znasz Jaya? – pyta zaskoczony, wyciągając dwa piwa z lodówki.

– A ty skąd go znasz?

– To mój brat. Zaraz, zaraz, pochodzisz z Newton?

– Nie, z Vermontu. – Odwracam się plecami do biurka. Drew podchodzi do mnie, stawia butelki na stole i delikatnie przyciska moje dłonie do blatu, po czym nachyla się i obdarza mnie słodkim, fantastycznym pocałunkiem.

– Jesteś przepiękna – mruczy, a potem całuje mnie ponownie. Kładę ręce na jego policzkach i przyciskam jego głowę do swojej, tak żeby wymazać z niej obraz Jake'a. Drew najpierw wędruje palcami w górę moich gołych ramion, a potem ciągnie mnie w stronę łóżka. Przewracamy się na nie ze śmiechem. Drew, nie odrywając się od moich ust, sięga ręką do lampki nocnej.

– Zaczekaj – dotykam jego ramienia. – Może lepiej...

– Chciałem tylko... – zaczyna, włączając wieżę.

– Aha. – Rumienię się. Drew uśmiecha się, zamyka oczy i dalej tarzamy się po łóżku. Zalewa mnie fala szczęścia z powodu tego, że tu jestem, że jednak bardzo tego pragnę, choć nie sądziłam, że to się jeszcze przydarzy. I że jednak nie jestem skończona. Że jestem pożądana tak bardzo, jak pożądam. Że Drew mruczy słodko piosenkę, zdejmując moje dżinsy. Zamykam oczy, a melodia przenika moje zmysły. Melodia pożądania i... i... bólu i...

Podnoszę się, zrzucając go z siebie.

– O co chodzi, do cholery? – pyta, klęcząc na łóżku, z moimi dżinsami w ręce.

– Ciii... – Niezdarnie podkręcam dźwięk na cały regulator.

– Wszystko w porządku?

– Co to jest? – szepczę, czując, że zasycha mi w gardle.

– Seks?

– Nie! Ta piosenka! Skąd ją wytrzasnąłeś?

– To radio. Stacja studencka. Jakiś nowy singel, który grają od paru dni. Kobieto, doprowadzasz mnie do szału...

Chwytam swoje ciuchy, próbuję się nimi owinąć i schodzę z łóżka.

– Muszę... muszę...

– W porządku. – Drew staje przy ścianie.

– Naprawdę muszę...

„Zatracam się, moje oczy utkwione są w górujące złote bóstwa nad naszymi głowami. Kładę dłoń na twojej skórze, a ty zapraszasz mnie do środka, więc wchodzę"...

Próbuję wydobyć z siebie dźwięk, trzymam ubrania drżącą ręką i spoglądam na drzwi.

– ... iść.

21

24 grudnia 2005 roku

Z niespokojnego snu budzi mnie śpiew Laury na schodach. Próbuję otworzyć oczy, ale mrużę je natychmiast, oślepiona wpadającym przez otwarte drzwi słońcem.

– *„He is a looser 'cause you are the champion!"* – wydziera się Laura. Wchodząc do pokoju, wznosi pięści do góry i wygląda jak Rocky w ósmym miesiącu ciąży. Rozpięty u dołu płaszcz odsłania szeroką różową bluzę z kapturem. Przez chwilę porusza prawą ręką, grając wściekle na wyimaginowanej gitarze. – Uff! – Skończywszy występ, odsuwa włosy z twarzy i spogląda na mnie, jak podnoszę się na łóżku. – Opowiadaj w s z y s t k o.

– Laura, to było... – Oddycham głęboko, spoglądam na jej żądną sensacji twarz i stwierdzam, że nie mogę znaleźć na to określenia. – Tu był on. Tu byłam ja. – Ręce mam ustawione naprzeciw siebie, palce rozsunięte i próbuję odegrać tamtą scenę. – I...

– I zostawiłaś go, gdy był rozpalony do czerwoności, tak że uświadomił sobie marność swojej egzystencji!

Biorę poduszkę i przykładam do brzucha.

– Myślał, że oddam mu się na parkiecie w klubie Harrimana.

– Zabrał cię do klubu golfowego?! – Laura marszczy swój zadarty nos.

– Na bal maturalny – wyjaśniam. Nagle ogarnia mnie żywe wspomnienie dotyku jego ust. Natychmiast chowam twarz w poduszce, czując, że się rumienię, i dreszcz przechodzi mi po karku.

– No dobrze, kontynuuj – mówi Laura.

Gdy podnoszę głowę, ostrożnie siada na moim łóżku, a okrągły brzuch opiera jej się na udach. Muszę pamiętać, że to nie jest jedenasta klasa. To nie jest noc, po której mają nadejść następne. Jest już po wszystkim.

– Powiedział, że przeprasza i że jest mu przykro – oświadczam. – I to dwa razy. – Pokazuję dwa palce. – I rzeczywiście wyglądał tak, jakby mu było przykro. W ogóle ciągle mnie przepraszał. A potem wysiadłam z jego samochodu, bo siedział tam z tym swoim seksownym, gorącym...

– Hm! – chrząka Laura.

– Przepraszam – poprawiam się – żałosnym ja. I... wysiadłam z samochodu. – Znowu opadam na poduszkę, teraz już całkiem rozbudzona i całkiem zdezorientowana. – Wysiadłam z samochodu – powtarzam. Bo to prawda. Spoglądam do góry na Keanu. – Zaraz, to było już po tym, jak wysadziliśmy Sama. Więc skąd...? – Podskakuję, a Laura, z promiennym uśmiechem na ustach, wyjmuje z kieszeni złożony kawałek papieru.

– „Wyrzucona na bruk?" – czyta na głos. Odwraca w moją stronę kartkę, która okazuje się wydrukiem z Internetu.

– Czytasz E!Online? To plotkarskie cholerstwo?

Laura pociąga nosem.

– Zaczęłam, gdy karmiłam piersią. Odpręża mnie to i zwiększa produkcję mleka.

Moja ręka zastyga w powietrzu.

– Dobra, skoro to przez karmienie piersią, to wybaczam.

– Posłuchaj, co było na stronie głównej: „Czy Jake Sharpe i Eden zerwali ze sobą? Podobno na kilka godzin przed planowanym rozpoczęciem świątecznego programu MTV Eden ulotniła się wraz ze swoją ekipą...".

– Ulotniła się? – powtarzam.

– „Ulotniła się" – Laura powtarza z naciskiem – „z posiadłości Sharpe'ów, gdzie miała spędzić święta i zapoznać się bliżej z rodziną..."

– Niewiele straciła – mruczę.

Laura ucisza mnie spojrzeniem i kontynuuje:

– „Z dobrze poinformowanych źródeł wiemy, że Jake wrócił do domu około drugiej nad ranem i wtedy" – cytuję – „z trzeciego piętra zaczęły dochodzić odgłosy kłótni i histerii".

– Kłótni i histerii? – Mój żołądek przewraca się do góry nogami.

Laura czyta teraz wolno i dobitnie, uderzając przy każdym słowie w kartkę.

– „Niezależnie od tego, czy jest to tylko sprzeczka kochanków czy też ostateczne rozstanie, najprawdopodobniej pierścionek z diamentem wróci pod choinkę, a MTV będzie musiało obmyślić inną strategię promocji nowego albumu Jake'a". – Skończywszy czytać, Laura tuli kartkę do serca jak walentynkę.

– To dużo więcej niż to, na co liczyłyśmy, o czym marzyłyśmy, o co wznosiłyśmy modły! O wiele lepsze niż żal i skrucha!

– Ale dlaczego miałby... i kiedy? – Jestem w takim szoku, że nie mogę znaleźć słów. – Byli ze sobą jakieś...

– Dwa lata – kończy Laura, kładąc swoje opuchnięte palce na moje kolana. – Co, w kategoriach show-biznesu, przekłada się na dwadzieścia.

Odsuwam poduszkę z kolan.

– Ale dlaczego miałby...

– Bo poważnie namieszałaś mu w głowie! Wszystko wskazuje na to, że zerwał pierwszy w swoim życiu poważny związek, który miał szansę przetrwać, z kobietą, która jest dla niego stworzona, i teraz będzie się nurzać w samotności i cierpieniu, i nigdy już niczego nie napisze, zbankrutuje jak Michael Jackson, a potem zostanie przyłapany na gorącym uczynku podczas czynu lubieżnego w publicznej toalecie jak...

– Kathryn! Natychmiast zejdź na dół! – słyszymy głos Mamy i obie spoglądamy w stronę drzwi.

– Kathryn? – powtarza Laura. – Twoja mama wie, jak przerazić mnie na śmierć.

– Która godzina? – Stawiam nogi na podłodze.

– Ósma trzydzieści.

– Zatem nie jestem jeszcze spóźniona. – Biorę od niej wydruk i przebiegam go wzrokiem. – Zdaje się, że faktycznie wygrałam – mruczę.

– Wygrałaś? To za mało powiedziane. Możesz pozbyć się tego wszystkiego – wskazuje ręką na szereg złotych pucharów za konkursy oratorskie stojących na półce nad moją głową.

– I umieścić to – wkłada mi kartkę do ręki – na ich miejsce.

– Kathryn! NATYCHMIAST!

– Już idę! – Chowam wydruk ze strony E!Online do kieszeni koszuli nocnej Mamy. Laura schodzi po schodach, ja za nią, ale gdy dostrzegam, co nas czeka, zwalniam kroku.

Mama i Tato stoją w otwartych drzwiach wejściowych obok spakowanych walizek i spoglądają z niepokojem na ganek, gdzie stoi blondynka – dobrze po czterdziestce, w butach na wysokich obcasach – i robi wrażenie, jak gdyby koordynowała wystrzelenie w kosmos wahadłowca znajdującego się na naszym trawniku, mruczy bowiem coś do słuchawki przy uchu i jednocześnie zerka do masywnej książki wielkości atlasu. Gdy pojawiamy się na schodach, podnosi głowę.

– Trzymajcie mnie, bo zaraz zemdleję – szczęka jej opada na nasz widok. – Ona jest w ciąży. Tad, sprowadź mi lekarzy, trzeba zrobić badania. I to migiem. Mama odwraca się w moją stronę, jej zacięty wyraz twarzy oznajmia, że właśnie zaczyna sześćdziesięciosekundowe odliczanie i że zaraz włączy się Pani Dyrektor Hollis. Szybko dołączam do niej w drzwiach.

– Przepraszam, ale kim pani jest?

– Jocelyn Weir – informuje mnie Tato i z odrazą podaje czerwoną wizytówkę.

– Pracuję dla Jake'a. – Kobieta przyciska księgę do piersi, wtykając dłonie w rękawy swojego jedwabnego prochowca od Chanel.

– A wnioskując z pani zachowania, domyślam się, że jest pani również jego krewną? – Mama raczej stwierdza, niż pyta.

– Nie ma pani pojęcia, w jakim bagnie znalazłam się dziś rano... Co? Nie! Nie! STOP! Nie zdjęcie w kalesonach, sekskasety, Chryste Panie!

Mama mocniej zaciska rękę na klamce. Tato mocniej zaciska rękę na Mamie. Jocelyn Weir mocniej zaciska rękę na mikrofonie zwisającym z jej ucha i przykłada go do ust:

– Tad, powiedz ludziom Eden, żeby nawet się nie ważyli, bo inaczej puścimy tę taśmę na Times Square w samo południe. – Spogląda na Laurę. – Katie, podaj mi, proszę, szklankę wody, filtrowanej, bez lodu, za to z cytryną, jeśli masz, pod warunkiem że jest organiczna.

– To ja jestem Kate Hollis. – Wychodzę na ganek i wsuwam ręce do rękawów.

Na twarzy Jocelyn maluje się niewypowiedziana ulga.

– Dzięki ci, Panie! Odwołaj lekarzy, Tad. – Odgarnia z oczu jasne włosy. – Dobrze, Katie, sprawa wygląda tak. Jesteś dziewczyną z piosenki, bla, bla, bla. Może, ale to może, i to maksimum przez jeden dzień, uda mi się trzymać prasę z daleka od tego... Co? Cokolwiek, Tad! Nie mówię o cholernej Francji, mówię o krajowym podwórku! Jezu. – Kręci głową i spogląda na mnie, prosząc o współczucie, ale na próżno. – Eden to jest historia jak się patrzy, materiał na całe lata: zdjęcia ze ślubu w „InStyle", programy w MTV, adoptowane dzieci z krajów Trzeciego Świata, wspólne albumy, świąteczne występy. Kumasz?

– Nie.

Laura niecierpliwie przepycha się między moimi rodzicami i dołącza do nas na ganku.

– Czy on jest chory? Czy ma nudności i dosłownie zzieleniał od tego? Proszę nam odmalować sytuację.

Jocelyn poprawia słuchawkę.

– No właśnie? – pytam. – Zzieleniał?

– Katie...

– Kate.

Jocelyn wlepia we mnie wzrok.

– Dobrze, Kate, oto, co chcę ci zakomunikować – robi teatralną przerwę. – Nie istnieje nic takiego jak ty i Jake.

Zatyka mnie z wrażenia.

– Przysłał cię po to, żebyś mi to powiedziała? To przecież j a dałam mu kosza – odpowiadam i najeżona, robię krok do tyłu. – Ostatniej nocy wyglądało to tak – odwracam się w stronę rodziców. Laura wymownie kiwa głową. – To j a wysiadłam z samochodu.

Mama promienieje dumą.

– Dobra robota, kochanie – Tato kładzie mi rękę na ramieniu.

– To fantastycznie! – Jocelyn uśmiecha się tak szeroko, jak tylko pozwoliła jej dermatolog. – Więc, Kate, powtarzam, takie coś jak ty i Jake nie istnieje.

Moją twarz wykrzywia obrzydzenie.

– Czy naprawdę przysłał cię, żeby dać mi kosza, po to tylko, żeby on nie czuł się odrzucony i żeby ostatecznie odrzucenie należało do niego?

– Żadnego związku w jakiejkolwiek formie – dodaje Jocelyn.

– Żadnego – potwierdzam. – To żałosne. Gdy będziesz z nim rozmawiać, powiedz mu, że to żałosne.

W jednej ręce trzyma oprawione w skórę tomisko, a drugą uderza o nie dobitnie.

– Nie-ma-mo-wy-o-żad-nej-przy-szło-ści.

I nagle dociera do mnie, że to są negocjacje.

– Albo dobrze, Jocelyn, przejdźmy do sedna. Podpiszę zgodę na milczenie czy co to tam ma być, ale tylko pod warunkiem, że Jake zapłaci moim przyjaciołom należne tantiemy.

– No właśnie – Laura zaciska pięść.

Jocelyn wykrzywia usta i oświadcza surowo:

– Tu nie ma nic do podpisywania, a ten temat nie jest przedmiotem niniejszej dyskusji.

Odwracam się w stronę Laury, która kręci głową z niedowierzaniem.

– Więc jeśli nie chce pani kupić mojego milczenia, to czego pani chce? Oprawionego w ramkę zdjęcia, na którym zalewam się łzami, rozdzieram szaty i drę włosy z głowy?

Jocelyn wyjmuje z kieszeni złożoną kartkę w linie.

– Mnie samej zależało na wyjaśnieniu kilku rzeczy, bo Jake może mieć klapki na oczach, a ja jestem tu od tego, by pokazywać mu, co jest naprawdę ważne. Pomogłaś mi w tym, i chwała ci za to. Ale tak właściwie przyszłam tu dlatego, że powierzył mi przekazanie ci tej wiadomości, na którą rzucisz okiem i natychmiast mi oddasz, żebym za pięć minut nie znalazła tego na eBayu. Jasne? – Jej wypielęgnowane palce wysuwają się w moją stronę.

Chwytam kartkę.

– Miałaś rację, Mamo, to pewnie piosenka. Kolejna pieprzona piosenka. Mówiąca o tym, jak wysiadam z samochodu z przyczepionym do podeszwy papierem toaletowym. – Rozkładam kartkę, gotowa podrzeć ją na strzępy i wepchnąć Jake'owi w gardło wraz z jego przeprosinami, jego pożądaniem... „A co, gdybym nigdy nie wyjechał? Spotkajmy się w świetle dnia. J."

Laura wysuwa mi kartkę z ręki, czyta ją, a potem przekazuje Mamie i Tacie.

– Dziękuję. – Jocelyn wyrywa mu ją z ręki, przykłada do niej zapalniczkę i wrzuca płonący papier do jego kawy. – Fantastycznie. Tak więc już po wszystkim. A mnie nigdy tu nie było. Ta rozmowa nigdy się nie odbyła. I cała sprawa jest zamknięta. – Jocelyn pędzi w dół po schodach, a w tym samym czasie biała furgonetka z napisem „AMERICAN EAGLE AIRLINES" zajeżdża pod dom z moim odzyskanym bagażem.

– W samą porę. – Mama robi krok w stronę schodów, a Tato stawia niezdatną do picia kawę na poręczy i łapie leżące u jego stóp torby. – Kate, wyjeżdżamy za pół godziny – oświadcza, mijając dziurę, którą wykopałam w rabatce cynii.

– Na stole leżą tosty dla ciebie i byłabym ci wdzięczna, gdybyś zdjęła swoją pościel! – krzyczy Mama. – Wesołych Świąt, Lauro!

– Wesołych Świąt, pani Hollis! – odpowiada jej Laura ze schodów. – Miłej podróży!

– Zaraz – szepczę, w mojej głowie wciąż brzmi jego pytanie. Ale nikt się nie zatrzymuje. W tym czasie mężczyzna wysiada z furgonetki z moją torbą i pokwitowaniem. Tato podpisuje papierek i rzuca moją walizkę do swojego bagażnika. – Zaraz – powtarzam. – Zaraz!

Jocelyn zatrzymuje się przy swoim samochodzie, ale się nie odwraca.

– Chyba chciałabym się z nim spotkać! – krzyczę.

– O nie – wzdycha Laura.

Tato upuszcza klapę bagażnika. Furgonetka odjeżdża. Mama zbiega z powrotem po schodach. Gdy podchodzi w moją stronę, podnoszę ręce do góry.

– Nie zabijaj, najpierw mnie wysłuchaj.

– Dopiero co o tym rozmawiałyśmy – Jocelyn rusza z powrotem w stronę domu, a Tato za nią. – Myślałam, że zrozumiałaś, gdzie twoje miejsce.

– Nie idziesz? – Tato patrzy na mnie krzywo.

Mama wychodzi na ganek.

– Przecież już wszystko ustaliliśmy, jedziemy teraz na lotnisko.

Jocelyn wyciąga z ucha słuchawkę.

– Racja. Słuchaj mamusi.

Podnoszę wzrok do góry, nie mam odwagi spojrzeć na ich zaskoczone, zbolałe twarze.

– Posłuchajcie wszyscy, dziękuję wam za troskę, ale nie mogę tak po prostu...

– Możesz, t a k p o p r o s t u! – krzyczy Laura. – W tym rzecz! To oczywiste, że teraz chce się z tobą zobaczyć! Oczywiste, że t e r a z zaczyna mu na tobie zależeć! Ale wysiadłaś z samochodu, Katie! W y s i a d ł a ś z s a m o c h o d u!

– Dobre, to jest dobre. – Jocelyn zmierza w moim kierunku. – Podoba mi się to. Tak, to nie twój wóz. Wara od tego samochodu, do cholery! – Brzęczy złotymi bransoletkami, podchodząc do Laury. – Świetnie, co jeszcze masz w zanadrzu?

– Wysiadłam z tego samochodu, rzeczywiście, wysiadłam.

– Spoglądam najpierw na zaniepokojone twarze Mamy, Taty i Laury, a potem na wściekłą Jocelyn. – Ja... ja... nie wiem.

Wiem tylko, że czasem będzie tak – niezbyt często, może raz w roku – że będę wracać późno w nocy samochodem, po nieudanej randce albo innym rozczarowaniu. – Próbuję odetchnąć głęboko, ale czuję ból w piersi. – Włączę radio i będę szukać, czy gdzieś nie leci jego piosenka. – Mój wzrok pada na poręcz ganku i tam już zostaje. – I będę udawać, chociaż przez minutę, że śpiewa dla mnie. Tylko dla mnie. I zastanawiam się, czy jeszcze kiedykolwiek będę czuć coś podobnego. – Na widok twarzy Laury, która blednie zupełnie, coś mnie ściska w dołku.

– Jak możesz być taka łatwowierna? – pyta cicho Tata.

– Nadajesz temu romantyczną otoczkę, jak jakaś naiwna nastolatka. – Mama kręci głową z niedowierzaniem. – Niczego się nie nauczyłaś? Nie wiem, Simon, nie wiem, co mamy robić. Ona najwyraźniej nie jest w stanie racjonalnie myśleć i gubi resztki instynktu samozachowawczego, jeśli chodzi o tego chłopca.

– On nie jest chłopcem – mówię. – A ja nie mam siedemnastu lat.

– Doprawdy, Kathryn? – Mama przechodzi obok Taty i staje tuż przede mną. – Bo mówisz jak zakochana po uszy, głupiutka nastolatka.

Odsuwam się od nich.

– Po prostu nienawidzisz Jake'a, ponieważ ośmielił się napisać piosenkę, w której nazwał cię złą matką i złą żoną.

– Katie, przestań – Tato podnosi głos.

– Nie, Simon, nie trzeba. Dobrze, Kathryn, możesz mnie nienawidzić. Możesz nienawidzić swojego ojca. Możesz nas dalej lekceważyć – podnosi głos coraz bardziej. – Ale nie pakuj się w to bagno, nie teraz, gdy już zaszłaś tak daleko... Liścik posłany przez posłańca, jak gdyby był w podstawówce, też mi coś!

– Och, tak, daleko zaszłam! – Cofając się, potykam się na schodach. – Właśnie stoję na ganku w twojej nocnej koszuli! Ale nareszcie mam okazję zakończyć tę sprawę, całkowicie. Dlaczego odmawiasz mi do tego prawa?

– Bo, Katie, zobaczysz, jak to się skończy. Wsiądź do tego samochodu. – Wyciąga rękę, wskazuje na podjazd i zastyga w tym geście, wpatrując się we mnie intensywnie. – Leć do niego, wskocz mu do łóżka, zwierz mu się ze wszystkich intymnych szczegółów ostatnich trzynastu lat swojego życia i czekaj, aż znowu coś mu strzeli do głowy i rzuci cię podczas jakiejś trasy koncertowej. Na lotnisku w Pekinie czy Moskwie. I zostaniesz zupełnie na lodzie. Tyle że wtedy będzie miał nową, fascynującą porcję materiału, więc jeśli pojawisz się w progu naszego domu... – usta jej drżą. – I będziemy musieli na nowo przygarnąć pod swój dach swoje jedyne dziecko, można się będzie wtedy spodziewać, że wkrótce wraz z całą Ameryką dane nam będzie poznać pikantne szczegóły twojego życia seksualnego, wylewające się ze wszystkich głośników!

Krzyżuję ręce na piersi, odgradzając się przed nią i jej złowrogą przepowiednią.

– Hm, to tak to wygląda? Przygarniecie mnie łaskawie pod swój dach?

Mama opuszcza rękę i pochyla głowę.

– Jeśli do niego pojedziesz.

– Jeśli do niego pojadę, będę mieć okazję, by z nim porozmawiać. Porozmawiać, Mamo, wyjaśnić wszystko, pokonać ból i zagoić rany. Chcemy stanąć twarzą w twarz z przeszłością, a nie udawać, że nic się nie stało, jak zrobiliście wy. Więc jeśli pojedziecie na Florydę i zastaniesz Tatę płaczącego na tapczanie, po tygodniu bez lekarstw, których, jak twierdzi, nie potrzebuje... – odwracam się w stronę Taty, który spogląda bezsilnie na naszą kłótnię – a potrzebujesz ich, Tato. Przykro mi to mówić, ale potrzebujesz. Chociaż ona nie ma odwagi, by to przyznać. Więc, zamiast porozmawiać o tym, wyjdzie z domu i puści się z kimś, kogo znasz, może sąsiadem albo trenerem. Ale zaraz, zapomniałam, to i tak będzie bez znaczenia, przecież jesteśmy idealną rodziną! Nie trzeba więc nawet o tym rozmawiać! Więc dalej, Tato, pogrążaj się w depresji. Mamo, puść się z kimś zaraz po przyjeździe do Sarasoty. Tato się wyprowadzi, wróci po pół roku, co za różnica? I tak będziemy potem spędzać razem święta, jak gdyby nigdy nic. Bo wszystko gra. Nie mamy żadnych problemów. I wiesz co? Cieszę się, że Jake napisał tę piosenkę, nawet jeśli nigdy mi tego nie wybaczysz. Które z was ma prawo mówić mi o uczeniu się na błędach? – Spoglądam na Mamę, która stoi na schodach ganku, na tych samych nieszczęsnych schodach. – I powiem ci jeszcze jedno. Teraz już cieszę się, że nie zawracaliście sobie głowy informowaniem mnie o sprzedaży domu. Bo jeśli o mnie chodzi, to możecie spalić tę cholerną ruderę na popiół – oświadczam i odwracam się do Jocelyn. – A teraz zawieź mnie do niego.

22

Wesele Laury

Ściskam w ręku bukiet kwiatów i zlizuję łzę, która spływa mi po policzku i dociera do wargi. Nie wolno ci się rozmazać, Katie. Musisz wyglądać seksowniej niż kiedykolwiek. Spoglądam na parę młodą, od której dzieli mnie siedem głów we francuskich kokach: Sam, cały czerwony z podekscytowania, powtarza za księdzem słowa przysięgi, potem następuje pocałunek, organy grają marsza i Laura odwraca się w stronę gości bijących brawo. Jej oczy promienieją blaskiem, a moje zachodzą łzami z powodu ich szczęścia – to wszystko, co się dzieje, wydaje się bardziej surrealistyczne od tego, co ma nastąpić potem. A teraz głęboki oddech, łopatki razem, pierś do przodu i... obrót.

Mój wzrok pada na puste miejsce w ławce obok Benjy'ego.

Benjy łowi moje spojrzenie i kręci głową zrezygnowany, wydymając usta. Spoglądam na Sama, który też to dostrzega, a potem na Laurę, której rzednie mina, gdy napotyka wzrok Sama. Bierze go za rękę, a potem znów rozpogodzeni zmierzają do wyjścia, odprowadzani promiennymi spojrzeniami.

Prosta jak struna, w sztywnym gorsecie sukienki, kroczę za nimi wraz z koleżankami Laury ze studiów. Przy wejściu do kościoła wszyscy gromadzą się przed fotografem, ja natomiast podchodzę do krawężnika i wyglądam na ulicę – ani śladu limuzyny, sztabu ludzi ani paparazzich.

– Druhny stają wokół panny młodej! – Fotograf macha na mnie ręką, więc ustawiam się, gdzie mi kazano, podczas gdy te dziwne dziewczyny robią zamieszanie, pracowicie układając biały welon za plecami panny młodej.

– Nie przyjechał – mruczę pod nosem, nie potrafiąc się powstrzymać. Uśmiech zastyga na twarzy Laury, w jej ozdobionych mocnym makijażem oczach maluje się ból.

– Wszyscy patrzą w moją stronę! A teraz szeroki uśmiech! Już!

Gdy pod namiotem ustawionym na tyłach domu państwa Hellerów rozpoczyna się następna piosenka, Tato szepcze coś Mamie do ucha. Mama kiwa głową, uśmiecha się i dotyka klapy jego marynarki swoimi wypielęgnowanymi palcami. Doradziłam im jak najbardziej uprzejme zachowanie wobec siebie nawzajem, żeby przygotować Mamę na spędzenie wieczoru z setką ludzi, którzy prawdopodobnie domyślili się, że to ona jest tą samolubną lafiryndą, która okupuje szczyty list przebojów. Rodzice zaczynają się przepychać w kierunku naszego stolika, gdzie siedzę nad trzecim kawałkiem tortu i siódmym drinkiem, z nogami wyłożonymi na dwóch krzesłach.

– Chyba buty mnie obtarły – stwierdza Mama, wysuwając piętę ze szkarłatnego pantofla.

– Zatem – Tato uderza się po kieszeniach krepowej marynarki – pożegnam się z nimi wszystkimi w naszym imieniu. Spotkamy się przy wyjściu? – pyta.

Kiwamy głowami, a Tato wyrusza na poszukiwanie państwa Hellerów.

– Miałaś rację, Katie – mówi Mama, przekrzywiając stopę na zewnątrz. – Czerwone buty dodają animuszu.

– To nie moja teoria, tylko Sigourney Weaver. – Przejeżdżam palcem po talerzu ze złotą obwódką, zgarniając ostatnie ślady kremu. – Czytałam, że zawsze wkłada czerwone buty, gdy czeka ją coś stresującego.

– No cóż. – Mama dopija zawartość swojej lampki. – Okazuje się, że nie miałam żadnych powodów do obaw. Odprowadzisz mnie do samochodu? – Bierze z talerza ostatnie ciasteczko.

– Claire? – słyszymy za plecami. Korpulentna blondynka w turkusowej sukni i z taką samą torebką pod pachą zmierza w naszą stronę. – Jestem Marjorie. Ciotka Laury – przedstawia się, potrząsając energicznie ręką Mamy, że aż z przyczepionego do jej nadgarstka bukieciku sypią się płatki. – Z Hellerów z Minnesoty.

– Bardzo mi miło – odpowiada Mama, a ja w tym czasie obserwuję, jak nastoletnia kuzynka Laury Dubuque rozbiera na części dekorację stołu. – Laura wygląda przepięknie jako panna młoda. To była radość patrzeć, jak ta dziewczyna dorasta.

Ciotka Laury nie wypuszcza ręki Mamy z powitalnego uścisku, a wścibski wyraz jej twarzy świadczy o tym, że nie dotarło do niej nic, co Mama przed chwilą powiedziała.

– Powiedziałam sobie, że jeśli kiedykolwiek dane mi będzie z tobą porozmawiać... mam nadzieję, że nie masz nic przeciwko? Martha opowiedziała mi całą tę okropną historię i chciałam ci złożyć moje wyrazy ubolewania.

Mama otwiera szeroko oczy ze zdumienia. Przyzwyczajona do takich sytuacji dotyczących mojej osoby, przerywam jej:

– Dziękujemy. To miłe z pani strony. Musimy się już pożegnać, właśnie wychodzimy.

– Tego chłopaka powinno się postawić pod murem i roz-strzelać. Nie potrafię sobie wyobrazić, przez co musiałaś prze-chodzić przez ostatni rok. Za każdym razem, gdy słyszę tę pio-senkę, myślę sobie: „Gdybyś tylko wiedziała, g d y b y ś t y l-k o w i e d z i a ł a, jak podłym, p o d ł y m człowiekiem jest ten chłopak, nie wpuściłabyś go pod swój dach" – kończy na bezdechu swoją współczującą przemowę.

– Dziękuję – odpowiada Mama, uwalniając rękę z jej uści-sku. Próbuje się uśmiechać, ale widzę, że w środku aż się go-tuje. Teraz obie kiwają głowami, a Marjorie najwyraźniej cze-ka na jakiś komentarz.

– No cóż... – Nic sensownego nie przychodzi mi do na-siąkniętego drinkami mózgu.

– Przepraszam – mówi Mama – ale mój mąż czeka w sa-mochodzie.

– Jestem pełna podziwu, że po tym wszystkim wciąż je-steście razem. On musi być bardzo wyrozumiałym czło-wiekiem.

W tym momencie Mama nawet już nie próbuje się uśmie-chać, a mnie robi się słabo.

– Tak, jest bardzo wyrozumiały. – Mama bierze torebkę ze stołu.

– Miło mi było cię poznać! – krzyczy za nami Marjorie, a ja macham jej na pożegnanie.

Próbuję wziąć Mamę pod rękę, ale odsuwa się ode mnie. W blasku bijącym z małych świeczek, którymi ozdobiona jest ścieżka przed domem, widzę jej twarz ściętą w ponurym gry-masie.

– Mamo? – zagaduję, gdy rozgląda się po zapełnionej sa-mochodami ulicy, unikając mojego wzroku. – Mamo!

Odwraca się i wymierza mi siarczysty policzek, aż na chwi-lę tracę równowagę.

Tato podjeżdża, Mama pakuje się na siedzenie obok niego, a ja, oszołomiona, nie jestem w stanie nawet się poruszyć.

– Baw się dobrze! – krzyczy do mnie Tato, po czym ich samochód niknie w ciemnej ulicy.

– Dobrze – udaje mi się powtórzyć, gdy powoli masuję szczękę. A więc stało się. Już po wszystkim. Wysuwam stopy z sandałów i bezceremonialnie wrzucam je do kosza na śmieci, po czym kieruję się w stronę domu. Obejmuję wzrokiem parną czerwcową noc, wypełnioną cykaniem świerszczy, a pachnące powietrze koi mój pulsujący policzek. Żeby mieć ciągle pod stopami miękką trawę, trzymam się chwiejnie żywopłotu sąsiadów. Głowa ciąży mi od szampana, czuję, jak moja obcisła sukienka, skrojona tak, by uświadomić mu marność jego egzystencji, opina każdą wypukłość mojego ciała, i pragnę go jeszcze bardziej. Tutaj, teraz, tej upalnej pijanej nocy w Vermoncie. Tu, na masce tego samochodu...

– Hollisówna!

Potykam się o duże czarne buty i podtrzymuje mnie czyjaś dłoń. To Benjy siedzi na trawie i wkłada drugą ręką papierosa do ust.

– Hej – mruczę, siadając obok niego u stóp wiązu.

– Zapalisz? – Benjy sięga do rzuconej na trawę marynarki. Kiwam głową, wyciągam papierosa z jego ust i zaciągam się głęboko. Benjy uśmiecha się od ucha do ucha.

– Dzięki – mówię, wydmuchując dym z płuc. Czuję, że od siedzenia na ziemi sukienka nasiąka mi wilgocią. – Niezła impreza. – Oddaję mu papierosa.

– Mhm. – Benjy opiera dłonie o kolana i przez chwilę tak bardzo przypomina mi Jake'a, że nachylam się w jego stronę i zamykam oczy. Nasze wargi spotykają się, smak tytoniu wędruje z ust do ust, a potem odsuwamy się od siebie.

I nic.

Benjy spogląda nieobecnym wzrokiem na chodnik przed nami.

– Powinienem iść do swojej dziewczyny. Jen pewnie już mnie szuka.

Kiwam głową, to upokorzenie ginie w oceanie innych upokorzeń, których pasmem jest dla mnie ten weekend.

– Jestem... – Szukam odpowiedniego słowa. – Myślałam, że dziś wieczorem wreszcie...

– Aha. – Benjy wstaje, chwiejąc się, podnosi marynarkę i przerzuca ją przez ramię. – Myślałem, że mógłbym spłacić dług, który ciąży na sklepie taty, i opłacić czesne za studia. Powinienem wiedzieć, że stchórzy. Pieprzony cykor. Zawsze nim był.

– Spogląda ponad żywopłotem w stronę oświetlonego domu. – Chodź ze mną. Chyba nie chcesz tu stracić przytomności.

– Sama nie wiem – mruczę. – Byłoby to godne ukoronowanie całego dnia.

Benjy podnosi mnie, a ja wtulam się w jego bok. Zmierzamy w stronę ogrodu, wpadając po drodze na dwoje kelnerów trzymających w ręku tace z pustymi kieliszkami. Benjy obejmuje mnie w pasie i przystajemy przy wejściu do namiotu, w którym dziewczynka od kwiatów, bez swoich białych bucików, kręci się na wypolerowanym parkiecie jak derwisz.

– Ładna szminka. – Na horyzoncie pojawia się Jen. Sięgam palcami do ust. – Nie twoja, dziwko – dodaje.

Odsuwam się od Benjy'ego i dostrzegam rozmazaną szminkę na jego ustach.

– Katie – słyszę i odwracamy się w stronę Laury stojącej w drzwiach domu. Jen przepycha się obok niej, wchodzi do środka i biegnie na górę po ciemnych schodach. Benjy, pochylony, rusza za nią.

– Pieprzyłaś się z nim? – Na twarzy Laury malują się niesmak i niedowierzanie.

Chwieję się, ale staram się nie upaść.

– Całowaliśmy się tylko, to nic nie znaczy.

– Nie wierzę... – Przerywa jej zgrzyt podłączanej do wzmacniacza gitary. Obie odwracamy głowy. Gromada drużbów zbiera się wokół stołu, Sam stroi swoją starą gitarę, po czym piosenka z repertuaru Jake'a zagłusza gwar rozmów. Spojrzenie Laury staje się zimne, gdy spogląda to na nich, to na mnie, i jej twarz oblewa się rumieńcem. – Nie pojmuję tego.

– Czego?

– Jak możesz wciąż... po tym wszystkim... – przerywa i poprawia perłowe grzebyki we włosach.

– Pragnąć go?

– Tak! – wykrzykuje, jak gdyby rozmawiała z niesfornym dzieckiem.

– Jasne, że nie rozumiesz. Nie masz pojęcia, o co chodzi – mówię z wyrzutem. Rozczarowanie, jakie przyniosło mi ostatnich czterdzieści osiem godzin, wywołuje ból w piersi.

– Nie wiem? – krzyczy Laura. – Słyszałam o każdej nadziei, marzeniu i fantazji Jake'a Sharpe'a!

– A właśnie, że nie wiesz! – Kipię wściekłością. – Czy czegoś ci brakuje do szczęścia? Mężczyzna, którego kochasz, jest ci absolutnie oddany od jedenastej klasy! Właśnie wyszłaś za niego za mąż! To ja jestem tutaj druhną!

– Razem z czterema moimi koleżankami, które do tego zmusiłam. I przyjechałaś tu tylko po to, żeby móc w tak ciekawych okolicznościach oczekiwać powrotu swojego gwiazdora rocka, który nie przyjechał. Słyszysz, Sam? – krzyczy przez cały namiot. – On nie przyjechał! – Gwar rozmów cichnie nagle. – Nie mogę się doczekać, aż opowiem naszym dzieciom o temacie przewodnim, jaki ich Mamusia i Tatuś wybrali na wesele – „Jake Nie Przyjeżdża". Bo będziemy musieli im coś powiedzieć, nieprawdaż? Wyjaśnić, dlaczego korzystamy z pieniędzy przeznaczonych na ich studia, spłacając ciągle tę imprezę, ponieważ tych cholernych tantiem nie ujrzymy na oczy. – Podnosi ręce do twarzy i ociera łzy.

– Laura – mruczę.

– Do czego to doszło, Katie?

– Dla mnie to też nie jest powód do dumy. – Zwieszam głowę.

– Ale wciąż byś mu się oddała, gdybyś tylko miała taką możliwość. Gdyby się tu dzisiaj pojawił. Niezależnie od tego, czy przyjechałby z czekami i papierami do podpisu czy bez. Wybaczyłabyś mu wszystko, gdyby tylko tu był. I ty też, Sam. – Wyciąga chudą rękę w kierunku pobladłego Sama. – To był mój dzień. Tylko jeden. I tylko to masz mi do powiedzenia po tylu latach, moja najlepsza przyjaciółko, która nigdy nie gościsz w rodzinnych stronach: że on nie przyjechał? Łamiesz mi serce. Oboje mi łamiecie.

Gdy Laura kryje twarz w dłoniach, robię krok w jej stronę, ale Sam przepycha się obok mnie, bierze ją w ramiona i, mimo jej protestów, prowadzi łagodnie w stronę domu.

23

24 grudnia 2005 roku

Omijamy hałaśliwy tłum paparazzich okupujących bramę wjazdową do posiadłości Sharpe'ów... – Jedziemy dodge'em daytoną! – krzyczy siedząca z przodu Jocelyn do telefonu komórkowego. – Wiem! Co na to Andy Griffith? – Wynajęty samochód skręca pół mili dalej, mijając szkielety starych budynków sterczące na pokrytych śniegiem polach. Na tylnym siedzeniu obok mnie spoczywa otwarta walizka. Zapinam właśnie kaszmirowy sweter z kapturem i wyciągam szczotkę do włosów, starając się uspokoić oddech, serce oraz mózg i nie zwracać uwagi na potok inwektyw – Vermont! Pieprzony Vermont! – a także wykorzystać tych ostatnich kilka minut, które mi pozostały do spotkania z Jakiem, na rozważenie, czy aby nie popełniam teraz największego błędu w swoim życiu. Stanowczym ruchem wyrzucam zwiniętą koszulę nocną Mamy przez otwarte okno i zamykam szybę, a potem pośpiesznie naciągam dżinsy na spiczaste buty na obcasach.

Samochód zwalnia i zatrzymuje się przy polnej drodze.

– To tutaj? – pyta Jocelyn kierowcy. Mężczyzna wręcza jej następną kartkę z instrukcjami od Jake'a, po czym wyskakuje na zewnątrz, by otworzyć mi drzwi.

– Och, dziękuję – mówię, choć w tym momencie niezbyt mnie cieszy perspektywa opuszczenia ogrzewanego pojazdu. Gdy wychodzę z samochodu, moje buty grzęzną głęboko w śniegu. – Jest pan pewien, że to tu? – pytam. Moje wątpliwości rozwiewa głos Jake'a:

– Cześć! Tu jestem! – Odwracam się i spoglądam w tamtym kierunku: Jake siedzi na skraju butwiejącego domku na drzewie, dyndając nogami, i pali papierosa. W środku pola, w środku zimy. I macha do mnie. – Dzień dobry!

Samochód nagle rusza gwałtownie, aż spod tylnych kół wytryskuje fontanna śniegu, a potem odjeżdża i zostawia nas w dzwoniącej ciszy. Zasłaniam oczy przed ostrym słońcem i spoglądam do góry, na jego wiszące kończyny, które kołyszą się bezładnie jak nogi Kermita. – Wyżej się nie dało?

– Stąd jest boski widok! – krzyczy do mnie. – Nie marudź, tylko chodź!

– No dobra... – Przedzieram się przez śnieg i zaczynam się wspinać po z grubsza ociosanych deskach przybitych do pnia. Jake wyciąga do mnie rękę i pomaga wejść na platformę.

– Zgubiłaś płaszcz? – pyta, zdejmując kurtkę. Wkładam ją, czując na sobie ciepło jego ciała.

– Wybiegłam z domu w pośpiechu, nie miałam czasu na drobiazgi. – Odwracam się i przekładam nogi na tę samą stronę co on. A widok rzeczywiście zatyka dech w piersiach: akry gałęzi tworzą czarną kratę na tle śnieżnej bieli, a w tle, jak tort na paterze, spoczywa dom Sharpe'ów.

– Może papierosa?

– Nie palę od studiów. I myślałam, że ty, ze względu na głos...

Jake spogląda na niedopałek.

– Gdyby nie wytwórnie płytowe, przemysł tytoniowy dawno by padł. Za kulisami rozdania nagród Grammy każdy trzyma w jednej ręce skręta, a w drugiej paczkę marlboro. Ale staram się ograniczyć, palę tylko późno w nocy lub gdy jestem... nieco zdenerwowany. W przeciwnym razie moi ludzie wiercą mi dziurę w brzuchu.

– Twoi ludzie? – pytam, opierając ręce o drewnianą podłogę.

– No wiesz, mój facet od gardła, mój trener, moja rzeczniczka prasowa...

– Tak, tę miałam już okazję poznać. Nie mogłeś się postarać o prawdziwego dyktatora, który przeszedł na emeryturę?

Jake wybucha śmiechem.

– Wiem, ostra jest, prawda? Ale potrzebuję kogoś tak twardego. Pcha moją karierę do przodu. Chyba po tobie inaczej nie potrafię. – Gasi papierosa o podłogę, znacząc na niej półkole z popiołu, po czym wyrzuca peta na ziemię.

– Chodź, wejdziemy do środka, przypuszczam, że tam jest nieco cieplej.

– Czy jest tam sauna?

– Słucham? – Przekłada nogi na drugą stronę i wczołguje się do małego pomieszczenia, w którym nie ma nic, z wyjątkiem koca i termosów.

– Todd mówił, że twoja mama przerobiła wszystkie budynki na terenie twojej posiadłości według własnego widzimisię, no wiesz, boiska do baseballu i tym podobne – wyjaśniam, wsuwając się za nim do środka.

Jake śmieje się.

– Owszem, za garażem jest kryty basen, ale to chyba tyle. Choć przyznaję, że pomysł jest świetny. Siadaj tutaj. – Rozkłada ciężki wełniany koc i owija nim moje nogi.

– Dzięki. Dlaczego nigdy przedtem mnie tu nie zabrałeś?

– Nie wiem. Pewnie wyrosłem z tego miejsca do czasu, gdy zaczęliśmy się spotykać. Jesteś pierwszą dziewczyną, którą tu przyprowadziłem.

Pocieram zziębnięte dłonie.

– Następnej powiedz, żeby zabrała ze sobą nauszniki.

– Nie chcę, żeby tu była jakaś następna. – Kładzie mi rękę na udzie.

– Jake. – Zdejmuję ją.

– Niepotrzebnie zadałem tamto pytanie?

– Nie. Tak. To znaczy najpierw musimy porozmawiać.

– Przecież rozmawialiśmy.

– Musimy porozmawiać o zaprowadzeniu wielkich zmian, o tym, co robić, by już nie ranić innych ludzi. Wzruszyłam się, przyznaję. Ale nie da się ukryć, że twój i mój styl życia tak bardzo różnią się od siebie...

– Wzruszyłaś się?

– Tak, ale...

– Właśnie dlatego cię tu zaprosiłem. – Obejmuje moje wyziębłe dłonie i patrzy mi prosto w oczy. – Wyjaśnienie tego wszystkiego jestem winien nam obojgu.

– Ale jest jeszcze inny problem, Jake. – Uwalniam ręce z jego uścisku i zaczynam gestykulować. – I, co tu kryć, jest to problem numer sto trzy z jakichś czterdziestu dwóch tysięcy. Ja cię nie znam. To znaczy, owszem, przyznaję, wciąż jest między nami niesamowita chemia. Ale ja nie wiem, kim teraz jesteś.

– To może na początek poznaj jego: to jest mój Domek Na Drzewie – wyciąga prawą rękę, po czym przedstawia mnie: – Domku Na Drzewie, to jest Katie.

– Teraz już Kate. Mam trzydzieści lat.

– Przepraszam, Domku Na Drzewie, „Kate". Opuść „i" w monogramie na ręcznikach.

– Widzisz? Nawet nic nie wiem o twoim domku na drzewie, a istniał już, zanim pojawiłam się w twoim życiu.

Jake odkręca termos.

— A zatem spieszę z wyjaśnieniem. Po obejrzeniu *Powrotu Jedi* zacząłem truć tacie o własnej wiosce Ewoków... napijesz się gorącego grogu?

Kiwam głową i zanurzam ręce w kieszeniach kurtki.

— Męczyłem go i męczyłem, ale na próżno. — Nalewa grogu do metalowej nakrętki. — Gdy mnie spławił, zacząłem wiercić śrubokrętem dziury w drzewach, razem z tym chłopakiem w cylindrycznych okularach...

— Tym niedowidzącym na jedno oko?

Jake kiwa głową.

— Byliśmy wtedy najlepszymi kumplami. Ale gdy na skutek tego trzy drzewa obumarły, Mama wpadła w szał.

— Potrafię to sobie wyobrazić — śmieję się, wznosząc toast metalowym kubkiem.

— Na zdrowie — Jake stuka o niego delikatnie termosem.

— A wtedy mój tata sprowadził jakiegoś faceta z fabryki, żeby zbudował mi ten domek. Był całkiem niezły, mimo że nie wydrążony w środku drzewa. — Pociąga szybki łyk.

Ciepło rozchodzi mi się po całym ciele, odstawiam kubek i zbieram się w sobie.

— Jake — zaczynam. Spuszczam oczy, spoglądam na kubek i przejeżdżam kciukiem po jego krawędzi. — To, że pisałeś o mnie, o nas — to jeszcze rozumiem. Rozumiem, że nasz związek to część również twojego życia. Ale żeby pisać o mojej Mamie... — Podnoszę wzrok i patrzę mu prosto w oczy.

— Ta piosenka mówi przecież o tym, jak szukałaś we mnie schronienia, o tym, jak blisko wtedy byliśmy, bliżej niż kiedykolwiek...

— Ale to, że wracałeś do jej niewierności w każdym albumie...? Naprawdę nie wiem, czy jestem w stanie...

— To nie jest o twojej rodzinie. — Jake odstawia termos, stukając nim o podłogę, i ból wykrzywia mu twarz. — To o moim tacie.

– Słucham?

– Miał w Denver inną kobietę. Mają teraz dwoje dzieci, przestał podróżować, więc... właśnie tak to wygląda.

– O Boże, Jake, nie miałam po...

– Ja też nie. – Zaciska lewą dłoń, kładzie na niej prawą i zaczyna po kolei strzelać palcami. – Mama dowiedziała się o tym w czasie pierwszego roku mojego pobytu w Los Angeles, jej prawnik odkrył tę kobietę podczas negocjowania warunków ugody.

– Jake, tak mi przykro...

– Wiem, to naprawdę chore. Rozwód trwał latami i podczas sprawy wyszły na wierzch różne ciekawe fakty. – Przerzuca się na drugą rękę, jego twarz skręca się w grymasie.

– Na przykład to, że przywoził pamiątki z podróży...

– Te mydełka, pamiętam.

– Właśnie. Okazało się, że to jego koledzy z pracy przywozili mu je z w ł a s n y c h egzotycznych podróży... a on przez cały ten czas siedział w Denver. Nie mam z nim teraz żadnego kontaktu. Więc – próbuje się roześmiać – o to właśnie chodziło.

O to właśnie chodziło. Liczę w myślach godziny, lata, dekady spędzone na niepotrzebnym gniewie, oddaję mu kubek i obserwuję, jak napełnia go dla siebie. Gorycz w moim sercu przemienia się w ulgę. Wpatruję się uważnie w jego twarz oświetloną promieniami słońca, na ślad kilkudniowego zarostu, którego tu przedtem nie było, na delikatne zmarszczki wokół oczu oraz na wysepki bladych piegów, których nie wychwytuje kamera.

– Zaraz, zaraz, czy przypadkiem Kristi Lehman nie chwaliła się, jaką zrobiłeś jej tu malinkę? Tak!

– O Boże, masz rację! Zupełnie o tym zapomniałem.

– A więc nie jestem tu pierwszą dziewczyną! – Uderzam go w kolano.

– Ale jesteś pierwszą kobietą, Pani Trzydziestko. O rany, jak myślisz, co teraz porabia Kristi Lehman? – Pociera tęsknie szyję i marzy, żebyś napisał o tym piosenkę. – Wypijam kolejny łyk, który teraz już mniej pali mi przełyk. – A tak poważnie, to Sam ją widział. Pracuje na stacji benzynowej w Fayville. A więc, hm, chciałbyś być tu teraz z nią? – Za żadne skarby świata. To była dziwna znajomość, a podczas próby zdjęcia jej stanika zadrasnąłem sobie palec – oświadcza i kładzie się na sękatej podłodze. Podpieram głowę na ręce i spoglądam na niego, na włosy okalające tę uroczą twarz i nie mogę się nacieszyć tym widokiem. – Chodź tu. – Przyciąga mnie do siebie, otula ramieniem i moja głowa spoczywa na jego piersi. Leżymy tak razem, oddychamy w jednym rytmie i czuję się jak porzucona zabawka nagle przywrócona do łask. Perfumy Gucciego nie maskują już zapachu jego ciała jak poprzedniej nocy, więc teraz oszałamia mnie słodka woń jego skóry i sprawia, że mam ochotę unieść głowę i go pocałować. Oddycham jednak głęboko, by lodowate powietrze ostudziło moje zamiary. Podnoszę się i siadam.

– Jake, jeśli chodzi o nieporozumienia między nami... no cóż, jakoś je rozwiązujemy. Ale to, że nigdy nie uznałeś praw chłopaków do piosenek, jest niewybaczalne. Po prostu niewybaczalne.

Jake naciąga koc na głowę.

– Wiem.

– To nie są żarty. – Odsuwam koc, od którego ciężaru oklapły mu włosy. – Jeśli nic z tym nie zrobisz, nie ma tu dla mnie miejsca.

Jake wzdycha.

– Mówiłem ci, to jest cholernie skomplikowane.

Odsuwam się od niego.

– A to nie jest?

Podnosi koc nad moją głowę tak, że zakrywa nas oboje, a potem przysuwa mnie do siebie.

– Nie rozmawiajmy o pracy, błagam. Jesteśmy przecież na... Jak to nazwałaś?

– Poznawaniem cię.

– No właśnie.

Zrzucam z siebie koc, odsuwam się, spoglądam w jego zakłopotaną twarz i oświadczam stanowczo:

– Jake, który nie postępuje *fair* z moimi przyjaciółmi, to nie jest ktoś, kogo chciałabym poznawać. Czy to jasne?

Jake podnosi się i siada, nagle jego błazeńska mina znika. Patrzy mi prosto w oczy.

– Jasne.

– Naprawdę? Powiesz to Jocelyn i swoim prawnikom? Podpiszesz papiery?

– Tak. – Na te słowa ogarnia mnie bezbrzeżna radość. Jake ujmuje w dłonie moją twarz. – Potrzebuję cię, Kate – podkreśla dorosłą wersję mojego imienia. – Dociera do mnie teraz, że chyba dlatego ciągle pisałem o tobie, by stale słyszeć w głowie twój głos.

– Jestem twoim wyrzutem sumienia?

Śmieje się.

– Jesteś najlepszą rzeczą, która mi się w życiu przytrafiła.

– Czy twoi prawnicy mogą mi to dać na piśmie? – Śmieję się razem z nim, nareszcie w pełni rozkoszując się tą chwilą i jego towarzystwem.

– Nie mógłbym cię znowu stracić. – Całuje mnie delikatnie.

– Dopiero co zwróciłeś jeden pierścionek. – Gaszę jego entuzjazm, choć jego słowa podsycają moje najskrytsze fantazje.

– Posłuchaj, zanim wyruszę do Azji w trasę koncertową, muszę spędzić tydzień w Nowym Jorku. Pojedź tam ze mną.

– Jake, nie wiem, czy jesteśmy gotowi na... – próbuję się jeszcze bronić.

Jake przejeżdża palcami wzdłuż mojego podbródka.

– Obiecałem mamie, że spędzę z nią dzisiejszy wieczór. Co powiesz na wigilię w rodzinie Sharpe'ów?

– Hm, i co, oblejemy twoją matkę sherry i podpalimy?

Jake śmieje się.

– Będzie grzeczna, obiecuję. I zobaczysz, jaką mamy śliczną choinkę. – Pochyla się i całuje mnie namiętnie. Smakuje wybornie. – Polecimy do Nowego Jorku jutro z samego rana. Spędzimy z sobą cudowny tydzień i poznamy się nawzajem tak naprawdę. A wtedy oboje przekonamy się, że ty i ja... że to było trzynaście lat wegetacji, a nie prawdziwego życia... – Przerywa mu ostre skrzypnięcie łamiącej się gałęzi. Spoglądamy tam, skąd dochodzi ten dźwięk, w stronę porysowanego plastikowego okna, i nagle jasność, nieporównanie bielsza od światła słonecznego wpadającego tu przed chwilą, eksploduje wokół nas.

– Robią zdjęcie kolędników – informuje nas Susan, opuszczając ciemnoszarą zasłonę z jedwabiu. – A swoją drogą, jak można być tak bez serca, żeby kazać swoim fotografom pracować w Wigilię?

Stawiam na stoliku kieliszek szampana, żałując, że to nie whisky.

– Szczerze mówiąc, przypuszczam, że wszyscy oni to wolni strzelcy, więc są tu poniekąd z własnego wyboru.

– Zawsze mnie kusi, by otworzyć im drzwi, niech wreszcie zrobią te swoje zdjęcia i jadą do domu – oznajmia Jake, który stoi na drabinie i poprawia aniołka na choince. Ostatni refren kolędy *O, Tannenbaum* brzmi coraz ciszej, gdyż kolędnicy przechodzą właśnie do następnego domu, nieoblężonego przez paparazzich. – Ale to nie działa w ten sposób.

– Świetnie, kochanie, teraz wygląda dużo lepiej. – Siedząca na kanapie z altembasu Susan kiwa głową z aprobatą, a Jake, promieniejąc z zadowolenia, zaczyna jeszcze poprawiać łańcuchy i światełka. – Przedtem wyglądało koszmarnie. Może kanapkę z wędzonym łososiem? – Podsuwa mi kunsztowną tackę wyłożoną idealnymi trójkątami.

– Nie, dziękuję – odpowiadam. Mój żołądek jeszcze nie doszedł do siebie po panicznej ucieczce przed uzbrojonymi w teleobiektywy fotografami, więc nie jest gotowy na świąteczny posiłek. – Muszę przyznać, że twoja ekipa świetnie się spisała, naprawiając domek od razu – oświadczam, żeby udobruchać ją po odmowie konsumpcji jej kanapek. Rozglądam się po pokoju. Cisza, która mnie zawsze uderzała w tym domu, znów wprowadza nieprzyjemną atmosferę. – A jeśli już mowa o kolędach, może włączymy jakieś? – proponuję.

– Och – Susan krzywi pokrytą zmarszczkami twarz. – Nie spędzałam tu świąt od wieków. Nawet nie byłam pewna, czy mamy jeszcze jakieś ozdoby choinkowe. Zwykle spotykałam się z Jakiem u rodziny mojego brata w Vail. Poczekaj, zaraz sprawdzę. – Podnosi się, podpierając się pięściami o kanapę, i statecznym krokiem zmierza w stronę półki na książki, gdzie pomiędzy historycznymi tomami a oprawionymi w ramkę zdjęciami stoi rząd płyt kompaktowych.

Zakłada okulary wiszące jej na szyi na złotym łańcuszku i wczytuje się w napisy. – Wiedeński Chór Chłopięcy – oświadcza po kilku chwilach. – To powinno być dobre. – Wkłada płytę do odtwarzacza i melodia *Exultate Jubilate* wypełnia pokój. Może niekoniecznie wprowadza to radosny świąteczny nastrój, ale jednak lepsze to niż dzwoniąca w uszach cisza.

– Proszę pani? – W wahadłowych drzwiach pojawia się kobieta w wykrochmalonym szarym uniformie. – Pieczeń będzie gotowa za kilka minut, a na razie podano zupę z raków.

– Dziękuję, Mary.

– Pora na prezenty! – wykrzykuje Jake, zeskakując z drabiny.

– Jake, podano zupę z raków. – Susan gładzi swoją tweedową spódnicę z szorstkiej wełny.

– Wiem, ale już nie mogę się doczekać. Siadajcie do stołu. Zaraz do was dołączę. – Wybiega z pokoju, zostawiając nas na pastwę siebie nawzajem.

– Dom wygląda przepięknie – oświadczam Susan, dołączając do niej w progu francuskich drzwi wiodących do jadalni.

Susan rozgląda się po pokoju, jej wzrok pada na uszkodzoną przez ekipę MTV boazerię, po czym wydyma usta, tak że różowa szminka marszczy się w głębokie bruzdy powstałe od palenia.

– Nie masz pojęcia, ile zajęło urządzenie wszystkiego tak, jak chciałam. Ekipa z Bostonu pracowała tu non stop przez długi czas.

– Zresztą zawsze było tu pięknie – stwierdzam, zajmując miejsce przy stole naprzeciwko niej. Siedzimy w ciszy pod kryształowym żyrandolem, który rzuca cienie na brązową wzorzystą tapetę. – Pamiętam z czasów szkoły średniej, jakie wszystko tu było dopasowane. – Susan uśmiecha się do mnie uprzejmie.

Słysząc szybkie i ciężkie kroki Jake'a na schodach, obie podnosimy głowy. Jake wpada do pokoju, rzuca mi małe niebieskie pudełeczko, a potem okrąża stół i podchodzi do matki, wręczając jej wielką błyszczącą brązową paczkę z wydrukowanym na górze napisem „J. MENDEL". Przysuwa swoje krzesło w stronę Susan, która właśnie opróżnia swój kieliszek i sięga po czerwoną karafkę.

– No? – Spogląda to na nią, to na mnie. – Otwórzcie. – Podsuwa krzesło jeszcze bliżej matki.

Ze zdziwieniem spoglądam na pudełko od jubilera.

– Jake? Kiedy...?

– Jeden z moich ludzi był pod sklepem o dziesiątej, gdy go otwierano, a o dziesiątej piętnaście siedział już w samochodzie w drodze powrotnej. – Cały promienieje zadowoleniem.

Ponieważ Susan nie reaguje, więc zabieram się do odwiązywania czerwonej kokardki i podnoszę wieczko. W środku znajduje się małe aksamitne pudełko w takim samym niebieskim kolorze jak to pierwsze. Spoglądam na Jake'a pytająco. Odpowiada mi uśmiechem, ale nie pada na kolana, więc wypuszczam z płuc powietrze i otwieram. W środku znajduje się pierścionek z kwadratowym szafirem rozmiarów płytki do gry w scrabble'a, z dwoma mniejszymi diamentami po boku.

– Jake – odbiera mi mowę. – O, mój Boże.

Susan opróżnia kolejny kieliszek.

– Podoba ci się?

– Jest fantastyczny. – Przechylam pudełko pod kątem, żeby w szafirze odbiło się światło. – Ale nie mogę go przyjąć.

– To nie jest jeszcze pierścionek zaręczynowy, tylko symbol mojej obietnicy. Na prawą rękę. Przypuszczam, że na dzisiaj wyczerpałem limit próśb o „tak". Przyjmij go, proszę. Pomyśl, że ma zrekompensować bukiecik kwiatów na studniówkę, trzynaście prezentów urodzinowych, trzynaście prezentów gwiazdkowych i trzy prezenty z okazji uzyskania dyplomu.

– No dobrze. – Śmieję się i wkładam ciężką platynę na palec. – A skoro ująłeś to w ten sposób, to może jeszcze kolczyki do kompletu? – Spoglądam na niego figlarnie.

– Mamo? Teraz ty – mówi Jake.

– Kto chce odmówić modlitwę przed jedzeniem? – pyta Susan.

– Mamo – powtarza, chwytając niecierpliwie poręcz krzesła.

– Och, kochanie, oczywiście. Już sprawdzam, jak sobie życzysz. – Jednym pociągnięciem brązowo-białej wstążki

rozplątuje kokardkę, potem podnosi wieczko, odwija bibuł-
kę w tym samym kolorze, a Jake patrzy na nią wyczekująco.
Oboje wstrzymujemy oddech, gdy wyciąga ze środka wspaniałe futro z norek.

– Jest fantastyczne – oświadczam, z braku reakcji ze strony Susan. – W stylu Audrey Hepburn.

– Catherine Zeta-Jones miała raz takie na sobie i spytałem
ją, gdzie je kupiła. Podoba ci się, Mamo?

– Jest urocze, kochanie. Dziękuję. – Muska ustami nad-
stawiony policzek Jake'a. – A teraz może zechcesz zająć miejsce przy stole, żebyśmy mogli wreszcie zacząć posiłek? Zimna zupa z raków nie należy do przyjemności.

Jake podnosi się i przesuwa z powrotem krzesło na swoje miejsce.

– Jeśli ci się nie podoba, możemy je wymienić następnym
razem, gdy przyjedziesz do Nowego Jorku.

– Nie, jest w porządku. Chociaż nie jestem pewna, czy będę je nosić... – Zanurza łyżkę w różowej zupie.

– Możesz je włożyć, gdy pojedziesz do wujka – proponuje.

– Albo gdy odwiedzisz koleżanki w Bostonie i w Paryżu. To
futro świetnie pasuje do Paryża!

– Mam tyle ubrań, że pewnie nawet nie będę mieć okazji go
włożyć. – Podnosi do ust kolejną łyżkę. – Ale na coś na pewno
się przyda. Zawsze mogę je oddać na cele charytatywne.

Jake'owi, który właśnie sięga po kromkę chleba leżącego
pod adamaszkową serwetką na eleganckiej ażurowej misce,
rzednie mina.

– Pierścionek jest przepiękny, Jake – wtrącam natychmiast.
– Ogromnie mi się podoba.

– Naprawdę? – uśmiecha się. – Sam go wybrałem. Chociaż przez Internet, a nie osobiście.

– Jest cudowny.

316

Nagle odzywa się telefon Jake'a, który wyjmuje go z kieszeni i spogląda na numer.

– Jezu – mruczy. – Muszę to odebrać. W Tokio nie mają świąt. – Odsuwa krzesło i wstaje od stołu. – Tak, możesz mówić – rzuca do słuchawki i wychodzi do salonu. Spoglądam w tamtą stronę na choinkę, pod którą nie ma prezentów.

– Zupa jest wyborna – stwierdzam.

– To przepis Mary. – Susan odruchowo dotyka swojej aksamitnej opaski na włosach. – Przekażę jej twoje pochwały.

– Czy dałaś coś Jake'owi? – pytam.

– Słucham?

– Na Gwiazdkę? Dałaś mu coś?

– Och. – Susan cmoka z dezaprobatą, dotykając palcami koralików. – Człowiekowi, który ma wszystko? A czegóż on mógłby chcieć?

W wyobraźni walę ją łyżką w czoło, pozostawiając kremowe różowe kółko nad jej zaskoczoną miną.

Jake wsuwa głowę do pokoju, wciąż z telefonem przy uchu, i przykłada rękę do mikrofonu.

– Mamo, niestety okazuje się, że musimy wylecieć już dzisiaj – szepcze. Kiwam głową z aprobatą, zadowolona z takiego obrotu sprawy. Jake znowu znika w salonie.

Patrząc na mnie, Susan uderza widelcem o kryształową szklankę. Drzwi otwierają się.

– Tak, proszę pani?

– Możesz posprzątać, Mary.

– Tak jest.

Gdy Mary krząta się przy stole, zapada cisza, której nawet Wiedeński Chór Chłopięcy ani głos Jake'a dobiegający z drugiego pokoju nie są w stanie wypełnić. Susan spogląda nieruchomo przed siebie, a potem na mnie. Wreszcie opuszcza wzrok na pozłacany półmisek i mówi:

– Mam piękny dom. Ty masz piękny pierścionek.

Odsuwam się, żeby Mary mogła zabrać mój talerz.

– Gdy rodziłam Jake'a, jego ojciec był w Saskatchewan. Nie do końca w Azji. Ale tak czy inaczej, nie był przy mnie.

– Nie rozumiem...

– Zadaj sobie pytanie, gdzie jest podczas moich urodzin. Gdzie jest podczas urodzin syna? – Wypija kolejny łyk. – A potem możesz wrócić do zachwytów nad swoim pierścionkiem.

Jake naciska guzik za moimi plecami, a potem chwyta mnie za rękę. Szklana winda powoli sunie do góry w betonowym szybie, między lśniącymi metalowymi listwami widać zamknięte drzwi mijanych apartamentów.

– Rany, jest już tak późno. Dzięki za to wszystko – mówi po raz tysięczny, od kiedy wsiedliśmy do samochodu jadącego na lotnisko. – Nienawidzisz mnie? Po prostu nie mogłem... – Cichnie.

– Jake, nic się nie stało – powtarzam. – Myśl o spędzeniu nocy pod jednym dachem z twoją matką również nie napawała mnie radością. Wszystko gra. Mówię poważnie, szczerze, z głębi serca.

– To dobrze. – Uśmiecha się, najwyraźniej dopiero teraz zaczyna wierzyć w moje gorliwe zapewnienia. Winda wreszcie się zatrzymuje, a potem drzwi rozsuwają się i oświetla nas światło jego mieszkania.

– Witaj w domu – oświadcza z dumą Jake i wprowadza mnie do przestronnego apartamentu z zapierającym dech w piersiach widokiem na nocną oświetloną Tribecę i morze w oddali. – Niezłe, co?

– Fantastyczne. – Uwalniam rękę z jego uścisku, podchodzę do okna i opieram czoło o oszronioną szybę. Spoglądam w dół na uroczą brukowaną ulicę i jej krawężniki okryte kilkudniowymi zaspami śniegu, które wyglądają z tego miejsca jak pianka na cappuccino obficie posypana kakao. Odwracam wzrok w stronę prostopadłej alei i rozpoznaję markizę restauracji, gdzie zeszłej jesieni zabrał mnie pewien facet w czasie weekendu, który miał być pasmem romantycznych chwil, a okazał się jedną wielką pomyłką. Gdybym wtedy, kiedy z trudem znosiłam jego mądrzenie się na temat pozytywnych skutków cięć podatkowych, miała pojęcie, co czeka na mnie kilka metrów dalej, kilka pięter wyżej, wspięłabym się na ten budynek jak małpa.

Czuję za sobą obecność Jake'a, którego ręka wślizguje mi się pod sweter i przejeżdża po plecach.

– Już po północy – szepcze. – Wesołych Świąt, Kate.

– Wesołych Świąt – odpowiadam. Przechylam głowę na bok, dotykam ustami jego ust, a jego palce w tym czasie wędrują do moich piersi.

– Mam nadzieję, że ci się tu podoba.

– Owszem, i to bardzo – odpowiadam, odwzajemniając jego dotyk. Jake znów bierze mnie za rękę i prowadzi długim korytarzem, biegnącym, jak się zdaje, przez całą długość budynku, obok błyszczących rzeźb Davida Smitha, w których odbijają się kolaże Charlesa Eamsa oraz stylowe meble.

– Tutaj. – Uśmiecha się i otwiera ostatnie drzwi. Moim oczom ukazuje się pokój pomalowany błyszczącą rdzawoczerwoną farbą. Oboje spoglądamy na łóżko usłane zachęcająco eleganckim szarym pluszem i czarnym jedwabiem. Jake bierze pilota ze stolika i wymierza w kierunku zabudowanej ściany. Zasłonki zakrywające odtwarzacz zaczynają się otwierać, ale mechanizm zacina się, zagłuszając dźwięk włączanej płyty kompaktowej.

– Żadnej muzyki – uprzedzam go.

– Jesteś pewna?

– Absolutnie.

Jake wyłącza więc odtwarzacz i próbuje zamknąć zasłonkę, a ja w tym czasie obchodzę pokój, oglądając przedmioty stojące na półkach i na kominku – mały niedźwiedź polarny ze steatytu, mozaikowe naczynie, pamiątkowy kieliszek z Perth.

– No, dalej – Jake przekonuje podstępną zasłonkę.

Pochylam się w stronę dolnej półki najbliższej biblioteczki, gdzie spoczywa kilka oprawionych fotografii – zdjęcie w kolorze sepii przedstawiające jego ojca karmiącego promienną Susan tortem weselnym; Jake w kapeluszu kowbojskim, zdmuchujący trzy świeczki na torcie urodzinowym większym niż on sam; smukły Jake na łódce na brzegu jeziora; natomiast za nimi wszystkimi – mała ramka w kształcie serca, którą wybierałam niegdyś z Laurą. A w niej roześmiani ja i Sam w piwnicy Jake'a, który robił to zdjęcie.

– Brawo – mówi Jake. Odwracam głowę i widzę, że zasłonki wreszcie zasuwają się z powrotem.

Podchodzę do niego, ujmuję jego twarz i całuję go głęboko, wyzbyta resztek uprzedzeń.

24

Dwunasta klasa

– Tak, wzięłam je, wyglądają bosko, ale facet w sklepie powiedział, że jeśli zacznie padać, trzeba je zdjąć natychmiast, bo inaczej nasze stopy oblepią się gumą i zafarbują na fioletowo – oświadczam, skreślając „buty" ze swojej listy rzeczy do omówienia.

– Jeśli zacznie padać – stwierdza Laura – zabiję się. Więc fioletowe stopy będą ciekawiej wyglądać w otwartej trumnie.

Owijam palec spiralnym sznurem od telefonu.

– Spróbuj zapalić świeczkę w intencji pogody, odtańcz taniec deszczu, przyrzeknij sobie, że skończysz z seksem.

– Świetny pomysł. Uwielbiam cię, pa!

Odkładam telefon w kształcie kaczki na widełki. Obracam się na zielonym tapczanie i spoglądam na Jake'a, który stroi gitarę w promieniach popołudniowego słońca wpadających do piwnicy Sharpe'ów przez małe okienko.

– Laura mówi, że Sam podrzucił już depozyt za smokingi, więc ty musisz tylko odebrać je jutro do trzeciej i tam się właśnie spotkacie. Pojedziecie wtedy do Harrimana ustawić sprzęt, a potem wrócicie do domu, by się przygotować.

– Mhm – mruczy Jake, nie podnosząc wzroku znad gitary.

– Nie zapomnisz? Bo my z Laurą idziemy na drugą do fryzjerki i manikiurzystki, więc nie będę miała jak do ciebie zadzwonić i przypomnieć.

– Nie zapomnę – mówi z oczyma wlepionymi w gitarę, nie mogąc złapać właściwej tonacji.

– Laura stwierdziła też, że jednak fajnie by było zahaczyć wcześniej o tę imprezę u Michelle, więc odbierzecie nas z Samem o siódmej. Obie będziemy u Laury, bo moja Mama wymyśliła, by Tata wpadł na zdjęcia przed balem, i zrobiła się z tego cała afera, wkurzyłam się, Mama zaczęła płakać, więc stwierdziłam, że byłoby to zbyt przygnębiające, i lepiej daruję to sobie i zrobię zdjęcie z Hellerami.

– Super.

– Jake?

– Naprawdę super. – Wreszcie przestaje stroić gitarę i podnosi głowę. Na jego twarzy maluje się udręka.

– O co chodzi? – pytam z troską. Wpatruje się we mnie przez chwilę i jego wzrok niepokoi mnie coraz bardziej.

– Jake? Wszystko w porządku? Z mamą nic się nie stało? – Nagle intensywność jego spojrzenia zapiera mi dech w piersiach. – Jake, o co chodzi? – Ale on dalej milczy i dalej wpatruje się we mnie zagadkowo.

Po chwili chrząka i nie spuszczając ze mnie wzroku, kładzie gitarę na podłodze.

– Chodź tu. – Uderza ręką o wierzch pralki. – Wskakuj.

– No dobra... – Zsuwam plecak na podłogę, podchodzę do niego i sadowię się pełna obaw na zimnym metalu. Jake staje przede mną i rozchylam kolana, by mógł się ulokować między nimi. Przez chwilę znów wpatruje się we mnie tym udręczonym wzrokiem, a potem sięga za moje plecy. Odwracam głowę zaciekawiona, ale tylko dochodzi mnie pstryknięcie i czuję, że pralka została włączona i wysyła wibracje po moim ciele.

Jake wraca na miejsce, wtapia się w moje usta i zaczynamy się całować, głęboko i zachłannie. Przesuwa ustami po mojej szyi, dekolcie, piersiach, a jego ręce wędrują w górę po moich udach. Słońce znika za horyzontem, w pokoju powoli zapada zmrok. Jake całuje mój brzuch, na chwilę podnosi na mnie wzrok, zdejmuje ze mnie bieliznę... opadam na łokcie i jego ciemna głowa znika mi pod spódnicą, a jego język... i nigdy, nigdy, n i g d y przedtem... odchylam głowę – Jake łapie mnie za biodra – przyciska do wirującej pralki – wkłada we mnie palce – a jego usta, jego usta, jego usta i... i... i...! chcę... chcę... chcę...! aby ta chwila... trwała... trwała... trwała...! wiecznie.

25

26–31 grudnia 2005 roku

Podnoszę z podłogi jedną z czarnych poduszek i opieram się o nią ze zgiętymi kolanami, podczas gdy Jake przegląda swoją kolekcję płyt DVD, poprawiając spodnie od piżamy. – Gotowa na następny? – wkłada *Ojca chrzestnego III* do odtwarzacza z plazmowym ekranem nad kominkiem. Okrywając jego flanelową koszulą swoje gołe nogi, pytam: – Czy przypadkiem nie powinniśmy opuścić wreszcie tego pokoju? Albo przynajmniej tego łóżka? Siedzimy tu cały dzień. – Spoglądam w okno na płatki śniegu opadające łagodnie w dół, oświetlone czerwonym blaskiem zachodzącego słońca.

– Nie chcesz już, by cię zaspokajać? – Jake rzuca się na materac, robiąc wgłębienie w kołdrze, i kąsa mnie w udo. Wychyla się z łóżka i otwiera małą lodówkę pod nocnym stolikiem. – Na co masz ochotę?

– Jest jeszcze sok? – Wczołguję się na jego plecy i całuję słodką słoność jego karku, spoglądając w dół na kurczące się zapasy wody mineralnej.

– Nie. Ale nie martw się, sprawdzę w kuchni. – Odwraca głowę i całuje mnie, wkłada palce pod koszulę, w odpowiedzi i moje zaczynają wędrować po jego ciele, i tym samym umyka nam kolejny istotny kawałek dzieła Francisa Forda Coppoli. A wtedy komórka Jake'a zaczyna wibrować na lakierowanym stoliku – po raz dziesiąty tej godziny.

– Nie musisz odebrać? – pytam, opierając ręce na jego piersi.

Odsuwa się, schodzi z łóżka i spogląda na mnie z uśmiechem, trzymając ręce na moich stopach.

– No co? – pytam zalotnie.

– Nic. Wyglądasz tu tak cudownie – taka rozczochrana i w tej koszuli... cudownie. – Telefon dalej wibruje i przesuwa się po stoliku. Jake uderza mnie lekko w stopy. – Chrzanić ich. – Zmierza do drzwi. – Nie miałem dnia wolnego od trzech miesięcy. Jakoś przeżyją te kilka dni. – W progu odwraca się i zadziera głowę. – A co, źle się bawisz?

– Ależ skąd! – Obejmuję wielką poduszkę i obserwuję, jak zachodzące słońce rzuca blask na ściany. – Nie chcę tylko, żeby cię zwolniono.

– Spokojnie, to ja tu jestem od zwalniania. – Uderza pięścią o szafkę przy drzwiach. – I sprawuję nadzór nad kuchnią. Nie ruszaj się stąd.

– Przynieś coś do chrupania! – wołam za nim, opuszczam kłębowisko jedwabiu na łóżku i podchodzę do szafki z płytami, żeby poszukać jakiegoś filmu. Przerzucam zagraniczne dzieła, japońską *anime* i szeroki wybór filmów dokumentalnych, w poszukiwaniu jakiejś komedii lub czegoś lekkiego na święta. Przez chwilę stają mi przed oczami rodzice, którzy pewnie w tym momencie oglądają *Szlachectwo zobowiązuje*, a potem mój wzrok pada na nazwisko Jake'a i wyciągam pudełko z półki.

– Nagranie z twojego koncertu – czytam na odwrocie, gdy Jake wraca do pokoju, trzymając pod pachami torby popcornu, a w rękach butelki i szklanki.

– O rany, faktycznie. – Robi mały krok do przodu, stawia delikatnie butelki na szafce przy łóżku i rzuca na nią foliowe torebki. – Nie wiem, co to tutaj robi. Staram się trzymać wszystkie rzeczy związane z pracą w moim gabinecie. Inaczej zakłóca to przepływ energii.

– Chciałabym zobaczyć twój gabinet.

Spoglądając na mnie z powątpiewaniem, odkręca butelki i nalewa grudkowatą bananową miksturę do kolorowych szklaneczek.

– Dobrze, ale po co?

– Ot, tak, po prostu.

Podaje mi jedną ze szklanek i wznosimy toast, Jake wychyla zawartość swojej do dna i odstawia ją z hukiem na stół, jak gdyby to był pusty kufel po piwie, po czym zlizuje gęsty żółty osad z górnej wargi.

– Wobec tego oprowadzę panią. – Wskazuje ręką na drzwi i kłania się w pas. – Pani przodem. Proszę skręcić w lewo.

Odkładam swoją szklankę i podążam długim korytarzem, kurcząc bose stopy na zimnej posadzce.

– Trzecie drzwi po prawej.

Przekręcam gałkę i wchodzę do pokoju: tak właśnie do niedawna omyłkowo wyobrażałam sobie obecny dom Susan Sharpe, bo oto mam przed sobą świątynię ku czci Jake'a. Po części wyłożone boazerią biuro, po części obłożone poduszkami przytulne miejsce do pracy, a każdy centymetr kwadratowy obwieszony jego podobiznami i świadectwami jego dokonań. Podchodzę do zapełnionej ściany naprzeciwko biurka, gdzie wisi jego sześć multiplatynowych płyt, a pod nimi oprawiona okładka z albumu, plakaty z koncertów i zdjęcia z wszystkimi gwiazdami muzyki, począwszy od Leonarda Cohena, a skończywszy na Jayu-Z. Nad biurkiem w stylu *art deco* wisi plakat z filmu Gusa Van Santa, w którym

Jake wystąpił w epizodycznej roli i do którego napisał ścieżkę dźwiękową.

– Ach, pamiętam. – Kiwam głową, spoglądając na plakat.

– O co chodzi?

– To miała być totalna klapa. Przez całe miesiące czekałam na totalną klapę. Ale oczywiście bez przesady.

– Mówiłem ci, nie ma tu niczego ciekawego. – Ciągnie mnie za rękę, tak że o mało się nie przewracam na tybetańskim dywanie.

– Nie, zaczekaj. – Odzyskuję równowagę i uwalniam się z jego uścisku. Na jednej z szafek z drewna tekowego stoi rząd płyt DVD. – Obejrzyjmy którąś z tych – mówię, wyciągając pierwszą z nich, która okazuje się zbiorem wszystkich jego teledysków.

– O Boże, tylko nie to. – Wybucha śmiechem. – I patrzeć na moją okropną fryzurę? Na ciuchy z połowy lat dziewięćdziesiątych? Na jednym z nich noszę skórzane spodnie. Skórzane gatki! Błagam, tylko nie to.

– No co ty – próbuję go przekonać. – Pośmiejemy się.

– Podchodzę do niego zalotnie. – Przez lata konsekwentnie unikałam tego wszystkiego. Chciałabym się teraz zagłębić w twoją sztukę.

– Pokażę ci, w co ja chciałbym się zagłębić – mruczy w odpowiedzi Jake. Podnosi mnie i sadza na biurku, a ja zaczynam chichotać. On również wspina się na blat, zrzucając na podłogę pamiątki, i zaczyna mnie pieścić. Tak jak obiecał, zagłębia się we mnie, a ja zapieram się stopami o ząbkowaną krawędź biurka. Nagle Jake przerywa i spogląda mi prosto w oczy.

– Ale to nie dlatego, że ci się nie podobały, prawda?

– Co? – pytam, dysząc ciężko.

– Nie unikałaś moich piosenek dlatego, że twoim zdaniem są beznadziejne? – Na jego twarzy nagle maluje się ból, który spodziewałam się ujrzeć przy wigilijnej kolacji, ale wtedy się nie pojawił.

Podnoszę się na łokciach, czując go ciągle w sobie.

– Jake, no co ty, oczywiście, że uwielbiam twoją muzykę.

– Nie musisz tego mówić tylko po to, żeby mi było miło – oświadcza mi, jak gdybym właśnie skłamała. – Może nie być w twoim guście. Neil Strauss stwierdził, że mój ostatni album jest recesywny i atonalny.

– Kto? – pytam. Orgazm wydaje się teraz tak daleko jak stąd do Timbuktu.

– Facet z „Timesa".

– Aha. – Robię szybki wdech i próbuję pozbierać myśli. – Ale przecież fani świetnie go przyjęli. Więc kto by się nim przejmował?

Zastanawiam się, jakim cudem Jake jeszcze nie wymiękł.

– Nie mówimy o Neilu Straussie. Mówimy o tobie i o tym, czy podoba ci się to, co robię.

– O, Boże! – Staram się ze wszystkich sił stłumić irytację w głosie. – Uwielbiam twoją muzykę. Co chcesz usłyszeć? Że słucham jej dzień w dzień? Nie. Nie słucham. Bo wyjechałeś.

Wtedy na twarzy Jake'a znów maluje się odprężenie i zaczyna na nowo poruszać biodrami.

– Za to teraz jestem tu.

Powoli budzę się i otwieram oczy, wtulając się w ciało Jake'a. Po chwili dociera do mnie, że ze snu wyrwał mnie jakiś hałas i że coś się porusza w ciemności.

– Jake? – Nagle słychać głośny trzask. Podnoszę się na łóżku i przyciskam kołdrę do piersi. Ale mężczyzna w kombinezonie, który wymontowuje ze ściany naprzeciwko dzieło Damiena Hirsta, nie reaguje.

– Co jest, do cholery?! – Jake wyskakuje z łóżka. – Joss!
Jocelyn staje w drzwiach, światło słoneczne wpadające
z korytarza oświetla od tyłu jej sylwetkę. Gdy wkracza do pokoju i moje oczy przystosowują się do półmroku, okazuje się,
że postać ta, choć Jocelynowata w każdym calu, łącznie z brzę-
czącymi bransoletkami od Chanel, tak naprawdę nie jest Jocelyn. Kobieta w prześwitującej bluzce spogląda na Jake'a znad
swojego skórzanego segregatora.

– No cóż, jak widzę, Jake, nie tęsknisz zbytnio za Eden?
Jake, na którym najwyraźniej cała ta scena nie robi wrażenia, staje przed nią twarzą w twarz.

– Co ty tu robisz?
Teraz dopiero wpada do środka rozedrgana Jocelyn.

– Gwen, po cholerę ten pośpiech? – Podchodzi do swojego
sobowtóra. – Czy Eden dopadł nagły głód antyków? Nie wy-
trzyma tygodnia bez swoich rokokowych bibelotów?

– Nie zostawi swojej bezcennej kolekcji w rękach tego pro-
staka i jego taniej zdziry. – Gwen spogląda w moją stronę, a ja
ściskam łokciami kaszmirową narzutę wokół swojego nagiego
ciała. – Rany, ona naprawdę musi być z przeceny.

– WSZYSCY WYNOCHA! – rozlega się nagle przenikli-
wy krzyk Jocelyn. – I TO JUŻ! – Odprowadza Gwen i jej po-
mocników w pomarańczowych uniformach do drzwi, rzucając miażdżące spojrzenie w kierunku nagiego Jake'a. – Gdy
dzwonię, to odbieraj, do cholery. I włóż spodnie. Dzisiaj nie
masz występu.

Przemowa odniosła zamierzony efekt. Jake wygląda, jak
gdyby ktoś mu wymierzył policzek. Wkłada dżinsy i sięga do
szafy po kimono.

– Zajmę się tym. Masz – rzuca haftowany szlafrok z jedwabiu na łóżko i podąża za nimi, zostawiając za sobą otwarte drzwi.

– Och – wzdycham. Siedzę przez chwilę, zastanawiając się, co mam robić dalej, a tymczasem mężczyźni w kombinezonach biegają tam i z powrotem ze skrzyniami do pakowania. Pochylam się, trzymając ciągle narzutę przy piersi, i sięgam do odległego rogu materaca. Udaje mi się złapać paznokciami pętelkę od paska i ciągnę szlafrok do siebie, po czym odwracam się w stronę zasłon i jednym szybkim ruchem wkładam duże kimono.

– Czy ona jest poważna, do cholery? – Z głębi korytarza dochodzi mnie zrozpaczony głos Jake'a, a w tym samym czasie defiluje przede mną seria czarno-białych aktów Eden naturalnych rozmiarów, autorstwa Stevena Meisela, i zmierza w stronę wyjścia – jak gdyby mężczyźni w kombinezonach maszerowali w proteście przeciwko istnieniu nagich chudych ludzi.

– Jake? – krzyczę, unosząc długie prostokątne rękawy, żeby zasłonić oczy przed blaskiem słońca odbijającego się w Hudsonie i wpadającego do salonu, który wygląda teraz jak tor przeszkód ułożony z drewnianych skrzyń. Ściany świecą nagością, kanapa zniknęła. Jeden z mężczyzn przechodzi obok, trzymając metalowy pręt, która wygląda jak rura do tańca.

– Czy to...

– Należy do Eden. – Jocelyn kiwa głową, stojąc w drzwiach.

– Chcesz zatrzymać?

– Yyy, nie... dzięki.

Jocelyn znowu ryczy z przepony:

– GWEN, NIE ZAPOMNIJ RURY, PRZY KTÓREJ WYGINAŁ SIĘ TWÓJ KASZALOT! – Odwraca się w stronę Jake'a, który spogląda na swój apartament zamieniony w pobojowisko usłane bąbelkowymi rolkami wielkości beli siana z coraz większym przerażeniem. – Jake – odzywa się Jocelyn uspokajającym tonem. – Nie martw się, zajmę się tym. –

Ugina lekko nogi i spogląda mu w twarz od dołu. – Zajmę się wszystkim. – Ściska go za rękę swoją piegowatą dłonią. – Za parę godzin już ich tu nie będzie, a ja zadzwonię do Richarda McGeehana i zanim wrócisz z Azji, wszystko będzie tu pięknie urządzone. Masz moje słowo.

Słysząc to, Jake odpręża się.

– Przepraszam, że nie odbierałem, to już się więcej nie powtórzy. – Pochyla głowę i opiera ją o ramię Jocelyn. – I dopilnuj, żeby żadna z moich rzeczy p r z y p a d k i e m nie zawędrowała do jej skrzyń. Jesteś aniołem.

– Hm, a ty diabełkiem. – Jocelyn uśmiecha się pobłażliwie, klepiąc go po głowie.

Gdy wszystko zostało mu darowane, Jake się rozpromienia.

– Może śniadanie? – Odwraca się w moją stronę i wyciąga rękę. Joss właśnie krzyczy do słuchawki: „HALO?", a ja przejeżdżam palcem po jego nagich plecach, chcąc uciec jak najdalej od ich chorej relacji oraz hord najeźdźców okupujących naszą oazę.

Ale zamiast tego podążam za Jakiem w stronę kuchni, którą najwyraźniej zaprojektowano w celu urządzania przyjęć. Wielkich przyjęć. Dwie kuchenki, dwie lodówki, trzy zlewy – wszystko z nierdzewnej stali, wszystko lśniące, wszystko pełne życia. Facet w stroju kucharza wyjmuje z pieca brytfannę dymiących rogalików i niesie w stronę dwóch szczebioczących kobiet, które napełniają sobie filiżanki kawą z ogromnego termosu. Przy zlewie inna kobieta w uniformie myje naczynia z ostatnich kilku dni i rozmawia na temat pogody z mężczyzną w dresie, który siedzi w postmodernistycznym kącie kuchni nad gotowaną rybą i zerka do gazety. To miejsce jest zapewne i c h oazą.

– Cześć wszystkim, to jest Kate – przedstawia mnie Jake. Macham do nich w odpowiedzi na zbiorowe: „cześć".

– Jak minęły święta? – rzuca Jake do kucharza. – Hm, skończyły się kimchi? – pyta, zaglądając do lodówki.

– Trzecia półka – odpowiada mężczyzna, a ja zmierzam tyłem w stronę miejsca pod oknem, odczuwając dotkliwie brak bielizny.

– Uwaga! – Odwracam się i staję twarzą w twarz z mężczyzną z irokezem na głowie, ubranym w czarne obcisłe dżinsy.

– Przepraszam.

Facet pochyla się i przeciera nieskazitelnie biały czubek swoich czarnych trampek, choć przecież jestem boso.

– Cześć, Jake. Niezłe posunięcie, chłopie. Święta należały do ciebie. Masz lepsze notowania niż Święty Mikołaj!

– Dzięki, stary! – Jake szczerzy zęby w uśmiechu, popijając miksturę ze szklanej butelki. – Kate, napijesz się zmiksowanego kimchi?

Macham ręką w geście „nie, dziękuję". W tym samym momencie Jocelyn wkracza posuwistym krokiem do kuchni, a słuchawka przy jej uchu kołysze się jak łabędzie pióra.

– Rozmawiałam właśnie z Jann, dzwoniła z wakacji na Malediwach. „Rolling Stone" chce cię mieć na okładce...

– Fantastycznie.

– Razem z Katie.

– Kate – przypominam jej.

– Zdjęcie zrobi Annie Leibovitz. Myśli o czymś w bizantyjskim stylu, co miałoby być komentarzem do współczesnej amerykańskiej ikonografii, być może ustylizuje was na Justyniana i Teodorę.

– Mam pewne zastrzeżenia – zaczynam, a Jake sięga właśnie do półmiska z ciastkami francuskimi. – Nie sądzę, żeby z punktu widzenia mojej kariery...

– ŻADNYCH WĘGLOWODANÓW! – krzyczy facet w dresie.

Jake odrzuca ciasteczka z miną winowajcy, podczas gdy kucharz kładzie kilka wonnych mikstur z ryb i wodorostów na stół obok kolorowego wachlarza dzisiejszej prasy. Jake pociera mój kark, a potem siada przy stole.

– Przepraszam. – Jakaś kobieta trąca mnie łokciem, sięgając po „Post".

– Nic się nie stało. – Ściskam mocniej szlafrok. – A więc, jak mówiłam...

Ale zanim mogę wreszcie zgłosić swoje obiekcje, Jake bierze serwetkę i wydmuchuje w nią nos, a potem rozkłada materiał z namaszczeniem.

– Joss?

– Tak, skarbie?

– Czy możesz zadzwonić do Elizabeth? Powiedz jej, że wciąż widać delikatny zielony odcień... zaraz, czy to jest zielone? – Ku mojemu przerażeniu Irokez pochyla się nad rozłożoną serwetką i kiwa głową. – A mój pot ma ten, jakby to powiedzieć, metaliczny zapach. – Jocelyn zapisuje każde jego słowo. Zresztą cała kuchnia słucha go z uwagą. – Powiedz jej też, że skończyły mi się recepty.

– Czy Elizabeth jest twoją lekarką? – pytam, bo nagle ogarnia mnie podejrzenie, że Jake może cierpieć na jakąś straszną, wyniszczającą chorobę chowaną w tajemnicy przed światem.

– Nie, to specjalistka od ziołolecznictwa. Jest niesamowita. Biorąc pod uwagę te wszystkie moje podróże samolotem, muszę wzmacniać swój system odpornościowy. Elizabeth jest teraz w Los Angeles, ale powinnaś z nią odbyć sesję przez telefon.

– No dobra! – Jocelyn opiera się o blat i krzyżuje ręce na piersi. – A więc skoro, jak się domyślam, nie odsłuchałeś swojej poczty głosowej, bo wolałeś się bawić w *Błękitną lagunę*, pozwól, że cię poinformuję o ostatnich wydarzeniach. Po odwołaniu duetu z Eden MTV zagroziło wycofaniem się z promocji albumu, więc powiedziałam im, że w sylwestra o północy, gdy kula na Times Square zacznie opadać, zaśpiewasz *Katie* z bohaterką piosenki u boku, i że mogą to umieścić na składance *The Best Of* w następnym tysiącleciu. Nieźle, co? – Jocelyn klaszcze w dłonie.

– Może bezglutenowego francuskiego tosta? – pyta mnie kucharz.

– Tak właściwie – oświadczam, mając wszystkiego po dziurki w nosie – pora, żebym się wreszcie ubrała.

– Możesz wytrzymać jeszcze przez pięć minut? – Jocelyn wkłada mi obwarzanka do ręki. – Plan na dzisiaj wygląda następująco: gimnastyka, spotkanie z japońskimi dyrektorami, którzy, tak na marginesie, odbębnili ostatniego wieczoru ten swój ceremoniał przy podpisie twojego kontraktu. A potem próba.

Jake wyciąga kciuk do góry, pochłaniając swoje makrobiotyczne śniadanie.

– Świetnie – mówię. – A ja w tym czasie odwiedzę Metropolitan Museum.

– Nie ma mowy. – Jocelyn zamyka z trzaskiem swoją księgę i spogląda na mnie, aż przychodzi mi ochota zabawić się w karatekę. – Jak dotąd Amerykanie widzieli cię tylko w postkoitalnym szoku, na zdjęciu, na którym schodzisz z drzewa z kocem na głowie, oraz na jednej koszmarnej fotografii ze szkolnego albumu...

– To nie było zdjęcie postkoitalne. Nie doszło wtedy do żadnego stosunku. – Odkładam precelek na stół. – A co do szkoły, to w tym wieku nikt nie regulował brwi.

– W każdym razie od dzisiaj to my nadajemy ton. Cała Ameryka zobaczy, kim jest Katie.

– Kate – przypomina jej Jake skryty za magazynem muzycznym.

– Dzięki, Jake, ale czy ty mnie słuchasz? – Uderzam ręką w błyszczącą okładkę. – Bo tak naprawdę...

Właśnie wtedy wkracza do kuchni rumiana blondynka po czterdziestce ubrana w szary kożuszek, którego matowość podkreślona zostaje jeszcze przez błyszczącą nierdzewną stal kuchni. Przykłada palce do wydętych ust i posyła Jake'owi całusa.

– Dzięki za maserati, skarbie. Mój mąż już z nim zwiał.

Jake odkłada czasopismo.

– Cieszę się, że mu się podobał. – Pochyla się kokieteryjnie nad swoim talerzem i podnosi zarośniętą twarz w jej stronę. – Obiecaj, że już nigdy mnie nie opuścisz, Kirsten. Ci ludzie z MTV nałożyli mi na głowę jakieś kosmate paskudztwo.

– Uśmiecha się, puszczając do mnie oczko. – Wyglądałem jak kompletny kretyn.

– Och, skarbie, musisz być bardziej asertywny. – Kirsten zdejmuje kożuszek i rzuca go na blat, odsłaniając grafitowy sweter z kaszmiru i aksamitne spodnie w tym samym kolorze, warte zapewne fortunę.

– Nie chciałem ich wkurzyć. – Jake otwiera kolejną butelkę kimchi, którą kucharz postawił na stole, i bierze do rąk „Timesa".

– Kirsten jest stylistką Jake'a – wyjaśnia mi Jocelyn, a Kirsten w tym czasie bierze do rąk rogalika i odrywa kawałek. – Przyszła, żeby zająć się twoim wizerunkiem.

– Witaj – mówi do mnie Kirsten z pełną buzią.

Otwieram usta, by jej odpowiedzieć, choć jestem już teraz dwanaście odpowiedzi do tyłu. Poprawiam szlafrok i odwracam się w stronę Kirsten.

– Nie trzeba się zajmować moim wizerunkiem.

Jocelyn z trzaskiem zamyka księgę.

– Wobec tego wracaj do siebie na wieś i szukaj nowego chłopaka.

– Joss... – Jake mruczy ostrzegawczo zza gazety.

Kirsten również upomina Jocelyn spojrzeniem.

– Katie...

– Kate – poprawiam ją, gapiąc się błagalnie w dział ekonomiczny. – Jake?

– Kate – kontynuuje Kirsten. – Ludzie są teraz nieco przesyceni tematem: nowy album, nieoczekiwane zerwanie...

– Fakt, że przez niemalże dekadę nowożeńcy deptali sobie po palcach w rytm piosenek o tobie...

Kirsten ucisza Joss kolejnym spojrzeniem, a ja zaczynam wyczuwać tutaj klasyczny schemat „dobry glina" – „zły glina".

Kirsten pochyla się w moją stronę i próbuje ułagodzić mnie słodkimi tonami:

– Dzisiaj jest wspaniała okazja, by rozpocząć znajomość z narodem amerykańskim na dobrej stopie.

Owijam się mocniej szlafrokiem.

– Tyle że, prawdę powiedziawszy, naród amerykański wie już o wiele więcej, niż wypada. Niezależnie od tego, na jakiej stopie byliśmy dziesięć lat temu. Mają sześć płyt na mój temat. Więcej ode mnie nie dostaną.

Mężczyzna w dresie składa gazetę i podnosi się, wygrzebując językiem wodorosty z zębów trzonowych.

– Gotowy?

Jake również wstaje, zostawiając niedojedzoną rybę, podchodzi do mnie i całuje.

– Baw się dobrze – szepcze mi do ucha. – Spotkamy się za parę godzin. – Zbiera się do wyjścia.

– Jake, czy możesz chociaż poczekać, aż skończymy rozmowę?

– Naprawdę nie mogę, ale nie martw się. Bo o to właśnie chodzi. Nie musisz się o nic martwić. Nawet nie musisz o niczym myśleć. Każdy tutaj zajmie się tobą i będziesz się czuć jak w raju. – Daje mi jeszcze jednego szybkiego całusa.

– Ale ja nie chcę, by się mną zajmowano! – krzyczę za nim, gdy macha mi w drzwiach na pożegnanie, a Jocelyn i Kirsten mierzą mnie w tym czasie wzrokiem. – Nikt nie musi się mną zajmować.

– To co z nią zrobisz? – pyta Jocelyn. – To z pewnością nie jest Eden.

– Nie, nie jest. I to będzie mój punkt wyjścia: będę bazować na kontrastach. Jaka jesteś młoda – zwraca się do mnie. – Promieniejesz zdrowiem. Więc od teraz: żadnych papierosów, red bulli, pigułek odchudzających i co tam jeszcze w siebie pakujesz, i błagam, gdy wysiadasz z samochodu, t r z y m a j k o l a n a r a z e m. Najpierw ubierzemy cię od stóp do głów u Stelli McCartney i wyślemy na kilka okrążeń wokół jeziora w parku, gdzie dopadną cię paparazzi. Dobrze biegasz, mam rację? Zresztą nieważne, adrenalina i tak da ci niezłego kopa. A potem spędzimy wszyscy dzień na zakupach w sklepach z organiczną żywnością, jedząc wegańskie jedzenie, zwiedzając kluby wspinaczkowe i robiąc sobie lewatywę. Do wieczora wszystkie czasopisma w kraju będą w posiadaniu rewelacyjnych zdjęć tej młodej, zdrowej dziewczyny.

– Nie. Nie, nie, i jeszcze raz nie. Nie ma mowy, po moim trupie. Nie.

Jocelyn rzuca z trzaskiem segregator na marmurowy blat.

– Dobrze, posłuchaj, żałosna podróbko Yoko Ono. Antologia Jake'a ukazuje się za niecałe dwa tygodnie. Jake pogodzony ze swoją utraconą na lata miłością zapewnia mi dokładnie jeden cykl prasowy. Słownie: jeden. Więc musisz się maksymalnie sprężyć. – Przerywa. – Dasz się zapłodnić?

– Nie!

– Nie, no teraz zachowujesz się jak zwykła świnia.

– Teraz zachowuję się jak kobieta w szlafroku w obcej kuchni, której mówi się, że musi się mizdrzyć przed narodem amerykańskim, a w tym czasie gluty jej chłopaka są poddawane analizie!

– Ale Jake nie jest zwykłym chłopakiem, prawda? – Jocelyn przechyla głowę. – Kochasz go. Życzysz mu jak najlepiej. I zdecydowałaś się z nim być.

Wytrzymuję jej spojrzenie i próbuję oswoić się z tym, co usłyszałam.

– Dobrze, dam ci jeden dzień. Tylko jeden – zwracam się do Kirsten. – Żadnych papierosów, żadnych red bulli, w porządku. Ale oprócz tego żadnych lewatyw, żadnego biegania i żadnych, ale to żadnych dzieci. W każdym razie nie w tym cyklu prasowym.

Jocelyn spogląda do swojego grafiku.

– Dobrze. Zatem dzisiaj macie kolację z Chrisem i Gwynnie.

– Z Gwyneth Paltrow? – upewniam się.

– Przed restauracją będą paparazzi, więc pamiętaj – masz być okazem zdrowia!

O północy wreszcie naciskam „Wyślij" pod pokornym i uniżonym e-mailem do mojego szefa, na którego napisanie zdobyłam się dopiero po czterech dniach spędzonych w Nowym Jorku. Jednak na dole ekranu ukazuje się żółty prostokąt – „brak połączenia". Wściekła, podnoszę się z łóżka i trzymając w ręku laptopa, okrążam czarny pokój, próbując złapać sygnał na nowo.

– No dalej! – błagam laptopa, by przekazał szefowi moją namiętną argumentację wyjaśniającą, dlaczego nie powinien zwalniać tej upadłej kobiety, której zdjęcia można od kilku dni oglądać we wszystkich kolorowych pisemkach.

338

Otwieram drzwi i wychodzę powoli na nieoświetlony korytarz z nadzieją, że laptop złapie połączenie i nie padnie przy tym bateria. Wtedy jedne drzwi uchylają się do połowy, rzucając plamę światła na czarną posadzkę.

– Halo? – wołam.

– Cześć – wita mnie jedna z pracownic biura, gdy wchodzę do środka. Odwija kołnierz płaszcza i wyłącza komputery.

– Cześć, nie wiedziałam, że ktoś tu jeszcze jest.

– No cóż. – Wzdycha i wkłada plik teczek do białej torby z lakierowanej skóry, stukając przy tym kanarkowożółtymi drewnianymi bransoletkami. – Tak to jest na finiszu. – Gdy monitor jej komputera gaśnie, obraca się i zdejmuje ze ściany ogromną piątkę, odsłaniając kartkę z numerem cztery.

– A, rozumiem, dni do rozpoczęcia trasy koncertowej w Azji.

– Nie. – Kobieta rozpuszcza włosy i wkłada gumkę między zęby. – To znaczy nie do końca. To jest n a s z e ... – wskazuje ręką na biuro – odliczanie dni do chwili, kiedy znów wrócimy do życia. – Wyciąga gumkę z ust i na nowo spina włosy w kucyk. – Owszem, to jest fascynująca praca, ale gdy Jake jest na miejscu, mamy jazdę na okrągło. Ten człowiek to pracoholik.

– Naprawdę? Myślałam, że takie tempo narzuca mu wytwórnia.

– Ależ skąd – kobieta wyłącza lampki na biurkach. – Gdy nie nagrywa płyty, koncertuje. Gdy siedzi w autobusie, czyta scenariusze, gdy kręci filmy, przegląda kontrakty, a podczas promocji studiuje każdy globalny problem, jaki tylko istnieje. A sposób, w jaki dba o siebie, jest chory, po prostu chory. – Kręci głową, jak rodzic na szkolnym przedstawieniu. – Ten człowiek nie potrafi odpoczywać. Więc... – Wydmuchuje do góry grzywkę. – Przez trzy najbliższe miesiące próba dotrzymania mu kroku będzie zmartwieniem jego koncertowej ekipy, a nam wreszcie będzie dane odrobić zaległości w spaniu i sprzątaniu. Ale poniekąd będziemy za nim tęsknić.

– To chyba normalny styl życia człowieka o jego pozycji – stwierdzam, starając się pogodzić z tym nowym wizerunkiem i zastanawiając się, czy gdyby w wieku siedemnastu lat Jake miał dostęp do nieograniczonych środków finansowych, by zapełnić tamten dom ekipą, nie byłoby to odpowiednikiem tego, co robiła Susan.

– Nie. – Zarzuca torbę na ramię. – Wszyscy pracowaliśmy już wcześniej u znanych osób i nikt nie miał przedtem do czynienia z czymś podobnym. Z wyjątkiem Sadie, która przez dwa lata pracowała dla Madonny. Od kiedy tu przyszłam, nie przypominam sobie, żeby był na wakacjach.

– Naprawdę? – Wizja mnie i Jake'a wędrujących po plaży z dziećmi, z wiaderkami i łopatkami w rękach odpływa w siną dal.

– Mhm. Mogę ci jakoś pomóc? – pyta, gdy wychodzimy za drzwi, wskazując na laptopa, i owija swój długi szal wokół szyi.

– Och, chciałam tylko wysłać do pracy e-maila, no wiesz, wyjaśnić tę całą sytuację z domkiem na drzewie, ale straciłam sygnał.

– A, właśnie. – Wyciąga z torby teczkę i wręcza mi. – Wycinki z gazet na twój temat.

Opieram teczkę na laptopie, otwieram i przejeżdżam palcem po zdjęciach mojej rumianej osoby, a wszystkie pod różnymi wersjami tytułu: „Katie, dziewczyna z sąsiedztwa – oto dlaczego cała Ameryka kocha nową wybrankę Jake'a". – Niesamowite – wyrywa mi się z piersi, gdy oglądam zdjęcia swojej osoby biegającej po Nowym Jorku, a gdzieś w rogach kadru czają się Kirsten i Jocelyn. – Po prostu podejmujecie decy-

zję: „okaz zdrowia", a wtedy tamci... i oto efekt. Niesamowite.
– Oddaję jej teczkę, oszołomiona.
– Wszystko w porządku? – pyta, chowając ją do torebki.
– Jasne, tak, to przecież przy okazji promocja zdrowego stylu życia, świetna sprawa. Myślę, że moja kariera jest nie-zagrożona – stwierdzam, modląc się, żebym miała rację, żeby się nie okazało, że właśnie puściłam z dymem swój dyplom magistra.
– I spróbuj w saunie. Nigdy nie działała, ale z niewiadomych przyczyn sygnał jest tam naprawdę silny.
– Dobrze...
– Czwarte drzwi na lewo. Za pokojem do masażu.
– Super. Dzięki. – Kobieta macha mi na pożegnanie i zmierza do windy, a ja zagłębiam się w apartament, by sprawdzić, czy nieczynna sauna zaktywizuje mojego bluetootha, skoro nie otworzy moich porów.

Głodna jak wilk, i to od dawna, bo już dawno minęła godzina, kiedy Jake miał mnie zabrać na kolację, zmieniam ponownie położenie nóg na bardzo długiej otomanie, w nieomal pustym teraz salonie. Próbowałam też siedzieć na podłodze, ale od zimnej posadzki zaczęło mnie łupać w krzyżu. W bladym świetle wpadającym przez okno wpatruję się w puste miejsca na ścianach, które zostały po wyprowadzce Eden, i próbuję sobie wyobrazić tam swoje wygodne krzesło kupione na wyprzedaży. Ale rezultat jest tak komiczny, że wracam do zabawy z poprzedniej godziny, która polegała na wyobrażaniu sobie, że dzieci spotykają się tu po szkole, bawią na posadzce, że między nimi stoi tacka z łakociami, jak u Hellerów, a małe paluszki zostawiają ślady po chrupkach na skórzanej sofie. Tylko gdzie ja jestem w tym wszystkim? Co będę robić?

– Czekać – mruczę, sięgając po gazowaną wodę mineralną, którą zostawił dla mnie kucharz przed wyjściem do domu. Wyciągam wetknięty w brzeg szklanki plasterek limonki i wyciskam sok, który syczy w zetknięciu z pęcherzykami gazu. Pociągam łyk i zaciskam usta, dostrzegłszy, dzięki kablom widocznym przez otwarte drzwi po drugiej stronie pokoju, że winda ruszyła. Klik, klak, obrót. Oddycham miarowo w tym samym rytmie. Wreszcie winda zatrzymuje się, a kraty rozchodzą się na boki. Jake w rozpiętym płaszczu przeciąga się, łapie rękami framugi i wychyla się w moją stronę:

– Boże, jak to cudownie, że tu jesteś i...

– Czekam.

– Na mnie. – Pokonuje dzielące nas metry pędem. – Nie byłem w stanie myśleć o niczym innym jak o tobie – mówi z ustami przy mojej szyi.

Wyślizguję się spod niego i stawiam szklankę na podłodze.

– Właśnie to podniecało ciebie i Eden?

– Słucham?

Podsuwam się do góry, tak żeby spojrzeć mu prosto w twarz.

– To znaczy spędzałeś cały dzień albo miesiąc, albo rok ze swoimi ludźmi, a ona ze swoimi i oboje w tym czasie myśliście o sobie nawzajem. Czy to rodzaj gry wstępnej?

– O co ci chodzi?

– O to, że ostatnie trzy dni spędziłam nie... nie ze swoim chłopakiem...

– Jestem kimś więcej niż twoim chłopakiem...

Uciszam go ruchem ręki.

– Przez ostatnie trzy dni byłam niańczona przez wysłannice piekieł, a paparazzi urządzili sobie na mnie polowanie, i to w całym tego słowa znaczeniu. Nicole Kidman posłała mi uśmiech współczucia, gdy obie usiłowałyśmy opuścić Mercer Hotel, tylko że potem śledzili m n i e.

Jake zdejmuje płaszcz i kładzie obok.

– Byłaś w Mercer Hotel? Czy Joss zamówiła ci mojito z czerwonej pomarańczy? Robią tam przepyszne.

– O Boże, Jake!

Jake wstaje.

– Nie mogę z tobą rozmawiać, gdy tak się zachowujesz – mówi tonem, który tylko dolewa oliwy do ognia.

– Tak? To znaczy jak? Gdy jestem rozdrażniona?

– To nie moja wina. – Jake podnosi głos. – A zachowujesz się tak, jakby była. Przestań mnie obwiniać.

Podnoszę się, starając się zapanować nad gniewem.

– Nie obwiniam cię. Tylko że... – Nagle milknę, bo na jego twarzy maluje się narastająca panika i czuję, że powinnam go uspokoić. – Po prostu tęskniłam za tobą. Jestem tu po to, by spędzać wspólnie czas.

Na te słowa przyciąga mnie do siebie i przytula, jego głos znów staje się głęboki i kojący.

– Wiem. Dzisiaj był naprawdę koszmarny dzień. I wszystko się pieprzyło. Myślałem, że zwariuję. – Wplata palce w moje włosy w sposób, który uwielbiam, w sposób, w jaki nikt inny nie potrafił, choć to wydaje się takie oczywiste, więc co jest nie tak z facetami? Obejmuję go, wsuwam mu ręce pod podkoszulek. – Jutro spędzimy cały dzień razem. Do sylwestra zostały nam trzy dni i obiecuję, że będą one fantastyczne. Będzie lepiej, zobaczysz. Musimy tylko przetrwać sylwestra. – Cofa dłoń, ale jego pierścionek zaplątuje mi się we włosy.

Sięgam ręką, by pomóc mu go wyplątać, ale robi się tam małe zamieszanie.

– Po prostu wyjmij palec – jęczę z załzawionymi od bólu oczami.

– Co? – Jake ciągnie rękę.

– Au! Przestań! Po prostu wyjmij palec z pierścionka i zostaw mi resztę!

Jake'owi udaje się po chwili i pierścionek uderza mnie w skroń. Chwytam platynową czaszkę i przesunąwszy włosy do przodu, widzę kosmyki zaplątane w jej rubinowych oczach.

– Umieram z głodu. – Jake opiera się na łokciach, rozciągnięty na całej długości otomany. – A ty?

– Ja też. – Rozplątuję wreszcie włosy i wygładzam je na ramionach. – To znaczy nie. Tak właściwie to umierałam z głodu trzy godziny temu. Teraz jestem po prostu zmęczona. – Siadam na podłodze obok jego butów, spoglądam w dół na lśniącą czaszkę i zaczynam się nią bawić, nakładając ją na kciuk i zdejmując.

– Więc jestem twoim chłopakiem, co? – Trąca moje udo brzegiem podeszwy.

– Chyba tak. – Rzucam mu pierścionek, Jake łapie go i nakłada z powrotem na palec.

– Ktoś tu stroi fochy.

– Nie stroję fochów – jęczę, wyciągając nogi. – Po prostu jestem...

– Jaka?

– Co my tu robimy, Jake? Jak to w ogóle działa?

– Nie wiem... ważne, że działa. – Spogląda na mnie bez wyrazu.

– Nie, chodzi mi o to, że to jest twoje życie. A ja mam swoje. Jak je połączymy? Myślałam, że moglibyśmy kupić dom w Charlestonie, w jakimś pięknym miejscu nad oceanem, gdzie mógłbyś założyć studio i zrobić z niego bazę wypadową, a ja będę mogła dalej...

Jake unosi brew.

– Mam już trzy domy.

– W porządku. Możemy zamieszkać w jednym z nich. To znaczy mam nadzieję, że będę mogła pracować na odległość. Nie wiem. Wciąż nie wiem, jak na to wszystko zareagują u mnie w pracy.

Jake wyciąga rękę i ujmuje moją dłoń.

– Spędziłem zbyt dużo czasu z dala od ciebie. Chciałbym, żebyś pojechała ze mną w trasę koncertową. Chcę się codziennie budzić przy tobie i widzieć o poranku twoją twarz, tak jak mówiłaś. Każdego ranka.

Cofam swoją rękę.

– Nie chcę, by moje dzieci dorastały w samolocie, Jake.

– Dzieci? – Jake podnosi głos.

– Nie chcesz mieć dzieci? – pytam również podniesionym tonem, odwracając twarz w jego stronę.

– Może kiedyś... – Wbija wzrok w podłogę i zaczyna drapać się po brodzie.

– Czyli kiedy?

Wzrusza ramionami.

– Jake?

– Nie wiem, Kate.

– Tak czy inaczej, to jest sprawa, którą musimy przedyskutować. – Czuję, że zbiera mi się na płacz.

Jake kiwa głową i śmieje się cicho.

– Mogę ci coś powiedzieć?

– Tak?

– Wiem jedno, że na pewno sprawi mi przyjemność ich robienie. – Łapie mnie za przedramię i przyciąga do siebie, sięgając ręką do moich spodni. – Za dużo myślisz, Hollisówna – mruczy i delikatnie, jak to on, kąsa mnie w szyję. – Jak zwykle za bardzo wszystko analizujesz. Spróbuję... – Jego usta wędrują do moich. – Spróbuję pokazać ci, jak się od tego uwolnić.

– NIE RUSZAĆ SIĘ! WYWALIŁO KORKI!

Podnoszę się na łóżku.

– ZAWOŁAĆ ELEKTRYKA! – rozlega się ryk Joss, a na nocnym stoliku rozbrzmiewa moja komórka. Sięgam po telefon, podczas gdy zza drzwi dobiegają mnie krzyki i odgłosy chaotycznej bieganiny.

Na widok numeru mojego szefa biorę głęboki oddech i odbieram.

– Lucas, dzięki, że się odzywasz.

– Cześć, Kate. Wszystkiego najlepszego w nowym roku.

– Zostało jeszcze trzynaście godzin – mówię, wstając. Z hallu dochodzi mnie dudnienie ciężkich kroków.

– Miło spędziłaś święta? – pyta zdenerwowany. To o niebo lepsze niż święte oburzenie, na które się szykowałam. – Ucieszyłem się na wieść, że z twoją mamą wszystko w porządku.

– Lucas, proszę, nie wyrzucaj mnie. Obiecuję, że to potrwa tylko jeden cykl prasowy, a potem wycofam się z życia publicznego tak jak Trudie Styler czy Ali Hewson i nikt nie musi wiedzieć...

– Kate...

– Wiem, że to kłopotliwa sytuacja, ale zapewniam cię, że nie chcę być publicznie, ani tym bardziej zawodowo, kojarzona z Jakiem. Moja praca to moja praca, a jego...

– Ale możesz na niego liczyć, prawda?

– Przepraszam?

– Mógłby pojechać z tobą do Argentyny, odwiedzić fabryki, towarzyszyłoby wam przy tym kilku fotografów i wszystko to mogłoby się fantastycznie przysłużyć naszej sprawie.

Sięgam po dżinsy.

– Wiesz, nigdy nie myślałam o tym w ten sposób...

– No to pomyśl. Spróbuj sobie wyobrazić, jak Jake mógłby zwrócić uwagę na problem zrównoważonego rozwoju. Jaki mógłby mieć wpływ, gdyby zainteresował tym swoich fanów. Czy mogłabyś mi załatwić rozmowę z nim?

– Hm, właśnie przygotowuje się do trasy koncertowej...

– Tylko szybkich pięć minut, Kate, by ruszyć sprawę z miejsca.

– Sprawdzę, co da się zrobić, ale...

– Fantastycznie. To fantastycznie. Wobec tego czekam na telefon.

– Jasne. – Odkładam komórkę. Dobra wiadomość: wciąż mam pracę. Zła wiadomość: moja praca polega teraz na pozowaniu do pokazowych zdjęć ze swoim chłopakiem. Mdli mnie, gdy sięgam po kolejny elegancki golf ze stosu, który zostawiła dla mnie Kirsten.

W połowie drogi do salonu słyszę krzyk Joss:

– DOBRA! JEST! SPRÓBUJCIE TERAZ! – i przytłumione światło rozjaśnia ciemny hall.

– CZY KTOŚ WIDZIAŁ KOSTIUMY?

Wkraczam niepewnie do pokoju, w którym roi się od tancerek wyginających się i rozciągających ciało przy każdej możliwej powierzchni, w oczekiwaniu na swoją kolej do luster, przy których dwoją się i troją wizażyści z pędzlami oraz fryzjerzy z suszarkami.

– KATE, ZARAZ SIĘ TOBĄ ZAJMĘ! – krzyczy do mnie z drugiej strony tego pobojowiska niesamowicie smukły czarny facet na szpilkach.

– Jake! – krzyczę z przyłożonymi do ust rękoma.

– Może szampana? – Irokez podchodzi do mnie z przyczepioną nad czołem błyszczącą tiarą z napisem „2006" i podaje mi kieliszek na czarnej nóżce.

– Nie, dziękuję. Gdzie jest Jake?

– Przygotowuje się do występu. Radzę ci urządzić sobie sylwestra już teraz, bo wieczorem nie będzie czasu na zabawę – oświadcza, wychylając swoją lampkę.

– Kate!

– Jake!

– Tu jestem, kochanie! – Macha do mnie, siedząc po drugiej stronie ruchomego lustra.

Przechodzę przez podpierające je worki z piaskiem i moim oczom ukazuje się Jake w reżyserskim krześle, oglądający wraz facetem w baseballówce taśmę z próby na małym monitorze wetkniętym między talerze z naleśnikami, podczas gdy młoda, drobna kobieta robi mu akupunkturę twarzy. I jeden drobny szczegół: Jake jest nagi. Nagusieńki. Jak go Pan Bóg stworzył.

– Hm, Jake?

– Tak, kochanie? Możesz mi podać ciasteczko ryżowe? Stoją na stoliku bufetowym.

– I szlafrok? – pytam, gdy przechodzi obok nas wianuszek tancerek, zmierzając do miejsca, gdzie mają im upiąć kostiumy.

– Co? A nie, nie trzeba, dzisiaj mamy Dzień Nagości! – Wznosi radośnie ręce do góry, wywołując trzęsienie igiełek na twarzy. – Mogłabyś je przy okazji posmarować odrobinę masłem migdałowym? Dzięki.

Odwracam się, oczy zachodzą mi łzami, a pod czaszką rozbrzmiewa: „O co chodzi, do cholery?!". Dostrzegam Joss przy bufecie, jak szuka czegoś w swojej księdze.

– Joss. – Łapię ją za rękę. – O co chodzi, do cholery?!

Zdejmuje moje palce ze swojego przetykanego srebrem żakietu od Chanel.

– Jakiś problem?

– Dlaczego Jake jest nagi?

– Bo to Dzień Nagości – oznajmia mi, jednak bez entuzjazmu, który słychać było w jego głosie.

– W tym pomieszczeniu jest co najmniej dwadzieścia młodych kobiet, które mają co najwyżej osiemnaście lat. Co najwyżej. Niech on coś na siebie włoży.

– Posłuchaj, misiu-pysiu, nie mogę go do niczego zmusić. A dziś występuje na żywo przed milionami ludzi. Podobnie jak ty. Więc idź do Panny Thomas, niech się wreszcie do ciebie zabierze. – Wskazuje na mężczyznę w szpilkach.

Nagle Jake, z twarzą wciąż ozdobioną trzęsącymi się igiełkami, chwyta mnie pod ramię.

– Jake, włóż coś na siebie – warczę do niego.

– Kate, muszę dziś wieczorem stanąć przed publicznością i obnażyć swoją duszę. Przykro mi, jeśli czujesz się tym urażona, ale jest mi to potrzebne, żebym mógł uwolnić w sobie pokłady wrażliwości, której oczekują. – Sięga po ryżowe ciasteczko i wkłada je do ust, a potem wraca na pobojowisko.

– Jakim cudem to nie przeciekło jeszcze do prasy?

Jocelyn z hukiem zamyka księgę.

– Nie masz pojęcia, jaka jestem dobra w te klocki – oświadcza. – Przed Jakiem pracowałam dla faceta, który po porodzie swojej żony ugotował na maszynce łożysko i pępowinę. W szpitalu, na oczach przynajmniej ośmiu świadków. I nikt nigdy się o tym nie dowiedział. Taka jestem dobra. – Szczęka opada mi aż do ziemi. Jocelyn wzrusza ramionami, wyraźnie znudzona tym wszystkim, ale pewnie czeki stanowią dla niej wystarczającą podnietę. – Jake przed występem musi poczuć więź z naturą...

– Czyli podczas trasy koncertowej... – nie może mi to przejść przez gardło.

– Zdarza się to codziennie, owszem. Ale nie martw się, wszystkie okna w autobusie są zakryte.

– Rewelacyjnie. Super! – wykrzykuję sarkastycznie. – To zasadniczo zmienia postać rzeczy!

– PANNO KATE!

Macham ręką do Panny Thomas, który uderza w dłoń złotą puszką lakieru do włosów, i kiwam głową na znak, że zaraz do niego podejdę.

– Mamy być w MTV dopiero za dwanaście godzin – mówię do Joss. – Nie mam zamiaru spędzić całego dnia nieruchomo, wystrojona jak tancerka z Las Vegas.

Nie podnosząc oczu znad swojej księgi, Jocelyn oświadcza:
– Mają ci przedłużyć włosy, a to zajmie godziny. Marsz do Panny Thomas, i to już.
– Tak jest. – Zanim podnosi wzrok, wymykam się na korytarz. W głowie mi się kręci od całej tej wrzawy i świadomości, że miłość mojego życia musi – choć nikt mu nie każe – siedzieć nago. Popycham najbliższe drzwi i ląduję w jakimś pokoju w egipskich ciemnościach, zaczynam więc sunąć ręką wzdłuż ściany w poszukiwaniu kontaktu. Nagle moja dłoń zahacza o coś ostrego. Przejeżdżam wokół palcami, tym razem ostrożniej, i odnajduję mały włącznik. Naciskam go, pokój rozjaśnia się światłem i widzę, że od ściemniacza odpadła osłona, eksponując ostry kawałek metalu. Odwracam się i okazuje się, że znajduję się w opuszczonej garderobie. Na jej widok od razu przychodzą mi na myśl te pokoje nastolatek, których rodzice przesadzili z wystrojem i jego aktualizacją, i gdzie plakaty heavymetalowych zespołów pokrywają ściany wymalowane wcześniej w jednorożce i elfy.

Tutaj motywem przewodnim są delfiny: podtrzymują toaletkę, błyszczą małymi szlachetnymi kamieniami na spojeniu płytek podłogowych, baraszkują na sufitowych freskach, rozciągają się w łukach na turkusowych jedwabnych zasłonach. I gdzieś w tyle głowy błyska mi informacja, że była dziewczyna Jake'a, poprzedniczka Eden, miała jeden przebój zatytułowany *Angel of the Sea* – morski anioł. Trawertynowe płytki noszą już teraz ślady ręki Eden – zdjęcia z czasopism poprzyczepiane są chaotycznie do ścian i luster, krowia czaszka spoczywa na wierzchu szkatułki na biżuterię, a wiersze widnieją na każdej ścianie – pisane długopisem, szminką, kredką do oczu – teksty, które kojarzę, gdyż przerobiła je potem na piosenki, oraz metry wersów tak surowych, tak osobistych, że nie potrafię sobie wyobrazić, by ktoś był w stanie wyśpiewywać je ze sceny.

Zastanawiam się przez chwilę, czy czytanie ścian jest tym samym co czytanie pamiętnika, ale ciekawość bierze górę i zachłannie połykam każde słowo. Eden pisze o swojej wędrówce, o walce z uzależnieniem, o swojej matce, o synu, którego chce uchronić przed złem. Miała dziecko? Gdzie? W Arizonie? Czytam dalej, składając wersy w całość poprzez metafory – jego serce jest radosnym ptakiem, jego uśmiech barierą, której ona nie jest w stanie przekroczyć, a jego głos chmurą popiołów, lotem dmuchawca, pierścieniem dymu. Tak. To Jake.

Od zimnej posadzki zmarzły mi stopy, siadam więc przy toaletce i podciągam nogi do góry. A tutaj, przyklejony do lustra, widnieje wykres jej dni płodnych, temperatura zapisana w rogu każdego dnia: trzydzieści sześć cztery, trzydzieści sześć cztery, trzydzieści sześć cztery. Rośnie do trzydziestu siedmiu, a potem trzy kolejne dni są zakreślone w kółko, opatrzone dużymi wykrzyknikami. I ponad tym napis kredką do oczu: „Pieprzyć Jake'a. I Madryt". Domyślam się, że nie udało mu się wrócić na jej owulację.

Nagle rozlega się mocne pukanie do drzwi.

– Kate? – słyszę męski głos.

– Otwarte! – krzyczę, nagle stęskniona za towarzystwem, nawet jeśli to towarzystwo chce mi przedłużyć włosy.

Do środka wchodzi Irokez z przekrzywioną tiarą.

– To dla ciebie. – Wręcza mi paczkę Fedeksu.

– Dla mnie?

– Tak mi powiedziano. – Podchodzi w moją stronę, kręcąc biodrami, i kładzie paczkę na stole, a potem spogląda spod wymalowanych powiek na ściany.

– O Boże, ona jest wspaniała.

– Nie stuknięta?

– Nie. – Kładzie rękę na swoim szczupłym biodrze. – Jest artystką, taką z prawdziwego zdarzenia. Ale jeśli chcesz znać moje zdanie, to jak na małżeństwo o jednego artystę za dużo.

– Spogląda w lustro nad moją głową i poprawia tiarę.

– A może o dwoje artystów? – pytam.

Pijany, nie porywa się na tak skomplikowane matematyczne obliczenia, tylko wzrusza ramionami.

– Aha, i wracaj szybko, Panna Thomas biega wszędzie z twoimi włosami i wygląda, jakby kogoś oskalpował.

– Dzięki – mówię, gdy zamyka za sobą drzwi i odgradza mnie na nowo od hałaśliwego cyrku Jake'a, zostawiając samą w cichej pustelni Eden. Na widok kanciastego, pochylonego pisma Taty na naklejce z adresem czuję ucisk w żołądku. No tak. Oni. Podchodzę z paczką w kierunku okna i odsuwam zasłony. Jasne grudniowe słońce wpada do środka, zalewając pokój od podłogi do sufitu i tłumiąc hałaśliwe kolory kolażu wokół mnie swoją bielą.

Siadam na podłodze, tyłem do jej pokoju. Widok z okna na budynki z czerwonej cegły powinien działać na mnie lepiej. Z mieszanymi uczuciami przesuwam palcem wzdłuż taśmy klejącej, a potem chwytam porzucony kowbojski but leżący pod toaletką i rozcinam taśmę jego metalowym okuciem. Wieczko pudełka odskakuje na boki. Odrzucam but i sięgam do środka, gdzie pod zwiniętym bibułowym papierem leży stary dyktafon Mamy, z przyklejonym numerem „1". Biorę go do rąk i dotykam samoprzylepnej żółtej karteczki ze strzałką skierowaną na przycisk „PLAY", gdzie Mama napisała tylko jeden wyraz: „proszę". Powoli wypuszczam z płuc powietrze. Nie chcę. Nie chcę spełniać ich kolejnych próśb i oczekiwań. Niech zostaną na ganku, gdzie widziałam ich po raz ostatni, i niech cała ta historia wreszcie rozejdzie się po kościach. Niech wreszcie będzie po wszystkim.

Naciskam „PLAY".

– Jest już włączone? – po pokoju rozchodzi się głos Taty.

Podkręcam kciukiem dźwięk aż do maksimum.

– Chyba tak – stwierdza Mama, jak gdyby siedziała obok mnie. Przesuwam kciuk w dół.

– Próba mikrofonu – mówi Tato. – Hm, mam wrażenie, że powinienem coś zaśpiewać.

– Może *Moonlight In Vermont?* – intonuje Mama. Moje policzki unoszą się w niepewnym uśmiechu.

– A teraz poważnie.

Mama chrząka.

– Tak. – Słyszę jej oddech. – Cześć, Katie.

– Witaj – grzmi Tato.

– A więc są święta. Otworzyliśmy już prezenty, a Tato piecze na grillu krewetki. I tęsknimy za tobą. Dzień minął nam na, hm...

– Koszmarnej kłótni.

– Tak, kłóciliśmy się. Wyjaśniliśmy sobie pewne rzeczy, a przy okazji zaserwowaliśmy sobie niezłą awanturę. I oto, do czego doszliśmy. Chcemy cię z całego serca...

– Przeprosić – mówi Tato i słowo to, niewypowiedziane żartem, brzmi w jego ustach zupełnie obco.

– Przepraszam, że miałam romans – zaczyna Mama i nagle gorąco uderza mi do twarzy. – I że mnie na tym przyłapałaś, i że potem zostałaś z tym wszystkim sama.

– Przepraszam, że dostałem świra i za to, jak podle się przeze mnie czułyście – oświadcza Tato tak wyraźnie, że drżącą ręką zatrzymuję kasetę, przewijam ją i jeszcze raz włączam „PLAY".

– Że dostałem świra i za to, jak podle się przeze mnie czułyście. I mówię to tu i teraz, żebyś mogła tego posłuchać tyle razy, ile jest ci potrzebne.

353

Przyciskam opuszki palców do ust i słyszę, jak Mama bierze głęboki oddech.

– A gdy Tato wprowadził się z powrotem, nigdy nie wracaliśmy do tego tematu, bo chcieliśmy jak najszybciej stworzyć na nowo szczęśliwą rodzinę. Nie chcieliśmy cię w to mieszać, prać przy tobie starych brudów, ale najwyraźniej... no cóż...

– Cholernie zdradliwa taktyka, jak się okazało. A więc, Kate, właśnie tak to wyglądało. A teraz opowiemy ci o wszystkim. Od dnia gdy zamknięto centrum badawcze, do dnia gdy wróciłem do domu. Opowiemy ci teraz o tych miesiącach wszystko, co cię może interesować, a ty możesz słuchać tego tak wiele razy, jak zechcesz. Albo tak mało, jak zechcesz.

– Przygotowaliśmy sobie cały dzbanek piña colada – mówi Mama i uśmiecham się szeroko na myśl, jak pewnie wzrusza przy tym ramionami. – A wcześniej urządziliśmy sobie na twoją cześć przyjęcie na kocyku.

– Mamy nawet takie malutkie parasolki – dodaje Tato. – Jeszcze jedna rzecz, zanim zaczniemy. Chcę, żebyś wiedziała, że nie odstawiłem leków samowolnie i bez nadzoru. Nie chcę z tobą o tym dyskutować, Katie, bo to nie jest moja najlepsza cecha jako rodzica... – Jego głos staje się teraz tak cichy, że muszę przyciskać dyktafon do ucha. – Będę się rozklejał jeszcze tylko przez kilka tygodni.

– Dziś rano przed chórem dziecięcym dałeś niezły popis.

– Claire, lekarz powiedział, że będę normalnym człowiekiem. A nie androidem – wyjaśnia niecierpliwie Tato. – Te małe anielskie szatki i dzwonki większe niż ich główki... Nie jestem bez serca.

– Dobrze, w porządku. – Słyszę, że Mama się uśmiecha. I że jest zdenerwowana. – Przejdźmy do rzeczy.

– Tak. Więc cóż, o ile mnie pamięć nie myli, po prostu obudziłem się pewnego ranka z uczuciem, jakbym w ogóle nie spał, i czułem się potwornie zmęczony...

Naciskam „STOP" i próbuję się oswoić z tym, co zrobili, bo wiem, ile ich to kosztowało. Dociera do mnie, że teraz, kiedy już nie mają przede mną tajemnic, nie chcę znać szczegółów. Potrzebna mi była tylko świadomość, że rozmówili się ze sobą, że wszystko sobie wyjaśnili, że zamknęli za sobą tamtą historię. Przymykam oczy, jasne słońce pada mi na powieki, pod którymi skaczą różowe plamki, i przyciskam dyktafon do serca.

Potem otwieram oczy i sięgam do pudła, gdzie leży jeszcze jedno zawiniątko. Wyjmuję je, wraz z przyklejoną karteczką z numerem „2". Pociągam za wstążkę z recyklingu, odwijam złoty papier od Neimana Marcusa, w który zapakowałam jej pantofle w zeszłym roku, i wyciągam muszelkę, którą Mama wetknęła w zagięcie. Kładę ją obok i wracam do odwijania papieru, w środku którego znajduję stary, znajomy materiał. Rozkładam marynarkę i okazuje się, że niemal do każdego jej fragmentu przypięli nasze stare zdjęcia – szpilki przytwierdzają delikatnie wyblakłe fotografie przedstawiające gimnazjum i szkołę średnią, zimowy koncert chóru, rodzinne uroczystości, konkurs oratorski, przedstawienie w siódmej klasie i każdy istotny moment mojego nastoletniego życia, a na sercu, tam gdzie dawniej znajdował się herb uniwersytetu Taty, wisi zdjęcie przedstawiające 34 Maple Lane, z całą naszą trójką stojącą przed domem, zrobione w dniu, w którym się wprowadziliśmy.

Policzki mam całe mokre od łez. Nakładam marynarkę na siebie i spoglądam w dół na wszystkie swoje dokonania w ich podziurawionej szpilkami chwale, na wszystko, czego pragnęli dla mnie rodzice, nawet gdy zdradzali czy byli w klinicznej depresji. Mój wzrok przykuwa stary pastelowy telefon na leżance. Sięgam po niego, podnoszę słuchawkę i wybieram numer.

– Słucham?

– Tato?

– Kate?

– Szczęśliwego Nowego Roku. – Przecieram ręką mokrą twarz.

– Czy to aby nie jutro? – Tato pyta żartobliwie, ale w jego głosie wyraźnie słychać ulgę.

– Pomyślałam, że skoro nie byłam na świętach...

– Może raczej bitwie pod Sarasotą?

– Było aż tak źle? – uśmiecham się.

– Musieliśmy... nie kłóciliśmy się przez lata. Ale skutki są pozytywne. Twoja matka zawsze robi owocowe tarty, gdy gnębi ją poczucie winy.

– Co porabiasz?

– Ćwiczę stepowanie. – Słyszę wesołość w jego głosie.

– Widzisz, a ja zamierzam uciec z gwiazdą rocka.

– I jak to jest? Wybacz, nie zrobiłem sobie jeszcze tatuażu z jego imieniem.

– Tato?

– Tak?

– Dziękuję. – Ściskam w dłoni gładką muszelkę i owijam się marynarką. – Za marynarkę, kasetę i za wszystko...

– Jeśli Jake jako zięć jest koniecznym elementem zestawu, nauczę się kochać go na nowo.

– Naprawdę?

– Był dobrym chłopcem. Ale muszę kończyć, Katie, Mama rwie się do telefonu. Szczęśliwego Nowego Roku, córuniu. Kocham cię.

– Kathryn? – rzuca Mama nieśmiało.

– Jest niesamowita.

– Nie spaliłaś jej?

– Nie – uśmiecham się.

– Ale możesz, jeśli chcesz, wybór należy do ciebie. Numer trzy.

– Oczywiście że jej nie spalę – oświadczam, przysuwając do siebie pudełko, po którego pustym dnie toczy się okrągłe opakowanie zapałek. – I przepraszam za swoje zachowanie.

– Wiesz, to było na swój sposób ciekawe: mieć znowu nastolatkę pod swoim dachem.

– Mówisz o mnie? – Mama śmieje się, a ja mrużę oczy, spoglądając na kolorowe ściany wokół mnie. – Co porabiacie?

– Ja układam puzzle.

– No tak.

– A Tato właśnie przygotowuje się do grillowania miecznika i warzyw na lunch...

– Tęsknię za wami – wyrywa mi się nagle, a odkrycie w sobie tego długo nieobecnego uczucia i wypowiedzenie na głos tych słów zaskakuje mnie zupełnie. Cisza. – Mamo?

– Jestem.

– Nie wiem, czy to... Nie wiem, jak... co zrobić, by to wszystko nabrało realnych kształtów.

– Nie musisz nic z tym robić. Na tym polega próba w takich sprawach, nieprawdaż?

– To jest właśnie próba?

– Tak, próba, sprawdzanie, jak to wszystko działa w rzeczywistości.

– Skąd wiedziałaś z Tatą? – Owijam się ciaśniej marynarką. – Skąd wiedziałaś, że powinnaś na niego czekać?

– Jak by to ująć? – Mama milczy przez chwilę. – Bo on czekał na mnie, Katie, na prawdziwą mnie, nie wyidealizowaną, nie abstrakcyjną. I łączy nas nie tylko ostatnich trzydzieści pięć lat życia, łączysz nas ty. To mój partner, zrzęda, czasem mądry, czasem głupi, ale mój partner.

Uśmiecham się na te słowa.

– Wiesz, Mamo, dowiedziałam się, że wszystkie piosenki Jake'a po *Lake Story* dotyczą jego ojca.

W słuchawce zapada cisza.

– Przykro mi to słyszeć, ze względu na Jake'a.

– Ale to dobrze ze względu na ciebie.

– Wiem. – Śmieje się, a potem wzdycha. – O rany. – Czuję, jak oswaja się z tą wiadomością. – Hm, twój Tato ma problem z grillem.

– Dobrze, idź już.

– Kocham cię.

– Ja też cię kocham.

Nagle drzwi do pokoju otwierają się i rozlega się głos Jake'a:

– Kaaa-tie!

Podskakuję wystraszona.

– Tak? – Podnoszę się. Krew odpływa mi z twarzy, gdy wchodzi do środka, w pełnym makijażu i więcej niż negliżu. Zamyka za sobą porysowane drzwi, stoi nagi na ich tle i przyzywa mnie ruchem dłoni.

– Czy to Croton?

– Moi rodzice przysłali mi to w geście pojednania. To mój...

– Jake ujmuje moją twarz w dłonie, wpatrując mi się ciepło w oczy. – Tak? – pytam cichutko. Zagłębia swoją upudrowaną twarz w mojej szyi. – Jake. – Odpycham go. – Przestań.

– Nie potrafię – mruczy i widzę, że pot skrapla mu się pod makijażem. – Nie mam za dużo czasu, za pięć minut znowu muszę stanąć przed kamerą. – Ciągnie mnie za golf, tak że tracę równowagę i opadam na krzesło, przytrzymując się jego oparcia. – Przepraszam. Rozbierz się. Nie będę patrzył.

– Jake? – ktoś drze się z korytarza, zanim mam szansę mu odpowiedzieć.

– Tak? – Jake podbiega do drzwi, klapiąc bosymi stopami o posadzkę.

– Telefon z Tokio.

Gdy odwraca się do mnie, jego stopy wydają pisk, ocierając się o podłogę.

– Za pół godziny mam kolejną przerwę. Przebierz się i spotkamy się... – Jego twarz się chmurzy. – Ale nie tutaj, dobrze? Tu jest zła energia. W sypialni. Kocham cię. – Otwiera zamaszyście drzwi i znika, śpiewając: „Przelecę cię, Kaaatie!".

Siadam, ocieram puder rozmazany na marynarce, a wtedy mój wzrok pada na zdjęcie, które Mama przypięła pod prawym rękawem. Tam, obok innych pamiątek, widnieje fotografia miejsca, którego nie da się pomylić z żadnym innym: patera na tort, na której spoczywa rodzinny dom Jake'a.

Gdy limuzyna wlecze się w stronę Times Square, obserwuję podniecone tłumy czekające na nadejście nowego roku. Obok mnie siedzi Jake z papierosem w ręku, poprawiając co chwila garnitur, i z zamkniętymi oczami dokonuje wizualizacji. Nagle moja komórka wibruje, ale na widok numeru Lucasa odrzucam połączenie – pewnie więc zostawi mi na poczcie głosowej kolejną wiadomość do kompletu z innymi genialnymi pomysłami.

– Kto cię tak molestuje? Mam być zazdrosny?

– Mój szef. I owszem, chodzi o ciebie. – Próbuję znaleźć pozycję, w której pasek zakrywający mi dekolt mniej mnie ociera. – Wpadł na kretyński pomysł, by wykorzystać cię do promocji idei zrównoważonego rozwoju.

Jake otwiera oczy i spogląda na mnie.

– Spokojnie, powiedziałam mu, że właśnie wyruszasz w trasę koncertową. Nie musisz się w to w ogóle angażować. Jestem pewna, że uda mi się go spławić jakimś anonimowym datkiem, o ile oczywiście się zgodzisz, nie chcę na ciebie naciskać.

– Anonimowym? – powtarza.

– Całkowicie. Ale jeśli...

– Ach, rozumiem. – Podnosi się, wydmuchując przez nos silny strumień dymu. – Więc twojemu szefowi podobam się na tyle, że chce, bym promował całą ideę, ale ty... co? Uważasz, że nie jestem wystarczająco poważny? Że mógłbym ci przynieść wstyd?

– Jake, no co ty, chodziło mi o coś zupełnie innego. – Spoglądam na niego ze zdumieniem. – Po prostu nie chciałam ci dyktować, co masz robić ze swoimi pieniędzmi.

– Aha, rozumiem. W porządku. – Limuzyna zatrzymuje się przed czerwonym dywanem, gdzie już czeka na nas Joss z instrukcjami. – Gotowa?

Zanim mam szansę zaprzeczyć, drzwi otwierają się.

– JAKE! JAKE! JAKE! TUTAJ, JAKE!

Idziemy po czerwonym dywanie, przez oślepiające flesze i ogłuszające histeryczne krzyki tłumów. Zatrzymuję się tam gdzie on, ze złożonymi rękoma, kierując podbródek w dół, według instrukcji Kirsten.

– JAAAAAAKE!!! – stojący za falangą prasy tłum nastolatek zdziera sobie gardło. Jake uśmiecha się, macha, powtarza ciągle: „Hedi Slimane dla Diora" i rozdaje autografy.

Przeciskamy się przez obrotowe drzwi budynku przy Broadway 1515.

– Jake! Jake! Jake! – skanduje tłum za naszymi plecami.

Podchodzą do nas ochroniarze ze słuchawkami, pożółkłe od tytoniu palce łapią Jake'a za ręce i odciągają ode mnie. A przecież nawet jeszcze nie doszłam do windy.

Podłoga w studiu jest kompletnie zagracona, a korytarze pełne zarówno imprezowiczów, jak i obsługi. Trzymając ciągle uniesiony identyfikator zawieszony na szyi, przepycham się między tłumami, od których bije dusząca woń perfum i nikotyny, aż wreszcie odnajduję garderoby.

– Jake? – krzyczę. Obok mnie przechodzi dumnym krokiem znany raper wraz ze swoją ekipą i unosi się za nimi zapach trawki. Chcąc pobyć przez chwilę sama, zanim wepchną mnie na scenę, odnajduję jakimś cudem pusty kąt, wciskam się w niego i spoglądam do studia przez szpary w czarnych pilśniowych deskach. Raper bierze mikrofon od kościstego faceta, który jest w takim wieku, że mógłby być dziadkiem nastoletniej publiczności wyrażającej piskami swoje uwielbienie.

Boże, są tacy młodzi.

W chwili gdy głośniki wybuchają mocnym uderzeniem, dociera do mnie dźwięk mojego telefonu i podnoszę torebkę do ucha. Udaje mi się wreszcie otworzyć kryształowe zapięcie i na widok numeru z Vermontu błyszczącego obok szminki z mojej piersi wydobywa się okrzyk radości.

– Laura! – krzyczę. – Cześć!

– Szczęśliwego Nowego Roku! – drze się Laura do słuchawki. W tle słyszę dzieci powtarzające za nią życzenia jak echo.

– Co słychać? – Przyciskam palec do drugiego ucha i przysuwam głowę do ściany.

– Jestem wnie-bo-wzię-ta. Prawie jak na haju, moja cudowna Kate. Siedzę tu ze swoim nieziemsko szczęśliwym mężem i moją nowiutką torbą od Chloe. Wiesz, co do niej pasuje?

– Nie?

– Wszystko. Moja piżama. Mój wielki wzdęty brzuch. Chyba nawet będę się z nią dzisiaj kąpać. Nie pamiętam, żeby cokolwiek przedtem w moim życiu sprawiało mi tyle radości.

– To fantastycznie! – Wykrzykuję podekscytowana, bo jej dziecięcy entuzjazm jest zaraźliwy.

– O rany, Kate, do tego wszystkiego zostawiliśmy dzieci z rodzicami i spędziliśmy romantyczny weekend w Bostonie. Było niesamowicie: chodziliśmy na długie spacery, zwiedziliśmy Isabella Stewart Gardner Museum, jedliśmy w fantastycznych restauracjach i poszliśmy na masaż dla par! – Tu obniża głos: – I bzykaliśmy się co niemiara. Było bosko. – Czy jesteśmy gotowi do nagrania? – Słyszę głos Jake'a dochodzący z pomieszczenia po mojej lewej i zaczynam szukać drogi w labiryncie.

– Cholera, muszę kończyć.

– Jasne, przygotuj się na występ. Siedzimy wszyscy przed telewizorem. Kochamy cię!

– Kochamy cię! – słyszę znowu w tle dziecięce głosiki.

– Ja też was kocham! – żegnam ich i rozłączam się. – Jake! – wołam, gdy dostrzegam go pijącego wodę z przezroczystego plastikowego kubka.

– Ciii... – upomina mnie jakiś facet z mikrofonem. Posłusznie zastygam w bezruchu. Jake, oświetlony jasnymi światłami, odkłada kubek, a prowadzący wywiad prezenter, jakieś niedawne – i zapewne chwilowe – odkrycie, kiwa głową na znak, że jest gotowy.

– Jest z nami dzisiaj Jake Sharpe – zaczyna. – Jake, jestem twoim wielkim fanem!

– Dzięki. – Jake uśmiecha się. Facet z arogancją świeżo upieczonej gwiazdki czeka, aż Jake odwzajemni komplement. Na próżno.

– Hm, a zatem za parę minut twoja muzyka wprowadzi nas w Nowy Rok.

– Nie mogę się doczekać. – Jake kiwa głową do kamery.

– Ja również. – Daje Jake'owi kolejną szansę. Znów na próżno. Podejmuje więc inny wątek. – Jake, ostatnie dni przyniosły w twoim życiu wiele zmian. Znów jesteś ze swoją muzą i natchnieniem swoich przebojów, swoją szkolną miłością, Katie Hollis, która również za chwilę pojawi się na scenie. – Tu zwraca się do kamery. – Więc zostańcie państwo z nami. A na płycie z twoimi największymi przebojami, która ma się ukazać niebawem, autorstwo piosenek z twojego pierwszego albumu nie będzie już przypisywane tylko tobie, ale i... – spogląda znowu w notatki – Samuelowi Richardsonowi, Toddowi Rawleyowi i Benjaminowi Conchlinowi. – Czuję, jak wszyscy jednoczymy się w tej cudownej chwili, wyobrażam sobie, jak uśmiechają się, z oczyma wlepionymi w telewizor. – Dlaczego akurat teraz, podczas promocji nowego albumu, wyjawiasz, że tak naprawdę to nie ty napisałeś muzykę, która przyniosła ci sławę?

Jake przez chwilę spogląda na niego zdziwiony, a potem zmienia taktykę.

– To nie do końca tak.

– Opowiedz nam zatem o ludziach, którzy ją napisali.

– To była współpraca. – Jake poprawia się na krześle. – Współpracowałem wtedy z kilkoma wspaniałymi facetami, moimi najlepszymi przyjaciółmi. – Spogląda w moją stronę, uśmiechamy się do siebie i myślę, że to wciąż możliwe: może nie najlepsi przyjaciele, ale topór wojenny został zakopany, ręka wyciągnięta do zgody. Od czegoś przecież trzeba zacząć. I jestem z niego dumna.

– Więc gdzie są teraz tamci muzycy? „Współpracowali" przy powstaniu naprawdę świetnego materiału, niektórzy twierdzą nawet, że najlepszego w twojej karierze. – Uśmiecha się złośliwie.

– Hm. – Jake wyciera ręce o spodnie. – Współpraca jest formą artystyczną, bez wątpienia. Wciąż wręcz fanatycznie dbam o to, by otaczać się talentami. Szukam ludzi, którzy potrafią wydobyć ze mnie to, co najlepsze, jak chociażby Mirwais, który był producentem mojego ostatniego albumu. Wiesz, chodzi o najlepsze zaplecze, o najlepsze wsparcie, żeby twój talent mógł się rozwijać. A emocjonalne wsparcie, jakie dali mi ci faceci, gdy tworzyłem tamte piosenki... – Czuję, jak podnosi mi się ciśnienie, i nieomal widzę grymas na twarzy Laury. – ... Nigdy im tego nie zapomnę. – Jake uderza się dwa razy w pierś. – Nigdy.

– Palant.

Wszystkie oczy zwracają się w moją stronę. Jake spogląda na mnie zdziwiony, a ja odwracam się, zanim zrobi to kamera, po czym zaczynam się przeciskać do wyjścia i rozpychać łokciami wśród tłumu, który próbuje się dostać do okien wychodzących na Times Square, zanim opadnie kula. Dochodzę do windy, naciskam guzik i odwracam się w stronę schodów.

– I co, zamierzasz tak po prostu wyjść? – Jake staje za moimi plecami, zakrywając mikrofon. – Jak gdyby nigdy nic?

– Tak.

Zapala się czerwone światełko na znak, że winda przyjechała, więc kieruję się do drzwi, próbując ominąć Jake'a, ale ten łapie mnie za łokcie.

– Mówiłem ci, że to będzie skomplikowane. Mam miliony fanów, którzy chcą we mnie widzieć autora tych piosenek. Jestem im coś winien, mam wobec nich ogromny dług wdzięczności!

– Masz przede wszystkim ogromne, przerośnięte *ego*.

– Kate, do cholery! – Puszcza moje ręce. – Widziałaś, jak się zachowywał tamten koleś! Chciał mnie pogrążyć! A oni dostali swoje pieniądze. Ich nazwiska zostaną wydrukowane na płycie. Więc w czym tkwi twój problem?

– W tobie. Ty jesteś moim problemem. A raczej byłeś – poprawiam się. – Odcisnąłeś piętno na kilkunastu ostatnich latach mojego życia.

– Tak jak i ty na moim i to cudowne, że odnaleźliśmy się po takim czasie i wreszcie jesteśmy razem.

– Jesteśmy razem? Tak nazywasz ten ostatni tydzień?

– Tak! Bo jesteśmy razem. I to jest fantastyczne! Fantastycznie, że jest między nami ta szalona, nienasycona namiętność, że zamieszkałaś w moim domu, w moim życiu, że kochamy się jak wariaci, ścieramy się ze sobą i że robisz mi te karczemne awantury, które stawiają wszystko na ostrzu noża. Uwielbiam te nasze jazdy!

– Jake, to dziecinada. Zabawa dla siedemnastolatków. – Robię krok w bok, unikając przelatującej bandy dzieciaków z trąbkami. – Albo dla jeszcze młodszych. Boże, oni wszyscy tutaj są tacy młodzi. To dzieci. My też zachowywaliśmy się teraz jak dzieci, Jake.

– Nie jestem dzieckiem.

Spoglądam na niego i wszystko wydaje mi się teraz takie oczywiste.

– Jake, nie chcę w to dalej brnąć. I wiedz, że nie chodzi ani o twój napięty grafik, ani o twoją ekipę, ani nawet o Joss. Mogłabym się do tego wszystkiego przyzwyczaić, jeślibym musiała. Tu chodzi o ciebie, Jake, o to, kim jesteś. Na kogo wyrosłeś. A tak właściwie nie wyrosłeś, bo ty wcale nie dorosłeś. – Podchodzę bliżej, w pole rażenia jego feromonów, ale teraz jestem już na nie odporna. – Strasznie się cieszę, że spróbowaliśmy tego, bo teraz mogę przyznać przed samą sobą, że jakaś cząstka mnie z a w s z e będzie w tobie troszkę zakochana, w tym siedemnastolatku, którym b y ł e ś. I to nie jest nic złego. Nie znaczy wcale, że jestem jakąś żałosną, sentymentalną wariatką. Znaczy tylko, że gdy teraz usłyszę *Losing*, to zamiast zmienić stację czy wyjść ze sklepu, docenię ją. Wysłucham i uśmiechnę się, bo to piękna piosenka. – Spoglądam mu w oczy. – Piękna piosenka, która trwa dokładnie trzy minuty i czterdzieści osiem sekund.

Twarz Jake'a wykrzywia grymas.

– Jesteś potwornym tchórzem. Wiesz, że jesteśmy dla siebie stworzeni, ale boisz się...

– Nie, tak właściwie, Jake, to jest mi wstyd. Że byłam skłonna odrzucić trzynaście lat swojego życia dla uderzenia adrenaliny, które dajesz mi przez trzy minuty i czterdzieści osiem sekund. Trzy minuty i czterdzieści osiem sekund! W wieku siedemnastu lat wydawało się to wiecznością. Gdy się ma trzydzieści lat... to po prostu piosenka. – Jake! – Jocelyn wpada do pustego hallu. – Co jest, do cholery? Nie to miałeś mówić. I, Kate, przez twój wybuch przez cały weekend będę lizać tyłki wszystkim właścicielom głównych stacji. A teraz raz-dwa, wracamy! Gdy sięgam do drzwi i otwieram je na klatkę schodową, Jake rzuca mi ostatnie zbolałe spojrzenie. – Trzymaj się, Jake – mówię i zostawiam go, żeby poszedł tam, gdzie mu każą.

Na dole popycham obrotowe drzwi i podmuch zassanego powietrza wypycha mnie na zewnątrz, na wysprzątany czerwony dywan, właśnie w momencie, gdy kula zaczyna opadać. Podnoszę ręce do góry i mój wzrok pada na szafirowy pierścionek. Już mam go zdjąć, ale powstrzymuję się. Trzynaście prezentów urodzinowych, trzynaście prezentów gwiazdkowych, trzy prezenty z okazji uzyskania dyplomu... wszystkie podsumowuje jeden wypłacony czek za prawa autorskie. Wciągam do płuc rześkie powietrze i spoglądam na ogromny ekran po drugiej stronie ulicy, który pokazuje relację na żywo ze studia. Jake śpiewa dla rozhisteryzowanego tłumu nastoletnich fanów. Jeśli jego świat właśnie legł w gruzach, nigdy się tego nie dowiecie.

Wypowiadając noworoczne życzenie, uśmiecham się szeroko i spoglądam w niebo na spadające konfetti, po czym, nareszcie odporna na zimno, ruszam przed siebie.

26

Wesele Laury

– Katie?

Na dźwięk głosu Laury unoszę policzek z podłogi w łazience. Owijam się ciaśniej szlafrokiem, podnoszę się i siadam na brzegu wanny, a potcm spoglądam przcz spadające mi na twarz włosy na Laurę kucającą w drzwiach.

– Nawet nie wiesz, jak mi przykro. – Kryję twarz w dłoniach. Wyciąga do mnie rękę, jej nowiutka obrączka lśni obok pierścionka zaręczynowego.

– Wszyscy wypiliśmy za dużo. A gdy spojrzałam na twarz Sama w kościele, a potem na twoją... to było zbyt ciężkie. Siedziałaś tu przez całą noc? – Łapie mnie za brodę i delikatnie podnosi moją twarz. Kiwam głową.

– Tak. Ale to nie... – Kręcę głową, moje serce znów zaczyna walić jak młot. – Po prostu... nie mogę... złapać oddechu. Czuję taki ucisk... w piersi... że mam wrażenie, jakby... ktoś na niej stanął.

Na twarzy Laury maluje się troska.

– Zawołam twoją mamę.

– Nie. – Macham słabo ręką. – Proszę.

– Jak chcesz, ale chociaż wyjdźmy z łazienki. – Pomaga mi się podnieść, idziemy powoli w stronę mojej sypialni i tam obie kładziemy się na kołdrze. – Oddychaj razem ze mną, dobrze?

Kiwam głową. Laura robi dramatyczny wdech i ściska mnie za rękę na znak, że mam ją naśladować. Więc dobrze, wdech i wydech. Wdech i wydech.

– To się nigdy nie skończy...

– Oddychaj – Laura upomina mnie surowo. Więc oddychamy. Po kilku rundach puszczam jej rękę.

– Laura, nie mam pojęcia, jak się od tego uwolnić. Za każdym razem, gdy próbuję, pojawia się następna piosenka... – Mocno zaciskam złożone ręce. – I tak będzie przez resztę mojego życia.

– No co ty – Laura chwyta mnie za ramiona.

– Słucham? – mówię niewyraźnie przez łzy.

– Musimy tylko bardziej to kontrolować. Prawda?

Kiwam głową, po czym opuszczam ją nisko.

– Hej! – Podnosi moją twarz i patrzy prosto w oczy. – Posłuchaj mnie Elizabeth Kathryn...

Dopiero teraz dostrzegam, że ma na sobie elegancki kostium.

– Boże, przecież jedziesz teraz na lotnisko! Błagam, jedź już. Nie dość, że zepsułam ci wesele, to jeszcze zepsuję i miesiąc miodowy.

Laura ucisza mnie ruchem ręki.

– Niczego nie zepsułaś. – Jej wzrok pada nagle na ubrania wiszące na moim krześle, i Laura zaraz wyskakuje z łóżka.

– Przywiozłaś je na ten weekend, tak?

Kiwam głową.

– Po to, by zakończyć tę sprawę?

Znowu przytakuję i wycieram nos.

Bierze sukienki z motylkami wraz z bielizną w obie ręce i rzuca to wszystko na łóżko.

– A więc jesteś gotowa.

– Nie mogę, jeśli on nie...

– Tutaj. – Podnosi z podłogi leżącą niedbale torbę i ciska ją na kołdrę, dorzucając do tego buty na obcasach.

Przyciskam ubrania do piersi.

– Nie...

Wyciąga sukienkę leżącą na wierzchu mojego stosu i delikatnie składa do torby.

– Już je spakowałaś. Żeby móc się zająć swoim życiem, prawda? – Spogląda na mnie. – Prawda?

– Tak.

Wyciąga z moich rąk następną sukienkę.

– No właśnie. Więc spakujesz tę torbę jeszcze raz i odłożysz ją na bok, aż pewnego dnia on przyjedzie do domu.

– Ale co, jeśli...

– Przyjedzie, na pewno przyjedzie. Zobaczysz. A ja będę wtedy na miejscu i dam ci znać. Zadzwonię do ciebie. – Kładzie rękę na moich dłoniach, wciąż trzymając w niej buty na koturnach. – Obiecuję ci, Katie, przysięgam na naszą przyjaźń, że zadzwonię.

Podziękowania

Z całego serca dziękujemy Suzanne Gluck, Alicii Gordon, Sarze Bottfeld, Eugenie Furniss, Suzanne O'Neill, Judith Curry, Kenowi Weinribowi, Ericowi Brownowi, Addie Szabo, Larry'emu Heilweilowi i wszystkim pracownikom Burton Goldstein & Co. za ich nieustające wsparcie, słowa zachęty i cenne wskazówki. Trudno sobie wyobrazić lepszych współpracowników.

Emma pragnie podziękować: swojej rodzinie za to, że towarzyszy jej w drodze i obdarza swoim śmiechem i radością, Shannon i Sarze za to samo, Christine Ranck, której nieoceniona praca sprawia, że przeszłość staje się inspiracją, Sarze M., Minnie M. i Ashley E. za to, że są najlepszymi Laurami, jakie można sobie tylko wymarzyć, i D.B.H. – za doskonałość.

Nicki pragnie podziękować: swojej rodzinie za jej niesłabnący entuzjazm, Mary Herzog za jej mądrość, wnikliwość i opiekę, Stephanie Urdang za jej niezwykłą energię, Kevinowi Jenningsowi, cudownemu mężczyźnie, za wyciąganie jej z dołka za każdym razem, gdy utknie w czymś po uszy, Kristi Molinaro, swojej inspiracji, za to, że przy niej wszystko staje się zabawne, Patricii Moreno, guru radości, i Doktorowi Szulcowi – mistrzowi.

Spis treści

W serii ukazały się:

Candace Bushnell, *Szminka w wielkim mieście*
Kathleen Flynn, *Legalna fryzjerka*
Bebe Moore Campbell, *Podwójne życie mojej córki*
Avery Corman, *Rozwód doskonały*
Nicola Krauss & Emma McLaughlin, *Niania w Nowym Jorku*

Społeczny Instytut Wydawniczy Znak,
ul. Kościuszki 37, 30-105 Kraków. Wydanie I, 2008.
Druk: Rzeszowskie Zakłady Graficzne SA, Miłocin 181 k. Rzeszowa.